# SUICIDE SUCRÉ D'UNE POUPÉE

LES YEUX DE FLORENCE

# SUICIDE SUCRÉ D'UNE POUPÉE

*roman*

*Lydia Renoir*

*Suicide sucré d'une poupée*
Lydia Renoir

Collection LES YEUX DE FLORENCE

Autres titres parus
aux éditions TEXTES ET CONTEXTES

*La tortue de cristal* (2011)
*La petite fille aux perroquets* (2010)
*La muraille de glace* (2009)
*Les couleurs de l'ombre* (2008)

Éditions TEXTES ET CONTEXTES, 2012
Sainte-Adèle (Québec)
www.textesetcontextes.ca

ISBN : 978-2-923706-37-5

Dépôt légal : Bibliothèque et Archives nationales du Québec, 2012
Dépôt légal : Bibliothèque et Archives Canada, 2012

# *Préface*

Être ainsi à l'avant-scène des mots et du travail d'écriture de l'auteure Lydia Renoir constitue, à la fois, un privilège de lecture et une grande découverte de narration. C'est en outre l'occasion de pressentir les premiers souffles intimes du texte, ce regard de l'intérieur et cette sensibilité, ce vécu des êtres assortis à un style d'écriture authentique, particulier et unique.

Mais quel est-il, ce style ? Lové entre récit philosophique et féerie aux présences révélées de conte et de poésie, l'*art des mots* est observé sous ce pinceau, cette plume, ce visage de l'auteure-narratrice, ouvert et reflété dans ce miroir humain (par le biais invisible de Florence, héroïne de cette saga), véritable psyché où se dégage cette transparence subtile, la profondeur du regard, là même où les mots-phares nous éclairent de leur intensité, depuis les premières lignes. Il apparaît d'une grande évidence que, depuis le début de cette suite romanesque, au terme de ce « pentacle littéraire », après toutes ces couleurs, textures, teintes et saveurs, après ce monde de soieries, de voiles et de brocarts, tissés à même la thérapie des voiles et des cocons (érigés, voire spiralés, tous ensemble en forme de cathédrale) ; après le quartz, la luminosité du cristal extraite et vive tel un minéral précieux dans cette culture amérindienne ancienne, l'auteure nous amène encore plus loin dans cette aventure si humaine de prise de conscience et dans l'affaissement de nos masques.

Car c'est de cela qu'il s'agit dans ce suicide « sucré » qui relève du récit initiatique. Masque ou double, il faut sentir les infimes nuances. Masque de Jeanne la Pivoine (ou simplement le nôtre), dissimulation qui se retrouve au centre même de ce récit – là où le conte s'enchâsse, rejoint le réel et le transpose. Là plus concrètement où il nous est donné de découvrir un univers de peluches, d'oursons et surtout de poupées: de papier, de cuir, de porcelaine, de bois et de perles. Et aussi toutes ces autres pleines de sens : poupée-courage, ramasse-peurs ou simplement de bonheur. Et ces autres encore, d'ici d'ailleurs et de mystère: russe, inuite, vaudou, de terre, de feu, de vent, mais aussi, et surtout, la *poupée de pluie* habitée par un «grelot de sanglots» et qui nous permet de vivre cette authentique catharsis.

Nous nous retrouvons donc au fil des paysages humains dans ce monde de miroirs traversés et de sens déformants ou révélés doublé de néologismes ou de mots-images. Au fil du temps, l'auteure nous a-t-elle habitués à ces concepts ou valeurs au-delà des simples mots nouveaux ? Après cet *homme-quartz*, l'*enfant-peintre* et même les *nains de conscience*, définis dans les ouvrages précédents et plus récemment avec la *poupée-roche* et surtout les *poupées-femmes* qu'elles soient ballerines ou musiciennes jusqu'à la *poupée-Pivoine,* n'était-il pas, d'une incontournable nécessité, à cette étape de la vie de Jeanne la Pivoine, ou simplement dans toute continuité du sens, devenu nécessaire que de parler dorénavant de *«pupa»* et plus spécifiquement de *poupées humaines*?

•

*Mais ces poupées ont-elles des rêves?* s'interroge l'auteure au cours de son récit. Peut-être trouverons-nous, nous aussi par ce texte, des pistes de réponse à nos propres pierres à polir et dans les yeux de ces oursons peluches et de ces poupées de porcelaine des voies de perception profonde.

L'éditeur

Mettre fin à ses jours peut arriver à tout âge.
Il y a des suicides réussis et d'autres avortés,
des suicides invisibles où l'on met à mort son intériorité.
Mais qu'en est-il du *suicide sucré*,
où l'on se retrouve de l'autre côté du miroir
sans l'avoir traversé ?

Poupée de pluie, quelle est ta poésie ?
Ta nature est si fluide que je dois être livide
pour te regarder bouger dans le silence de ma conscience.

Muse discrète, blottie dans l'humidité mystérieuse,
subsiste et résiste !
On te voudrait docile et asservie.

On cherche et on trouve de multiples façons de te décimer.
Le génocide fait rage. Cessons de l'occulter !

Lydia Renoir

# *Introduction*

Il y a des poissons luminescents et des étoiles de mer à six branches, des escargots jaune fluo, des poissons arc-en-ciel et des lézards noirs aux écailles bleues éparpillées. Des espèces étonnantes peuplent notre planète et nous sommes fascinés par cette biodiversité, mais la biodiversité humaine suscite-t-elle encore chez nous un quelconque émerveillement ? Sommes-nous éblouis, transportés par différentes sensibilités et capacités de perception ? Que deviendra Jeanne surnommée la Pivoine, originaire de Rimouski, spécimen d'une espèce en voie d'extinction, couchée sur une civière, dans une ambulance urbaine filant à vive allure sous la luminosité des feux rouge cerise ?

Qui aurait cru que cette poupée pourrait être victime d'un AVC ? Elle jouait pourtant bien le jeu dans cette improvisation qui, au fond, lui donnait la frousse. Portait-elle l'obscure appréhension du modèle muet devant l'énigmatique sculpteur qui modifiera son image à tout jamais ? Elle incarnait si vivement son personnage qu'on ne pouvait se douter qu'un caillot viendrait in extremis se blottir dans ses artères de chiffon ! Ventre de cotonnade, cœur de soieries… Avait-elle des émotions si vives qu'elle en vienne à chanceler dans son apparat tacheté de rose cendré ? Elle en avait à la tonne, des émois de soie ! Tant et si bien qu'un orage l'a dévastée.

C'est au cœur même de *la thérapie des voiles et des cocons*, développée par la psychologue Florence de Blois et réalisée par sa sœur Lily dans une cathédrale de tissus, grâce à la présence de douze femmes inoubliables, que le phénomène a eu lieu. Jeanne était déjà en choc post-traumatique, à la suite du décès de Florence, du deuil insoutenable du conjoint de celle-ci, Neil, et du kidnapping d'Éloïse, la petite-fille de cette psychologue qui voyait ce que d'autres ne voient pas. Elle était devenue cocaïnomane des trois saveurs, prisonnière d'un cercle vicieux de récompenses, totalement dépendante des saveurs fraise-vanille-chocolat de la glace trois couleurs, puis, avec l'aide de Liette la Violette, elle avait annoncé le virage du sevrage.

Aller à la rencontre des tissus et de leur langage, faire ressurgir grâce à la mémoire du cœur et de la peau divers souvenirs en touchant des étoffes tels le mohair, le tulle, la gabardine et le velours, voilà un voyage à nul autre pareil, au terme duquel, après avoir participé à l'improvisation, Jeanne fut victime d'un grumeau cramoisi, ce qui n'est pas banal mais plutôt rarissime. En langage de poupée, cela pourrait s'apparenter à un grelot de sanglots ! Cette expérience fut filmée par Étienne Ora à la réalisation et une équipe de caméramans*.

Étienne était stressé par ce film. Plus les jours avançaient, plus il avait l'impression qu'une corde lui enserrait le cou. Il était attaqué, la nuit, dans son sommeil. Personne n'en était véritablement conscient, mais de longues griffes cagoulaient les pétales des fleurs du bonheur. Il portait son regard sur les femmes pour révéler, grâce aux tissus, les dentelles dont elles étaient constituées. Il s'avéra que celui qui hantait ses nuits, Mike Darlington, avait fait appel à une pratique vaudou pour envenimer son existence. Ayant demandé conseil à Yoshiko Ashikaga-Pellerin, la mère de Tomoko, sa compagne de vie, il découvrit la force de l'effet Maharishi, que celle-ci mit en place avec un groupe d'amis. Cent personnes méditatives

* Voir *La tortue de cristal*, éditions Textes et Contextes, collection « Les yeux de Florence ».

consacrèrent une semaine de leur vie à la protection, par la profondeur et la luminosité de leurs pensées, de l'espace-temps dans lequel cette étonnante thérapie devait prendre forme et s'incruster sur les sédiments de la beauté. Cependant, le dernier jour, emportés par l'improvisation, ils ne virent pas que l'heure fatidique était dépassée. À dix-huit heures, le carrosse se changea en citrouille et les murs si subtils s'évanouirent. Mike Darlington, qui agressait Étienne dans ses rêves, se retrouva donc devant lui, les douze femmes participant à la thérapie, et toute l'équipe de réalisation une mitraillette à la main. Elles étaient à ce moment ultrasensibles, et durent se faire violence pour protéger leurs invisibles frontières. Jeanne, en apparence, semblait avoir également réussi cet indicible exploit, mais au moment où, toute chavirée dans son cœur de poupée, elle s'approcha de lui alors qu'il rendait son arme, surpris par Emmanuel et ses dobermans, il lui lança :

— Qu'est-ce qui vous arrive ? Vous souriez toujours comme ça ? Attention, je connais ça... Est-ce qu'elle sourit toujours comme ça ? Poupée !

Hélène et Liette s'avancèrent.

— Qu'est-ce qu'il y a, Jeanne ?

Elle tenta de sourire, mais elle ne put y arriver. Le côté droit de sa bouche tremblait, paralysé.

— Quelle date sommes-nous aujourd'hui ? lui demanda Mike.

— Le... je...

— Quel est votre nom ?

— Je... Pi...

— *Call an ambulance.* C'est un AVC !

— Jeanne ! Jeanne !

— Appelez une ambulance !

Étienne reprit son cellulaire, car il avait précédemment appelé la police.

Jeanne s'agitait et courait dans tous les sens. Elle était visiblement paniquée. Elles tentaient toutes de l'apaiser. Chérine lui faisait signe de prendre de grandes respirations.

Mike lui aura peut-être sauvé la vie. La police l'emmena.

En dedans de trois minutes, l'ambulance était sur place. Les ambulanciers ne firent ni un ni deux. Ils placèrent Jeanne sur la civière et lui donnèrent de l'oxygène. C'était la première fois qu'ils transportaient une poupée. Hélène et Liette, incarnant respectivement une rose et un chien, voulaient à tout prix l'accompagner. Toutes ces femmes courageuses qui venaient d'échapper à la mort la dévoraient des yeux, attristées. Elles n'en croyaient pas leurs pupilles. La *Poupée* était victime d'un AVC. On n'avait jamais vu une rose et un grand chien brun dans une ambulance, mais peu importait. L'ambulancière, attendrie, n'osa leur refuser ce privilège. Elle referma les portes derrière elles.

Liette s'énerva.

— Attention, vous avez coincé ma queue ! Vous avez coincé ma queue !

L'ambulancière ouvrit de nouveau les portes et les referma machinalement.

— Carré noir de carré noir… on avait pas besoin d'une mitraillette et d'un AVC !

Hélène regardait Jeanne qui semblait avoir perdu connaissance.

— C'est assez ! s'écria la baleine. Je me cache à l'eau !

L'instant était dramatique. Liette était sarcastique avec son jeu de mots.

Elle secoua la tête.

— C'est *bad*… Ce soir, je vais bercer ma petite poupée.

Voilà ce qu'elle fait lorsque son cœur chavire.

Jeanne fut ainsi arrachée à cette improvisation qui lui avait permis enfin d'être la poupée Amivie, accompagnée de :

**Busara Akida** incarnant la *Reine de la Peur*:
Originaire du Congo, elle immigre au Québec en 1999. Florence la rencontre dans une buanderie. Elle la reconnaît, car elle est éboueuse et ramasse tous les jeudis les déchets sur sa rue. Elle lui révélera le sort réservé aux pierres précieuses, semi-précieuses et aux cristaux de son pays. Florence et Lily en seront estomaquées.

**Denise Marien**, au costume de *Ballerine*:
Rencontrée dans les toilettes de la Place des Arts, cette femme a embaumé des morts pendant vingt ans. Pour elle, la vie a longtemps été statique. Pour survivre, elle s'automutilait. Elle a beaucoup souffert et tenté désespérément de s'arracher au vide.

**Hélène Magnan**, au costume de *Rose*:
Cette femme travaille à titre d'armurière dans une prison. Elle s'occupe de l'entretien et de la distribution des armes aux gardiens. Elle cherche quelqu'un qui parle pour vrai. Elle a rencontré Florence de Blois il y a quelques années. Elle a passé dix jours avec elle dans une sorte de « serre poétique » où celle-ci a instauré *la thérapie des voiles et des cocons.*

**Chérine Yamani**, la *Femme voilée*, pour l'occasion:
Originaire d'Arabie Saoudite, c'est la fille de Neil, l'ex-conjoint de Florence. Ayant ressurgi de son passé, elle constitue une des dernières pages du livre de sa vie. Elle est gynécologue et a décidé d'aider à faire connaître l'œuvre de Florence de Blois.

**Françoise Charbonneau**, déguisée en *Roche*:
Elle a travaillé pendant plusieurs années à l'hôpital Sainte-Justine de Montréal, à titre de préposée aux bénéficiaires. Elle ne rêve plus depuis trente ans. Elle se surprendra elle-même à confier des pans de sa vie à Florence, qui n'en reviendra pas du caractère dramatique de ses confidences.

**Justina Ambrosi**, représentant la *Flamme*:
Ancienne secrétaire des jumelles de Vincentis, dites les *jumelles romanichelles*, amies de Florence, elle vit une belle relation amoureuse avec le fils aîné de Florence, Édouard Valin. Ses rencontres passées avec Florence, ses souffrances et son désir d'aider ont favorisé le développement chez elle de facultés particulières de perception.

**Liette Comeau**, le *Chien* :
C'est la conservatrice du Musée des Abénakis à Odanak, dans une réserve amérindienne à 30 km de Sorel-Tracy. Elle a vécu de drôles d'expériences avec la tortue de cristal. Elle y rencontre Lily et s'inscrit à *la thérapie des voiles et des cocons.* C'est une Acadienne de descendance micmaque.

**Mélodie Schmidt**, représentant la *Beauté plastique* :
Dans son enfance, elle a été une petite reine de beauté. Elle a participé à de nombreux concours, poussée par sa mère, une ancienne miss France. Elle a été un « papillon de plastique » aux tendances suicidaires. Elle s'intéresse elle aussi à *la thérapie des voiles et des cocons.*

**Sophear Nath**, représentant la *Tristesse* :
Une Cambodgienne qui a vécu sous le joug des Khmers rouges de l'âge de quatre ans jusqu'à dix-huit ans. Pour Florence, elle constitue un bel exemple de résilience.

**Lily de Blois**, animatrice :
C'est la sœur de Florence. Elle collectionne les cristaux et les pierres semi-précieuses. Elle enseigne le yoga. Ayant vécu pendant vingt ans à Vancouver, elle revient à Montréal à la demande de Florence, pour donner vie à *la thérapie des voiles et des cocons* conçue par sa sœur.

**Paule de Blois**, incarnant la *Musique* :
C'est la mère de Florence et de Lily. Sa vie, c'est le chant. Elle a quatre-vingt-un ans et, qu'à cela ne tienne, elle a décidé de participer à la thérapie artistique *des voiles et des cocons.*

**Sylvie-Touria Yamani**, étant le *Courage* :
La mère de Chérine est la nouvelle conjointe de Neil Jasmin (ex-conjoint de Florence). C'est une violoniste qui sait s'enivrer de musique, s'y réfugier et en envelopper les cœurs disloqués. Elle est née en Suisse, mais à dix-huit ans, elle a quitté ce pays pour l'Arabie Saoudite, sa famille étant très lourde à supporter.

Ces femmes seront devant vous, au cœur d'une histoire dont le fil va se dérouler.

Pendant que l'ambulance mordille la brillance du jour qui s'estompe, la gigantesque *tortue de cristal de roche,* trésor micmac, cadeau de l'arrière-grand-mère Luyana à sa descendance fascinée, Florence et Lily, se magnifie dans la salle de yoga. Sa carapace se métamorphose. Tel un kaléidoscope, elle livre des couleurs sombres et claires, à l'image des désenchantements et des aspirations de l'âme humaine. En sourdine, les tambours amérindiens scandent la danse de la pluie, larmoyante mémoire des sécheresses révolues. Le gris souris se mêle au jaune éclatant, l'ardoise au bleu turquoise, le gris acier au noir d'encre.

— Jeanne !

Un chœur scande dans un espace inconnu. On veut sans doute la réveiller, stimuler ses sens à outrance, faire éclater le caillot qui la paralyse.

— Jeanne ! Jeanne !

« Arrêt cardiorespiratoire, perte de conscience initiale, collier cervical… désincarcération… » J'entends des chiffres : des codes pré-hospitaliers et des expressions révélatrices de traumas. Qu'arrivera-t-il à cette femme à tout faire experte en ménage et petits plats, alitée sur une civière au grand étonnement de tous ceux qui l'aiment ?

L. R.

## *Note*

L'auteure est aussi la narratrice et il m'arrive par moments de traverser la frontière de papier. Pourquoi me retenir puisque tout en moi y aspire ? Alors, ne soyez pas étonné d'une narration un peu particulière. Ce signe [§] sera pour vous une balise, afin que vous puissiez identifier qu'à ce moment précis, ce n'est pas un des personnages ou tout simplement la narratrice du récit qui s'exprime, mais bien la narratrice interlocutrice.

PREMIÈRE PARTIE

# *Une porte d'entrée dans l'invisible*

# I

Dans l'ambulance, la marionnette est désarticulée. Qui a coupé les fils ?

— Ça sent la *doll* que j'vous dis ! lance Liette, un aboiement entre les dents.

— Comment ça, la *doll* ?

Hélène est franchement éberluée.

— Ça sent la poupée !

— Ça sent quoi, une poupée ? La poudre pour bébé ? La peau d'un nouveau-né ? Pour moi, en ce moment, ça sent la peur et l'odeur est sur ma peau. Je respire que des puanteurs. La vie m'a souvent enlevé ceux que j'aimais. J'ai tellement peur que Jeanne meure que ça me foudroie totalement. Les pétales de ma rose vont faner. J'ai les épines molles et le cœur qui bat très fort. J'ai placé Jeanne dans une coquille d'amour. Je veux entrer en communication avec son âme pour lui dire de se battre.

— Alors, il faut le faire dans le silence.

L'infirmière Colette Leclerc en a vu d'autres. Son ton de voix force l'apaisement.

— Madame Rose et Madame Chien ! C'est beaucoup de fourrure pour une ambulance, avec tout ce que ça peut comporter de poussières et de bactéries. Quand vous secouez votre vêtement, il y a des particules qui se baladent. Dans une ambulance, il faut garder son sang-froid.

— Le costume est neuf et… j'ai le sang chaud.

— Les poussières et les bactéries ont la vie dure. Déjà, les mains sont de véritables jungles tropicales. Chut ! Je vous en prie. J'ai besoin de votre collaboration.

Colette Leclerc est aux aguets. Elle vérifie les pupilles de Jeanne, mais ses yeux sont révulsés. Sa préhension au niveau des mains n'est guère plus concluante : aucun réflexe ! Quant aux jambes, elle a beau les plier, elles n'offrent aucune résistance.

— Elle est morte ?

Hélène a un sens inné de la tragédie.

— Je me blottis dans mon autel de spiritualité. Mes entrailles se déchirent. Ma robe rose devient rouge pour exprimer à Jeanne à quel point je l'aime !

Hélène est au paroxysme de l'anxiété.

— Je vais chanter un gospel, ça lui fera du bien.

Liette a toujours une chanson au bord des lèvres.

— S'il vous plaît, on ne chante pas dans l'ambulance.

— Avez-vous de l'expérience ?

Liette devient suspicieuse.

— J'ai treize ans d'expérience : un stage de deux ans à Montréal puis neuf ans de service en Abitibi et, depuis deux ans, je suis de retour à Montréal. Je prends ma retraite aujourd'hui. C'est mon dernier voyage. Je vous ai fait une fleur en acceptant que vous accompagniez Jeanne dans l'ambulance, malgré la queue de madame Chien qui traîne un peu partout… Je sais reconnaître dans les yeux le langage du cœur.

— Alors elle va s'en sortir ?

Liette questionne et tient solidement entre ses mains cette longue queue qui bat la mesure de ses émotions. Elle comprime de ses pattes de chien la fulgurante énergie qui catapulterait tant de mots ahurissants, issus de l'Acadie légendaire. Colette aurait tôt fait de constater qu'ils s'apparentent pour Liette, dans ce genre de situation, à des gaz de combat.

— Vous avez déjà connu des Noëls comme ambulancière ?

— Quelques-uns... C'est pas facile de trouver des cadeaux éventrés sur le sol, à côté des polytraumatisés. On sait que toute la parenté sera très affectée.

— Nous sommes pris dans un bouchon !

À l'avant du véhicule, l'ambulancier de service s'impatiente. Ça fait vingt ans qu'il arpente les villes du Québec.

— Alors, allons-y avec deux roues sur le trottoir !

Rien ne doit les arrêter.

Colette en a vu, des urgences : des accidents de la route avec des blessés et des morts, des tentatives de suicide et des suicidés, des accidents de chasse, des noyades, des empoisonnements, etc. Elle prend les mains de Jeanne et semble lui faire un transfert d'énergie.

— Maudit bouchon ! répète l'ambulancier, je déteste la ville.

— Bouchon !

Jeanne s'assoit d'un bond.

— Aaaah !

Hélène et Liette ont l'impression qu'elle revient d'outre-tombe. Elles ont les yeux écarquillés.

— Elle m'a vraiment fait peur !

Un peu plus et Madame Chien y serait allée d'un aboiement.

— Elle dormait ! affirme Colette. En observant avec la lampe de poche le réflexe des pupilles, ses yeux étaient révulsés, mais après ils se sont mis à bouger sous ses paupières. Elle était en sommeil paradoxal.

— Madame Pichereau, je cherche le bouchon. Je veux faire couler le bain pour laver les poupées. Madame Pichereau !

— Jeanne !

— Qu'est-ce qu'elle raconte ?

Hélène et Liette n'en croient pas leurs yeux et leurs oreilles. Elle parle !

— Quel est votre nom ?

Le protocole doit être suivi. On craignait un AVC.

— Amivie.

— Pas ton nom de poupée, Jeanne, ton vrai nom.

Hélène est insistante et même impatiente.

Jeanne semble avoir ce don, quelquefois, de jouer avec le destin.

— Amivie ! Je n'ai qu'un seul nom. Je cherche le bouchon…

— Quelle date sommes-nous ?

— Une poupée ne connaît pas les dates.

— Quel âge avez-vous ?

— Une poupée n'a pas d'âge.

— Jeanne, tu as soixante-huit ans !

Liette s'impatiente. Elle va bientôt lui administrer la médecine de *Liette la poutine râpée*. Tel est le surnom que lui avait donné son père. Il lui disait aussi qu'elle chantait comme une morue, ce qui n'est pas le cas. Attention, l'Acadie va rencontrer Rimouski ! Les pinces de *crâbes* lui montent au nez.

— Quelle est votre adresse ?

— Hôpital des poupées, Sainte-Blandine…

— Qui est ?

— Près de Rimouski. Je suis une poupée-pivoine, une poupée de chiffon. C'est clair, non ?

— Non, ce n'est pas clair. C'est votre personnage d'improvisation, Jeanne. Revenez parmi nous !

Colette lui parle très doucement et pose ses mains sur sa tête.

— Vous avez décidé de fuir le monde ?

Elle veut connaître les raisons ayant motivé ce changement d'identité.

— On m'a dit de fermer ma margoulette, de ne pas avoir les idées *boloxées*.

— Les quoi ?

— Ça veut dire « mélangées » en acadien. C'est moi qui lui ai dit ça. Il fallait se brancher. Elle avait choisi son personnage, mais elle ne lui trouvait pas de nom. Je l'ai poussée à devenir, de pied en cap, une poupée ! Elle était vraiment entortillée !

— De qui vient l'idée ?

— De Florence de Blois.

— La psychologue ?

— Vous connaissez Florence ?

— Oui, si c'est bien la même. Je l'ai rencontrée à l'hôpital Sainte-Justine il y a treize ans. Aujourd'hui, c'est mon dernier service et alors, c'était mon premier.

— Je l'ai vue dans la tortue, réplique Liette.

— Là, vous me perdez un peu. Moi, c'était à l'hôpital.

— Et moi… j'ai été sa première plante humaine.

— Je ne connais pas toutes ses expériences, mais si tout est lié avec ce qu'elle a fait ce jour-là, nous sommes dans un univers particulier. Nous arrivons à l'hôpital Fleury. Il faut rencontrer un urgentologue.

— Ça sera laid. Elle est à demi morte. Jeanne est disparue. Elle est en état de choc, c'est sûr.

Hélène a un mauvais pressentiment.

— Sûrement à cause de la mitraillette. Il faudra constituer une cellule de crise. D'autres femmes seront aussi en choc post-traumatique.

Liette ballotte la queue poilue dans tous les sens.

Hélène est survoltée.

— On verra, mais pour l'instant, Jeanne n'est plus là. Je sais qu'ils vont changer le code et qu'ils vont envoyer ma Jeanne dans un hôpital psychiatrique et là, elle va s'emmurer de plus en plus dans un monde parallèle. Aidez-nous ! Nous entrons dans le couloir de la mort. Elle a traversé une porte d'entrée dans l'invisible. Il faut trouver le moyen de la ramener.

— Quand j'avais quatre ans, c'était la guerre.

Jeanne tente de s'accrocher au passé.

— Mais tu as dit qu'une poupée n'a pas d'âge !

— Ouch !

Liette se lève et se cogne la tête au plafond.

— Laissez-la parler. Elle va certainement nous donner des indices pour nous permettre de tisser un pont. Ce qui est essentiel pour le chemin du retour et... assoyez-vous.

— J'avais dit que ça sentait la *doll* !

— Comment tu peux dire ça, Liette ? lui demande Hélène, interloquée.

— Je connais bien le monde des poupées. Elles marmonnent dans le silence, chuchotent des syllabes, gazouillent sous les couvertures plein d'histoires abracadabrantes. Mais ces histoires sont très importantes.

Jeanne promène ses yeux un peu partout dans l'ambulance.

— Est-ce que vous savez... ?

— Savoir quoi, Jeanne ?

Colette prend délicatement ses mains dans les siennes. Elle sait lorsque les personnes en état de choc vont se délester de quelques confidences. Elle la fixe de ces yeux perçants qui certifient que l'interlocuteur est bien en vie.

— Ici, il y a plusieurs *poupées de pluie*. Madame Cécil pouvait les voir. Elle disait qu'on devait les protéger. Ce sont des poupées très précieuses. Elle m'a appris à devenir leur amie. Ma mère avait des *poupées de pluie*. Elle a fait plusieurs dépressions. On l'amenait à l'hôpital avec ses poupées. Lorsque les poupées redevenaient muettes, elle rentrait à la maison. Alors, je ne pouvais plus jouer avec elles. De toute façon... elle me donnait même pas le droit de leur parler. J'étais trop jeune, je pouvais seulement faire la vaisselle et ramasser la poussière. J'aurais aimé lui venir en aide.

— Ça, ce sont des poupées imaginaires. Mais il faut faire attention, elles ont aussi leur baragouinage. Je commence à comprendre d'où viennent tous les souvenirs de poupée que j'ai déjà vus dans ses yeux.

Liette fronce les sourcils et secoue sa tête de fourrure.

— Hôpital de poupées... laver les poupées... Je suis sûre que cette femme était plangonophile !

— Quoi, c'était une sorte de cannibale ? Elle mangeait des poupées ?

Hélène s'attend à tout, maintenant que l'on fait face à une autre réalité.

— Qui oserait manger des poupées ? Non, c'est un terme très savant qui veut dire collectionneur de poupées et même ami des poupées.

— Arrête de me faire peur !

Jeanne continue comme si de rien n'était.

— Le 14 juin 1940, à l'aube, les Allemands sont entrés dans Paris. Madame Pichereau me l'a dit. Elle tremblait. Elle recevait des lettres. Elle écoutait la radio. Elle savait tout. Les Allemands avaient de longues bottes et ils donnaient de grands coups en marchant. C'était le *pas de l'oie*. « On aurait dit qu'ils donnaient à chaque pas un coup de botte sur la tête des Parisiens », qu'elle me disait. La guerre a été horrible. Elle a tué 50 millions de personnes et autant de poupées... Quand j'avais quatre ans... j'ai sauvé Gérard Lepage.

— Bravo !

Colette tente de développer quelques liens avec elle.

— Je jouais dehors et quelqu'un est venu se cacher dans le grenier pour éviter d'aller à la guerre. J'avais quatre ans.

— Quelle est votre date de naissance ?

— Le 5 mars 1935.

— Nous sommes donc en 1939.

— Oui, c'est le début de la guerre. Deux *culottes breddistes** sont venus. Ils le cherchaient.

---

* Cette expression de Jeanne la Pivoine est sans doute une déformation régionale. *Breddiste* fait possiblement référence à « britches », une francisation bien imparfaite de *breeches* qui signifie « culottes ». Elle concerne probablement le genre de culottes portées à l'époque par certains militaires.

— Qu'est ce que c'est, les « culottes breddistes » ?
— Je ne sais pas, on les appelait comme ça.
Elle réfléchit…
— C'étaient comme des soldats. Ils m'ont dit : « Est-ce qu'un homme est caché dans la maison ? » J'ai dit non. Je ne sais pas pourquoi, mais j'ai pensé que je devais dire non. Un des hommes a mis sa main sur ma tête et il a dit : « Un enfant dit toujours la vérité », puis ils sont repartis. Plus tard, l'homme est sorti du grenier et il sautait de joie.
— Il faut maintenant ouvrir les portes et la transporter à l'urgence.
— Poupée !
Hélène crie et Jeanne, sidérée, s'endort sur-le-champ.
— Qu'est-ce que c'est ?
Colette la dévisage, interloquée.
— Somnambulisme… une psychose… Est-elle somnambule ?
— Aucune idée. Il semble qu'elle ait tendance à se battre avec ses oreillers.
— Vous devez aller dans la salle d'attente.
— J'ai peur pour ma Jeanne !
Hélène se fait très protectrice.
— Je vais rester auprès d'elle.
Colette la rassure.

* * *

Dans le couloir, Hélène la Rose et Liette le grand Chien y vont de leurs réflexions. Liette est déconcertée.

— Je dis qu'il faut transformer la cathédrale de tissus, la salle de yoga de Lily, en hôpital de poupées. Ça nous a bien servi pour *la thérapie des voiles*, mais maintenant, il faut changer de décor. C'est moi qui ai poussé Jeanne à devenir une poupée. Je lui ai dit de se fermer la margoulette et qu'elle devait entièrement et totalement être une poupée. Tout le monde attendait. Il fallait qu'elle se décide : être ou ne pas être une poupée de chiffon !

— Il faut dire qu'il lui arrive de nous pousser à bout. L'autre matin, avec l'exercice du raisin*, un peu plus et on pissait du vinaigre balsamique, bleu poudre de carré noir de rectangle violacé !

Hélène ne mâche pas ses mots et il lui arrive souvent de les enjoliver de multiples formes et couleurs.

— Florence disait : « Il faut poser son oreille immatérielle sur le cœur du monde pour entendre les pulsations de la vie. » Je vais poser la mienne pour entendre les pulsations du cœur de Jeanne. Elle est passée de l'autre côté du miroir, sans le traverser. Comment a-t-elle fait ?

Hélène a de grands cernes de sueur sous les bras, tant elle est nerveuse.

Liette se frotte les yeux.

Elles entrent dans la salle d'attente de l'urgence, en oubliant qu'elles sont costumées.

— Maman, une rose et un grand chien !

Une petite fille s'élance vers elles.

— Oh, oui ! réplique Liette, mais nous sommes en mission secrète.

Elle chuchote presque et fait signe de garder le secret.

— Pourquoi ? Tout le monde vous voit !

— On a droit à de la zoothérapie sur deux pattes ?

Un homme qui semble s'être coupé à un bras est très heureux de les voir.

— Euh, oui, c'est un peu ça, wouf et *abrasurlebras* !

Liette fait des gestes mystérieux.

— Ha ! vous me faites bien rire avec vos oreilles et votre grande queue.

---

* Voir *La tortue de cristal*.

— Dites-vous bien que vous n'aurez jamais vu un chien si doué pour le langage. C'est *right* bon ! Et plus encore, je suis la digne représentante des animaux. Ils pressentent les tremblements de terre, beaucoup de cataclysmes et... la détresse humaine.

La voilà qui est prise à son propre jeu.

— Je vois votre détresse.

Elle parle fort en observant les gens et, à sa grande surprise, plus de la moitié des patients de la salle d'attente s'avancent vers elle, fascinés.

— Attention, je suis pas la mère Noël, mais j'ai posé mes oreilles sur le cœur du monde.

— Où il est, le cœur du monde ? questionne la petite fille du haut de ses cinq années bien sonnées.

— Il palpite là où il n'y a pas de bruit, dans le silence du vent.

— Mais le vent n'est pas silencieux !

— Le vent a son silence bien à lui. Il ne parle pas. Il vibre et nous emporte au pays des secrets. Je suis un chien qui connaît le vent.

— Et la rose, le jardinier lui a coupé la langue ? questionne-t-elle en regardant Hélène.

Il y a des enfants si mignons.

— La Rose sait parler dans sa robe de beauté, mais elle est très inquiète !

Hélène ne peut lui résister.

— Pourquoi ?

— Parce qu'une amie est malade.

— De quelle maladie ? Il ne faut pas être malade ! Il ne faut jamais être malade !

L'enfant s'inquiète.

— Elle est devenue une poupée.

— Et c'est une maladie ?

Les yeux bleu ciel de l'enfant se couvrent de nuages.

— Oui, très grave, affirme Hélène.

— Non, ce n'est pas grave, mais... il faut apprendre le langage des poupées pour lui parler, sinon elle sera perdue.

La petite lui donne un conseil.

— C'est vrai...

Hélène la prend dans ses bras.

— J'aime les enfants. Ils nous sauvent ! Ils nous guident... Mais moi, je n'en ai pas.

Elle se rappelle alors que durant l'improvisation, Jeanne avait pleuré. Elle semblait déjà entre ciel et terre.

— Vous êtes les seules à être déguisées ? demande une femme aux jambes très enflées.

— Non, il y en a neuf autres, mais elles sont restées à la maison.

Elles ne pensaient pas être toutes deux si populaires, mais la détresse et le manque d'amour influent beaucoup plus qu'on ne le croit sur le cours des maladies. L'urgence est bondée de gens apeurés, au ventre tordu. Les courants froids rencontrent les courants chauds et les entrailles se torsadent dans les bouffissures du néant.

* * *

DEUX HEURES PLUS TARD

Jeanne revient de la salle d'examen. Elle ne s'est toujours pas éveillée, ce qui l'a sans doute protégée. Colette a fait son rapport, le dernier de sa carrière. Jeanne Thibault est officiellement devenue la poupée Amivie et, sous ses chiffonnades, elle lance d'étonnantes vérités. Il y a là un fil à suivre, celui d'*Ariane* est devenu celui de Jeanne. Il faudrait filer un bon coton pour la ramener de ce côté-ci du miroir qu'elle n'a pourtant jamais traversé. Elle s'est éjectée, a rejeté la réalité. Colette Leclerc n'a jamais été interpellée par ce genre de suicide, si subtil que la mort n'est pas au rendez-vous. Elle a mal partout. Mais pourquoi, après treize ans de service, prend-elle si prématurément sa retraite ? Elle est triste, nostalgique, comme un piano accroché au *la* mineur des larmes majeures. Jeanne est-elle maintenant somnambule et Amivie, une partie autistique d'elle-même au génie étonnamment percutant ?

La Deuxième Guerre mondiale a heurté son inconscient d'enfant qui a saisi les dessous de cette violence dans toute l'intransigeance de son impureté. Qui était madame Pichereau ? Une Parisienne ayant élu domicile au Québec ? Après les affres de la Première Guerre mondiale, a-t-elle décidé de quitter l'Europe et ses cartes truffées de mort-aux-rats ?

Colette n'est maintenant plus officiellement ambulancière, mais ici, qui le sait ? Elle porte l'uniforme et cette patiente est sous son aile. Elle couve la déconcertante situation de vie de cette amie des *poupées de pluie*, mouches à feu anonymes des sous-bois de tant de transparences effondrées. Elle est momentanément attirée par ces poupées translucides. D'où viennent-elles ? Qui ou que sont-elles ? La Deuxième Guerre mondiale a fait 50 millions de morts et décimé autant de poupées, selon Jeanne. Chaque guerre a-t-elle lancé sous les racines autant de ces amies imperceptibles que de morts au tombeau ? Durant l'examen, par moments, on lui a demandé son aide. En lui parlant au creux de l'oreille, en froufroutant quelques syllabes duveteuses, son cœur de soierie quitterait-il l'avant-scène ? « Jeanne, lève-toi. Rejette ton inconscient. Mets-le à mort avec l'arme la plus tranchante qui soit : la pensée rationnelle. Reviens parmi les moutons. Ton espèce est en voie d'extinction. » Colette entend ces mots lourds de sens. Elle a l'impression, en lui touchant, de contribuer à favoriser un réveil qui l'endormirait à tout jamais. Cela se ressent sans doute dans la qualité de son toucher qui se refuse à rejoindre certains fragments d'intimité. Si elle s'éveille et cherche encore le bouchon du bain, si elle appelle madame Pichereau et parle de Gérard Lepage qu'elle a sauvé lorsqu'elle avait quatre ans, quel diagnostic posera-t-on ?

On lui demande alors de quitter la pièce et de revenir une demi-heure plus tard. Elle embrasse Jeanne sur le front. Celle-ci murmure des mots inaudibles. On lui demande à nouveau de partir malgré qu'on tienne à sa présence, car le comportement de la patiente est des plus étranges. Aucun diabète, pas de coma, pas de caillot, elle est véritablement en sommeil paradoxal et, jusqu'à maintenant, toutes les analyses sanguines sont normales. Mais son sang, malgré les apparences, appartient maintenant au monde des pigments flétris. Bouillie rougeâtre de géraniums et de coquelicots. Elle a été frappée par la force d'un drame non résolu, allié à un moment de grâce absolue, tous deux vécus dans un espace-temps où le fléchissement de l'un et l'élévation de l'autre firent osciller les plaques tectoniques de son être à un point tel qu'il en résulta un profond tremblement intérieur, qu'elle tente désespérément d'occulter. Colette a peu d'indices, mais elle a l'expérience des fractures de l'âme.

Les soignants ressentent souvent très jeunes l'appel de l'aide à donner à ceux qui souffrent. Ce fut le cas de Colette. Elle fut déjà, à six ou sept ans, interpellée dans son propre corps par des douleurs au thorax, au point où elle crut que son cœur était malade. Elle voulait toujours bien faire et ne pas déplaire, n'avoir aucun reproche et ne jamais être prise en défaut. Ainsi, son système nerveux fut exposé à un haut voltage. Les examens médicaux ne révélaient rien de précis. À la clinique de Rouyn-Noranda, on suggéra de l'emmener voir un psychiatre. Cela était sans doute grave. Elle résolut donc de faire semblant. Elle n'eut plus mal en apparence. Elle fut une enfant anxieuse, craignant à chaque symptôme d'avoir une maladie. Même en allant à la selle, elle était angoissée. Le rythme de son cœur alors s'accélérait et elle redoutait, on ne sait pour quelle raison, qu'il ne sorte en même temps que ce qu'elle éjectait. Elle avait appris à prendre son pouls lors de ces évacuations quotidiennes, question de s'assurer qu'il tienne bien le coup. Il y avait là de la graine de Florence Nightingale qui, au XIXe siècle, réforma les soins infirmiers. Les Florence ne semblent pas être passées inaperçues dans la vie de Colette.

Elle devint donc infirmière, puis ambulancière grâce à un ami d'enfance. Elle fut une des premières ambulancières au Québec. Elle ressentit un très grand bien-être en apportant autant d'aide aux accidentés de la route et aux malades, mais avec le temps, elle eut un épuisement du regard. Il n'est pas facile d'être sans cesse en présence de tant de souffrances et de côtoyer certains ambulanciers aux propos scandalisants du type : « Faut que ça frappe fort vendredi et samedi soir. On n'est pas là pour rien. On veut de l'action, des accidents de la route très violents et des polytraumatisés. » Un peu comme les journalistes qui souhaitent des drames horribles pour susciter l'intérêt de la une des journaux ou des bulletins de nouvelles. On recherche de la viande ensanglantée. Les familles de vampires ont de nombreux arbres généalogiques machiavéliques ! Elle déteste les catastrophes routières et les suicides. Il y a des accidents d'une violence inouïe ! Elle devient blanche dès qu'on l'appelle pour des traumatismes de la route. Des véhicules sont sectionnés ou écrasés et l'alcool est souvent en cause. Le tableau est horrible et Colette a toujours peur, une fois sur les lieux, lorsque tout est silencieux, d'y trouver des morts ou des blessés graves. Qu'il y ait des enfants impliqués est une de ses pires craintes. Avec les polytraumatisés, il faut toujours faire vite. Dans le milieu, on parle de la *golden hour* dont ils disposent et à l'intérieur de laquelle ceux-ci doivent être pris en charge, entre les moments de l'impact et de l'arrivée à l'unité spécialisée en polytraumatisme. Il n'est pas toujours facile d'y parvenir, car il faut souvent utiliser les pinces de désincarcération pour avoir accès au blessé, l'immobiliser avec un collier cervical et arrêter les saignements, sans compter qu'il faut vérifier les signes vitaux, trouver dans le portefeuille ou le sac à main l'identité de la personne, inspecter pour découvrir les bracelets d'allergie, etc. Il arrive aussi que certains passagers aient été éjectés. La nuit, c'est très morbide. Pour ce qui est des accidents agricoles dans les territoires de campagne, le tout se passe de commentaires… Elle en a aussi vu de toutes les noirceurs avec les arrêts cardiaques et le Moniteur Défibrillateur Semi-Automatique (MDSA), sans compter les intubations à l'aveugle. Elle a vécu plusieurs expériences très spéciales lors d'appels de nuit. Les levers et les couchers de lune, la profondeur de la nuit et ses bruits feutrés à longueur d'année font en sorte que les patients sont alors souvent portés aux confidences, ce qui les soulage profondément. « Les gens ont un énorme besoin d'être écoutés, pense-t-elle, et de se confier à une personne calme et disponible qui les regarde dans les yeux. » Et Colette, c'est l'ambulancière aux *yeux de biche*. La profession d'ambulancier, c'est l'école de la vie en accéléré ! Maintenant, elle s'ouvre à d'autres écoles de la vie. Elle a vu tant de drames : des suicides par balle et des pendaisons résultant de dépressions déclarées, masquées ou carrément souriantes, ce qu'on pourrait qualifier de dépressions occultées. Il y eut les pendus blancs, qui savaient comment s'y prendre et se sont fracturé les vertèbres cervicales lors de la pendaison, et les pendus bleus qui moururent étouffés.

Colette se dirige vers la salle d'attente pour rejoindre Hélène et Liette. Ses yeux pers satinés et rutilants, bordés de longs cils d'ébène, ont développé une vue à 360 degrés, tant elle sait se retourner rapidement sur elle-même. Son nez pointu identifie rapidement les odeurs et ses oreilles sont à l'affût de tout bruit insolite. La biche en elle est toujours de garde. Elle garde la vie. Qu'on se le tienne pour dit, cela comporte tant d'exigences, de précision, d'entraînement, de don de soi, de chocs devant des connaissances qui se sont suicidées, que le système d'alarme de son être tout entier fut trop sollicité. Difficile de lâcher prise devant l'imprévu qui surgissait à tout moment, lorsqu'elle était de service, et s'insinuait avec ses drames. Par moments, des souvenirs refont surface, comme celui de Lise, la répartitrice, qui l'appelle en début de soirée pour lui annoncer d'une voix blanche au débit rapide : « Vite, c'est Claude ! » C'est un confrère qui fait l'objet d'une enquête par la Sûreté du Québec. Il est marié, a une petite fille de trois ans et sa femme est enceinte de sept mois. Ils attendent un garçon. Il a agi seul. Il sera arrêté bientôt. Tous sont sous le choc. Colette est de service lorsqu'elle reçoit l'appel. Elle comprend rapidement qu'il s'agit d'une tentative de suicide. Le ton de voix la percute en plein ventre et elle en a le souffle coupé. Elle crie à son mari que c'est Claude. Sa petite fille se met immédiatement à pleurer. Elle ressent le drame sans le comprendre. Colette n'a plus de salive. Un confrère est déjà en direction de la maison de Claude avec son auto. À leur arrivée sur les lieux, avec l'ambulance, il leur dit : « Il n'y a plus rien à faire. Il est mort. Il s'est suicidé. » Elle s'approche avec l'autre ambulancier. Il est dehors, assis par terre, adossé à un arbre ou à une roche, elle ne s'en souvient plus. Le haut de son corps est incliné sur le côté. Il a les yeux entrouverts et figés. Il est blanc. Il s'est tiré une balle en plein cœur avec une carabine qu'il a trafiquée pour être sûr que la balle ne dérive pas de sa trajectoire. Les *yeux de biche* sont blessés. Le tableau est irréel. Aucune réanimation cardio-vasculaire ne sera entreprise. Ses *poupées de pluie*, dirait Jeanne, sont mortes avec lui. Le pouls et la respiration sont totalement absents. L'ambulancier de service, ce soir-là, est très touché. Claude est un ami de longue date. D'autres ambulanciers de la ville voisine viennent prendre la relève, ce qui leur permet de se réunir tous avec leur patron. Ils passent la nuit debout à essayer de comprendre. Assister aux funérailles fut très éprouvant. D'y rencontrer sa femme enceinte de sept mois, veuve à la suite du suicide de son mari, et sa petite fille de trois ans, était totalement hors du commun. Myriam devait comprendre que son père était mort et non disparu. Mort de quoi ? D'une balle en plein cœur. On ne peut trouver de mots. Que des avenues qui, un jour, mèneront à la tragique explication. Les enfants endeuillés d'un parent suicidé sont fragiles. Il arrive souvent que leurs amis les quittent, car ils ne peuvent porter le poids de leur deuil. Ou peut-être est-ce leurs parents qui n'ont pas *l'âme à la tendresse.* À l'école, on les fuit. Quelle maladie contagieuse les enferme dans une accablante quarantaine ? Le virus de la souffrance parentale non résolue. Un virus insaisissable, issu d'un bouillon de culture nauséabond, puissant cocktail de peine, de culpabilité, de honte et de désespoir. Myriam, tu auras besoin de l'aide de beaucoup de poupées et d'autant d'oursons ! Ils recueilleront ton chagrin dans le silence de la nuit, fidèles compagnons éponges de ta peine d'amour. On dit que les jeunes qui ont vécu le suicide d'un parent sont trois fois plus susceptibles de s'enlever la vie que ceux qui n'ont pas subi ce traumatisme. Qu'une amitié s'instaure entre ton âme et les *poupées de pluie* !

* * *

Colette a rejoint la Rose et le Chien qui picorent l'atmosphère étriquée de cette basse-cour qu'est la salle d'attente de l'urgence.

— Comment va Jeanne ?

Hélène la garde toujours sous sa coquille d'amour.

— C'est long ! C'est long !

Liette manifeste son impatience.

— Elle dort et marmonne un peu. Impossible de la sortir de son sommeil. D'après moi, un mot l'endort et un autre la réveille.

L'ambulancière est sur une piste.

Hélène a chaud. Elle cherche à boire un verre d'eau.

— Amivie est une *doll* pas comme les autres !

— Vous semblez si persuadée.

Liette a piqué la curiosité de Colette.

— Je connais les poupées et leur histoire. J'en ai parlé à Jeanne durant toute une nuit lorsqu'elle berçait ma propre poupée. Elle avait des souvenirs plein les yeux. Ça peut vous surprendre, mais moi, Liette, j'ai une poupée qui porte mon nom. Je me dis que je le mérite. Quand je suis triste, c'est vraiment *nice* ! J'ai aussi un mini-bébé qui sent bon. C'est Rosie. Vous connaissez la chanson ? « *Rosie, Rosie, get myself a little...* » Elle murmure la mélodie. Le monde est si cruel.

— Jeanne...

Hélène est nostalgique. Elle connaît Jeanne depuis peu, mais leurs univers ont un fumet fort semblable et très attachant.

— Comment croire que ma Jeanne est disparue ?

Hélène avale son verre d'eau d'un coup sec, comme une lampée de vague très salée. Elle grimace.

— Un jour, elle sera de retour.

Colette sourit amicalement et lui met la main sur l'épaule.

— Mais pour l'instant, elle a disparu. Elle a débranché le fil. Croyez-moi, c'est la *quiet* avant la *storm* ! C'est ce qu'on dit en Acadie, « le calme avant la tempête ».

— Je me demande ce que ferait Florence de Blois dans ce genre de situation. D'après ce que j'ai constaté, il y a treize ans, elle agit toujours différemment de ce à quoi on pourrait s'attendre.

L'ambulancière plisse ses *yeux de biche*. Ses cils semblent s'allonger l'espace d'un instant, pendant qu'une mèche de cheveux tournoie entre ses doigts... Un petit relent d'enfance...

— Elle était toujours en accord avec sa conscience. Elle ne faisait qu'un avec elle. Elle avait la majesté d'un lever et d'un coucher de soleil réunis. Elle était sur une autre longueur d'onde. Celle où le discours mental n'a pas sa place. J'ai passé beaucoup de jours à ses côtés et je peux en témoigner…

Hélène respire un grand coup et ouvre ses narines. Son corps témoigne, par une gestuelle inhabituelle, qu'elle a humé en compagnie de Florence une brise si exquise qu'il n'est pas toujours aisé d'en parler.

— Il faudrait la bercer… bercer Jeanne… bercer Amivie.

Colette cherche une façon de la consoler. Un jour, elle enfoncera le sarcophage au fond duquel Jeanne est momifiée. En elle, une énergie d'une puissance insoupçonnée s'éveille et gronde.

— Chocolat aux noisettes de fraises ensoleillées !

Hélène sent que Colette a fait une trouvaille, mais ces mots font réagir Liette.

— Jeanne avait des réflexes de campagne. Pour elle, ce n'était pas difficile d'être dans le ressenti. Il faut lui parler avec des mots de poésie, mais oublie, Madame la Rose, la fraise, la vanille et le chocolat. Je te rappelle que Jeanne est maintenant dans les OA, les Outremangeurs Anonymes, et que moi, Liette, je suis sa marraine et foi de chien, je vais la défendre !

Elle ouvre la bouche, tous crocs dehors.

— Les berceuses, y'a rien de mieux !

Liette s'y connaît et elle n'hésitera pas à déployer toute sa science. Chanter et dodeliner est une façon si tendre d'aider à *dormailler**. Amivie pourra ainsi roupiller un bon coup, pendant que Jeanne sonnera le branle-bas de combat. Mais pour l'instant, c'est Amivie qui est affectée aux règlements de comptes.

— Du calme, je vous rappelle que nous cherchons des solutions et non la confrontation. Il est 22 h 05. Il faut qu'il se passe quelque chose ce soir. Ce qui m'étonne, c'est que pour

* Voir *La tortue de cristal.*

mon premier et mon dernier voyage à titre d'ambulancière, on m'ait demandé de rester en contact avec le patient à l'intérieur même de l'hôpital.

— Et qu'est-ce qui s'est passé avec Florence, il y a treize ans, carré noir de cercle multicolore ?

— *On demande l'ambulancière Colette Leclerc à la salle de réveil A2432. L'ambulancière Colette Leclerc, salle de réveil A2432. Veuillez vous présenter immédiatement !*

L'annonce les saisit toutes trois.

— Je dois m'y rendre immédiatement. Il faut rester branchées sur l'essentiel, il n'y a rien d'autre à faire.

— On vous accompagne !

Elles marchent le long du corridor qui n'en finit plus, rasant les civières bordées de draps blancs et de couvertures rouges.

— Pour répondre à votre question, Hélène, c'était ça. Exactement ça : un carré noir et un cercle multicolore. Je vous explique rapidement, nous n'avons que quelques minutes. Cette salle est au deuxième étage, à l'autre bout de l'hôpital. Nous sommes en 1990, à Montréal. Je suis en stage. J'accompagnerai, durant la soirée et la nuit, deux ambulanciers de garde. La plupart sont des hommes. Les ambulancières commencent à peine à se tailler une place dans la profession. Je prends ma douche en début de soirée et mon mari vient me dire que j'ai un appel. Il semble qu'un bébé soit en difficulté au nord-est de l'île. J'ai à peine le temps de me sécher et de m'habiller, les ambulanciers sont déjà à la porte. C'est au troisième étage d'une maison à appartements. Nous arrivons en trombe avec notre équipement. C'est la panique dans l'appartement. Il y en a qui crient, d'autres qui pleurent et j'aperçois le père en train de faire, sur la table, la réanimation cardiorespiratoire à son fils de quatre mois et demi. Quel choc ! Il crie : « Justin ! Justin ! Vas-y, Justin ! Vas-y ! » La scène est désolante. Le bébé était couché dans la chambre des grands-parents, au deuxième étage, et quand ils sont allés le chercher, il était déjà en arrêt cardiorespiratoire.

— *Bad! Very bad!*

Liette retient son souffle.

— L'appel du père à son fils est déchirant. Tout le monde pleure. Ils ne savent pas quoi faire. On prend le bébé en charge et on continue les manœuvres. J'ai pratiqué dans mes cours la réanimation cardiorespiratoire sur un mannequin plusieurs fois, mais c'est difficile de le faire dans un contexte aussi bouleversant. On quitte les lieux. Les parents vont nous rejoindre à Sainte-Justine. Dans l'ambulance, je suis en arrière avec le bébé et le préposé. Je pleure silencieusement. C'est très difficile d'être en présence de ce petit être inerte. Ses yeux sans vie sont entrouverts. Du lait coule doucement le long de sa bouche, sur sa joue et son cou, puis le dernier ruissellement du lait ne sera plus que de quelques gouttes sur la planche dure et froide sur laquelle nous l'avons posé pour le transporter. J'entends encore les cris. Quel contraste avec ce silence et la grande impuissance que je ressens. À l'hôpital, les médecins de Sainte-Justine essaieront très longtemps de le réanimer. Rien à faire. C'est le syndrome de mort subite du nourrisson. J'ai toujours eu peur de cette mort subite! De retour à la maison, je crains que ma fille alors âgée d'un an et demi en soit atteinte. Ce qui est assez illogique. Comme je suis en stage et assez secouée par cette première expérience, on me permet d'assister à la rencontre avec la psychologue pour enfants de service, Florence de Blois, appelée de toute urgence. Elle a à peine quarante ans, de longs cheveux noirs et des yeux qui observent l'essentiel. Elle entre dans la pièce, donne l'impression de scruter le cœur des parents et me transperce d'un solide coup d'œil. Elle sait pourquoi je suis là. Elle saisit leurs mains et leur dit à l'un comme à l'autre, je m'en souviens comme si c'était hier: « Florence de Blois, psychologue pour enfants… psychologue pour bébés. » Elle dépose sur Justin un regard si enveloppant qu'il me semble voir une doudou d'amour se poser sur son corps refroidi. La mère tient le petit garçon dans ses bras. Le père enveloppe la mère de ses bras musclés. Personne ne veut les brusquer. Florence se tourne vers le bébé : « Justin vit en ce moment une très grande souffrance, dit-elle. Son cœur s'est arrêté de battre et son corps ne répond plus. » Elle leur explique alors, après avoir pris le temps d'être à l'écoute de leur désespoir, que l'âme de Justin est déjà sortie de son corps. Elle était incarnée depuis si peu de temps, quatre mois à peine. Elle la voit. Ils pourront retourner à la maison avec son âme et rester en sa présence encore quelque temps, le temps d'amenuiser et de couper le *cordon parental.* Mais ils resteront marqués pour toujours, par la force et la fragilité de la vie. Elle prépare à chacun un remède de lumière, qu'ils boivent sur-le-champ. Elle leur explique comment ils pourront le préparer eux-mêmes par la suite, toujours avec de l'eau pure, et le boire trois fois par jour.

« Ce remède, préparé avec l'énergie reçue dans le chakra du cœur, les mains levées vers le ciel, puis déversé le long des bras et des mains jusqu'aux paumes, lorsqu'elles sont abaissées, pénètre l'eau. Il est vibratoire. C'est une forme de lumière reçue en lien avec l'état émotionnel : demande de protection, renforcement du courage, centrale de l'amour infini, leur disait-elle. Elle renforce le taux vibratoire du corps et des enveloppes. » Le décès d'un enfant ébranle au plus haut point !

— Il faut préparer ce remède pour Jeanne ! Je dis qu'elle a été parasitée par le champ énergétique de Mike Darlington*. Au moment où il a rendu sa mitraillette, elle s'est approchée de lui. Je suis branchée sur l'amour et ma rose intérieure a palpité à ce moment-là.

Hélène commence à s'énerver.

---

* Voir *La tortue de cristal.*

— Nous sommes presque rendues… A2431… 2432.

— Je suis terrifiée. C'est comme si j'allais rencontrer deux vieilles filles anglaises qui me faisaient très peur quand j'étais enfant, Alice et Maggy Miller, sourdes-muettes et déficientes mentales. Quand elles traversaient la *track* de chemin de fer, je tremblais. Je suis une grande braillarde et je me demande pourquoi il y a tant de souffrance dans le monde.

— Vous ne pouvez pas entrer, à moins que je vous appelle. Si oui, dites que vous êtes de la famille, des cousines éloignées.

— Ah ! çà ! Pas de problème ! Être la cousine éloignée d'une poupée, ça me fait vraiment plaisir. J'ai le *big smile* accroché aux oreilles ! Les poupées, elles ont un monde bien à elles et je ne cesse d'y penser !

— Attendez-moi sans faire de bruit, dans le couloir.

Liette en a long à dire sur les poupées. Elle replonge rapidement dans ses pensées. Sur les kachinas, poupées de bois peintes de vives couleurs, qu'elle affectionne particulièrement. Chez les Indiens Hopis et zunis du Nouveau-Mexique et de l'Arizona, les kachinas représentent les esprits du feu, de la pluie, du serpent ou encore des esprits farceurs et bienfaisants. À l'issue des fêtes, on donne aux enfants ces petites poupées représentant des danseurs et leurs costumes de bois, ceci dans le but de les familiariser avec les entités invisibles. Il y a aussi les bébés à tête de biscuit (de la porcelaine cuite deux fois). Dans la tradition esthétique du XIX^e siècle, ils correspondent à la belle poupée de famille aux vêtements soignés. La fabrication de cette tête évolua à partir de la préparation des masques de carnaval en papier mâché, en 1870, jusqu'à la cuisson d'une porcelaine au four, en 1925. Luigi Furga en fut l'instigateur et, en 1925, il reprit la concession américaine de la fameuse poupée Trudi. Elle a un visage à trois faces. Elle peut être rieuse, pleureuse ou dormeuse.

Liette est charmée par cette poupée qui, à l'époque, a eu un grand succès.

Puis, les baigneurs, les poupons à corps mou qu'on apprend à débarbouiller. Jeanne elle-même a aimé les laver chez madame Pichereau, lorsqu'elle était enfant. Ils représentent le nouveau-né, avec une grosse tête, sans cheveux et avec des yeux qu'on dit vivants parce qu'ils regardent aussi sur le côté. Les premiers baigneurs sont apparus entre 1927 et 1935. Jeanne est née en 1935 et, déjà à l'âge de quatre ans, elle donnait le bain, chez madame Cécil, à ces poupons abandonnés entre ses doigts potelés. Un si grand bonheur à portée de main… Elle baignait aussi le sien. Cette dame était bien généreuse. Elle lui avait fait cadeau d'un de ces tendres poupons à l'occasion de son anniversaire. C'était sans doute une consolation, à la suite du décès de ses petits frères qui étaient morts dans leur berceau. Trois années de suite, ça fera ! Et c'était à peu près l'unique sujet de conversation de sa mère, du matin au soir.

Et les marionnettes alors… Liette en a le cœur qui palpite… Que dire de ces poupées de bois tendre, fruits de la création artistique ? On peut les faire parler et danser. Leurs vêtements soyeux sont parés de dentelles, de purs joyaux. Elles charment le vent !

Et leurs théâtres alors, une fantaisie à fleur de peau ! Notre grand Chien en frissonne. Elle est la conservatrice du Musée des Abénakis, à Odanak, dans une réserve amérindienne à trente kilomètres de Sorel-Tracy. Mais dans sa tête, il y a un véritable musée de poupées ! On y retrouve la poupée Queen Ann datant de 1750. Originaire d'Angleterre, revêtue d'une robe de soirée du XIXe siècle, son chapeau est brodé et orné de perles. Pour elle, c'est la *queen des dolls*. Il y a aussi des poupées habillées de superbes robes et de fourrures recyclées. Elle craque carrément devant les frimousses des poupées Babies. Elle est fascinée par le métier de modeleur-mouleur. Elle aimerait devenir à temps partiel une artiste de ce monde enchanté. Elle réfléchit souvent. La poupée pensive n'a pas été inventée. Il y a les baigneurs... il y aurait aussi les penseurs qui, par leur attitude, indiqueraient que les petits ont des émotions et de candides réflexions. *Le Penseur* de Rodin est le roi des musées. Les penseurs de Liette seraient les princes de la sensibilité. Il y a aussi la « poupée-surprise », datant de 1867. Elle a une tête pivotante et deux visages, l'un en larmes et l'autre souriant. C'est Jeannette qui rit ou qui pleure.

§ Liette, dans ta tête de *poutine râpée*, tout ça, c'est *right* bon et elles ont toutes des hardes* superbes pour employer tes expressions de l'Acadie légendaire. Ta caboche est un labyrinthe et ce qu'on y découvre au détour s'apparente au velours. Oh ! ici, attention, les musées et les maisons de poupées, notre grand chien fait toujours en sorte d'avoir des splendeurs à découvrir. Sa curiosité n'est jamais rassasiée. Les poupées anciennes ont leur domicile au Musée de la poupée de Paris, depuis 1994. Elle l'a visité et elle sait qu'il y en a bien d'autres. C'était une sorte de pèlerinage. Elle y a vu les poupées... les bébés de l'âge d'or de la poupée française. La fin du XIXe siècle marque un tournant dans la conception de la poupée. On ne représente plus seulement que des adultes en miniature, maintenant, mais aussi des enfants. La poupée ne sera plus conçue comme un modèle pour la petite fille, mais comme son reflet et son propre enfant.

Parmi toutes ces beautés, Liette a été éblouie par une poupée mythique datant de 1873, de la maison Bru : *la souriante*. Elle est belle comme la *Joconde*, mais il semble qu'elle ne soit pas une évocation de Mona Lisa. Elle représenterait plutôt l'impératrice Eugénie de Montijo, épouse de l'empereur Napoléon III. Ah !... elle les a toutes bien regardées. Imaginez une Acadienne

* Hardes : vêtements.

conservatrice de musée qui visite le royaume des collections anciennes. Rien ne lui a échappé. Même pas les cils en mohair de certains modèles du fameux bébé Chevrot, au regard si doux, qui prit par la suite le nom de Bru jeune. Il représente la quintessence de l'enfant de l'époque, idéalisé.

Quand elle dit que « ça sent la *doll* », c'est qu'elle a l'odorat bien aiguisé, et ça dépasse de loin l'entendement d'un chien. Elle connaît même les poupées de cire, fabriquées jadis pour les enfants de riches, et les figurines de terre cuite du Moyen Âge. Les maisons de poupées, quant à elles, sont de véritables vitrines qu'elle aime admirer. Elle a l'impression d'être Gulliver au royaume des petits hommes. Ces maisons sont apparues en Allemagne, au XVIe siècle. Les meubles sont de véritables pièces de collection. Il y a aussi de ces magnifiques maisons en Hollande et en Angleterre. À l'époque victorienne, au XIXe siècle, on a commencé à les considérer comme des jouets et l'échelle de 1/12 (un pied étant représenté par un douzième, donc un pouce) dès lors se généralisa, donnant le ton aux mesures utilisées dans la fabrication des meubles et personnages y ayant élu domicile. La maison de poupées de la reine Mary d'Angleterre fut le modèle pour les artisans de ces miniatures.

§ Liette marche dans le couloir et je grattouille dans ses subtiles impressions si tendrement conservées. Elle ne peut vivre sans poupées. Ce qui est très étonnant pour une femme de son âge, mais rassurant quant à la candeur qui l'habite et aux besoins de tendresse non comblés qu'elle sait si habilement remblayer. Hélène, quant à elle, est triste et recueillie. Avant même que cela ne crève les yeux, Liette avait pressenti, dans l'ambulance, qu'Amivie poupée de chiffon n'avait pas émis son dernier gazouillis. Sur la civière, sous les couvertures, il y avait plein d'histoires insolites. Elle marmonnait dans le silence et le grand Chien avait tout entendu. Les poupées de chiffon sont ventriloques. Il faut avoir l'ouïe très aiguisée pour saisir l'essence de leur *froufroutage*, et leur parcours de vie s'étale souvent sur plusieurs générations.

— Il faut l'entourer de couleur rose !

Hélène vient de sortir de son mutisme.

— Je suis la rose rose et si elle est une poupée de chiffon, le rose est sa couleur de prédilection.

— Tu vas pas me faire le coup de la rose empaillée ?

— Le coup de la rose empaillée ?

— As-tu changé toi aussi d'identité ?

— Non ! mais je suis dans la peau de mon personnage !

— Rassure-moi. Si c'est une épidémie, je voudrais pas rester Chien toute ma vie !

— Je suis dans la peau de mon personnage. C'est clair comme de l'eau de nuage !

— Entendons-nous. Tout dépend si c'est un cumulus ou un nimbus.

— En tout cas. J'ai pas dit de l'eau d'orage. J'ai dit de l'eau de nuage. Le rose, c'est la couleur de l'enfance !

— Pas sûr… Il y a aussi des éléphants roses.

— Je pense pas qu'on soit du genre éléphant quand on vient au monde. Je te ferai remarquer qu'à la naissance, la plupart des oiseaux, les écureuils, les souris et beaucoup de petits mammifères sont roses ! Ils n'ont pas de plumes ou de poils. Et la peau des bébés, de quelle couleur penses-tu qu'elle est ?… Le rose, c'est la poésie.

— C'est aussi la couleur du sang mélangé à de la neige.

— Pourquoi tu dis ça ?

— Parce qu'on est dans un hôpital et qu'on vient de sortir d'une ambulance. Les tragédies, c'est comme la poudrerie des soirs d'hiver. Quand ça arrive, on sait plus où on s'en va.

— En tout cas, dans mes pensées, je tricote en rose. C'est la couleur organique par excellence. Quand les organes sont roses, ils sont en bonne santé. J'ai une loupe rose et je te dis que tout va bien.

— J'ai des lunettes roses et j'ai le goût de les enlever.

— En tout cas, fais comme tu veux, mais moi, je me blottis dans mon autel de spiritualité.

— Je voudrais chanter du gospel.

— Non ! On a l'air assez bizarre comme ça !

— C'est ma façon à moi d'exprimer mon angoisse et mon espérance. Viens au fond du couloir, je vais te chanter un gospel rose plein d'amour : *Amazing Grace*. Je suis pas Aretha Franklin, mais je chante juste et bien. J'ai l'Acadie dans les tripes !

— Si t'as l'impression d'être dans un jubé, tu vas ameuter tout l'hôpital !

— Je chanterai pas fort.

— Bon, d'accord... Et moi, je te confie que je ferais bien une séance de hula hoop. Y'a rien de mieux pour se détendre les boyaux. C'était la toquade quand j'étais enfant et j'en rêve de temps en temps.

— Au Nouveau-Brunswick, on disait que c'était une affaire de *Newfie*.

— Le hula hoop ne date pas d'aujourd'hui et il a fait le tour du monde.

Liette regarde par la fenêtre et ses yeux s'illuminent. Quoi de mieux qu'un gospel rosé lorsqu'on a l'estomac noué !

Elle entonne *Amazing Grace* pendant qu'Hélène, les bras et la tête tournés vers le ciel, joue du bassin avec un hula hoop imaginaire.

§ Quel tandem ! Je préfère prévenir tous ceux qui les rencontreront.

# II

Colette s'est engouffrée dans la salle. Elle ne savait pas à quoi s'attendre. Jeanne… Amivie est-elle effectivement au fond d'un gouffre ? Après avoir parlé à Hélène et Liette de cette première expérience si bouleversante d'un bébé en arrêt cardiorespiratoire, elle est à mi-chemin entre deux saisons. Ce bébé est mort le 3 janvier 1990. De gros flocons tombaient doucement sans le moindre vent. Le temps semblait suspendu. Elle avait l'impression, en sortant de l'hôpital, d'être dans une grosse boule de verre remplie d'eau et de flocons blancs, semblables à du sucre en poudre qu'on agiterait au gré des émotions. Cette étrange cassonade se mêlait à ses sanglots. Aujourd'hui, nous sommes fin mai 2003. Il pleut et il vente. Colette n'aime pas les bourrasques et les grandes tempêtes, peu importent les saisons. Il faut se tapir loin de tout. Ces jours-là, elle ne sait pourquoi, elle a toujours peur qu'il arrive un malheur. D'accord pour les bourrasques, mais la pluie, Colette ? C'est la *claire fontaine*, en ville ou au fond des bois. *Aimer la pluie, en tant que fluidité immanente, n'est-ce pas déjà se dissocier de l'image parfaite du rien-n'est-mouillé-rien-ne-doit-retrousser ?*

Elle est entrée dans la pièce en se disant que tout est interrelié. Toutes choses et toutes pensées peuvent nous affecter, tels un poème ou un poison. Elle demande intérieurement de l'aide. « Jeanne, pense-t-elle en elle-même, peut-être as-tu été percutée côté Pivoine. C'est là ton surnom, me dit-on. Moi, on m'appelle "ma noire" parce que j'ai les cheveux foncés et que je bronze facilement, mais j'aimerais aussi avoir un vrai surnom. »

Jeanne s'est réveillée en trombe, il y a quinze minutes à peine. Elle a arraché la couverture. Elle semble désorientée, atterrée, dans un des coins de la pièce.

— Il faut sauver les poupées. J'ai pas fini de les laver, elles sont encore toutes mouillées !

— De quoi parliez-vous quand elle s'est éveillée ?

— Aucune idée. S'il faut en plus se souvenir de nos conversations quand les patients s'éveillent !

— Elle a finalement été évaluée. Elle sera transférée à Louis-H. Lafontaine, ce soir.

Le médecin de garde est catégorique. Colette a le cœur dans un étau. Ça y est. Tout se passe comme prévu. L'hôpital psychiatrique est en vue. Elle veut protéger Jeanne, mais la voilà dans un labyrinthe. Elle entend Hélène lui dire : « C'est le couloir de la mort. Je suis très inquiète pour ma Jeanne. Je l'ai placée dans une coquille d'amour. »

Que faire ? Jeanne a été blessée au combat de la vie. Peut-on la laisser sur une civière alors qu'un *tank* s'apprête à la démembrer ? Il y a les chemins qui ne mènent nulle part et ceux qui mènent ailleurs. Colette ressent que le diagnostic est comparable à la dernière pelure d'un oignon qui n'aurait pu livrer l'essence même de son bouquet. Lorsque le visible croise l'invisible, il faut savoir se délester de ses repères. L'amour est la plus grande force qui soit ! Colette est fatiguée. Elle a toujours beaucoup donné. Elle a mal partout. Son corps est enflammé. Ses réflexes d'ambulancière ne lui ont pas toujours servi. Elle n'arrive plus vraiment à composer avec l'imprévu. Elle a planifié à outrance. Depuis des années, des listes et des papiers, elle en a mis partout. Elle est super-analytique et très organisée, mais elle a aussi un côté romantique qui compose bien avec l'invisible. Chez elle, tout passe par le ressenti, mais elle a souvent de la difficulté à trouver les mots pour exprimer ce qu'elle ressent. Colette veut vivre dans un corps souple et fluide. Elle en a marre de ce corps raide et arthritique qui se comporte comme un classeur rempli de dossiers. Elle voudrait n'être qu'une symphonie et qu'en elle, tous les instruments puissent s'accorder. Elle a toujours été bonne fille, a suivi les normes et les lois, mais voilà que, pour une fois dans sa vie, la désobéissance est invitante. Il y a les soldats qui désertent l'armée, horrifiés par la guerre, et les transfuges qui, pour toujours, s'expatrient de leur pays pour des raisons politiques… et il y a Colette qui, bientôt, marquera le pas. Elle est une battante, et une imploration depuis un bon moment déjà s'est fait entendre. Sa grand-maman l'a ressenti de l'au-delà. Une médium a canalisé son message : « *Tu t'es rendue au bout du rouleau, ma grande, et là, ton corps te demande un moment d'attention. Tu es forte, tout le monde le sait. Tu es dévouée et charitable et, dans une journée, tu en fais des choses, mais là, ma bonne fille, il y a un cri du cœur qui est monté en toi pour te demander : "Laisse-moi reposer." Tu vas l'écouter, je pense bien.* »

Ce soir, elle prend sa retraite, mais ce n'est pas en cela qu'elle déserte, comme un soldat, le champ de bataille. C'est qu'elle a choisi d'autres armes et l'âme de Jeanne la Pivoine l'interpelle. Ce choix fera-t-il éclater le plâtre qui la retient comme mille cordelettes, dans un cocon ravageur ? Elle mange ses ailes et pourtant… Est-elle trop consciente de ses gestes, comme si dans son cerveau un miroir, sans cesse, lui renvoyait son image qui veut être parfaite en toutes situations ? Et si, ce soir, elle était un dauphin, libre, en plein océan ? Avec son sonar, elle serait en mesure de percevoir le champ énergétique des gens qui l'entourent. Oui, elle le peut et elle le veut ! Après avoir rencontré Florence en 1990, celle-ci avait demandé à la revoir.

Elle lui avait consacré quelques heures et, lors d'un travail d'intériorisation, l'ambulancière aux *yeux de biche* avait pigé à l'aveugle quelques cartes messagères révélatrices. Elle avait peur de tomber dans un trou. Elle était sans cesse aux aguets. « Un jour, vous comprendrez que la peur vient du fait que vous pensez y tomber. Le jour où vous ouvrirez vos ailes, vous verrez le monde sous un angle différent. Vous serez portée par la force du vent, lui avait dit Florence. Aucune tranchée, aucune trouée n'auront raison de vous. Lorsque vous mettrez avec confiance un pied au-dessus du vide, vos ailes se déploieront, vous transporteront, vous protégeront, vous soutiendront. La peur n'aura plus d'emprise sur vous. Vous saurez au tréfonds de vous-même que vous pouvez voler et vous le ferez. »

— Amivie, nous allons à l'hôpital des poupées. Venez vous coucher si vous voulez être soignée.

Colette décide de jouer le jeu. Elle affronte le médecin et l'infirmière.

— Je sais comment lui parler. Il faut me laisser faire. Je m'occupe de tout. Je vais la transférer avec son dossier.

— Très bien, si vous savez en venir à bout. Nous n'avons pas tous le don du langage. Garde, remettez-lui le dossier. C'est inutile de l'informatiser. Ils le feront sur place.

— On peut à tout âge dévier de la route. J'ai beaucoup de compassion pour ce genre d'affection.

— Venez vous coucher sur la civière, nous allons faire un voyage au pays des poupées.

— Il y a beaucoup de poupées blessées, mais elles ont un remède contre le chagrin d'amour. Toute la planète a un grand chagrin d'amour ! Toute la planète !

Colette a une boule au ventre et les yeux pleins d'eau. Jeanne s'époumone à lancer des vérités, comme des roches lunaires dans un marais stagnant. La faune terrestre est balafrée, contusionnée, estropiée. Les béquilles invisibles, les brancards, les civières de tout acabit, Colette pressent qu'elle les recevra au travers du front !

— Voilà, Amivie, étends-toi. Je vais te couvrir de cette belle couverture rouge.

— Je veux manger des merises. Il y en avait beaucoup à Sainte-Blandine et ma langue devenait toute sèche quand je les mangeais. Elle collait au palais et je devais fermer ma margoulette.

Colette ne tarde pas à sortir Jeanne de la salle, le dossier sous le bras. Cette confiance momentanée qu'on lui témoigne est une bénédiction. Vite avant que cet état second dans lequel ils se trouvent ne soit percuté par une soif effrénée d'administrer des confiseries pharmaceutiques. Elle préfère les dragées chimériques qui, croit-elle, déposeront dans le cœur de Jeanne cette substance immatérielle dont elle a tant besoin : l'espoir. L'incorporel agira sur le matériel, l'intouchable sur le palpable. Pour y arriver, elle doit elle-même poser son pied dans le vide et déployer ses ailes. Sa confiance agira sur la transhumance, sur la capacité retrouvée de notre poupée-pivoine de quitter les collines du passé où elle s'est réfugiée.

Réussira-t-elle ? Chassons les doutes. Une peine d'amour planétaire s'est emparée de Jeanne. A-t-elle perdu pied et glissé à vive allure dans une brèche où se sont amalgamés, depuis des générations, le désenchantement, l'abandon et la désolation ?

— J'aimais *catiner* mes bébés. Je les cachais dans les berceaux avec des couvertures. J'ai eu trois frères mort-nés, ensevelis dans des petits cercueils blancs. On était six filles et six garçons et ma mère faisait souvent des dépressions. À seize ans, j'ai dû quitter l'école. La nuit, dans mes rêves, j'étudiais et je faisais mes devoirs. J'étais une première de classe.

Colette est chamboulée. Elle-même a été une première de classe, mais ce n'était pas dans ses rêves. « Je travaillerai avec les placebos de toutes les formes et de toutes les couleurs et je voyagerai avec toi, Jeanne, se dit-elle intérieurement. Je te préparerai du thé de fleurs avec quelques grains de cassonade, du sel de l'Himalaya et une petite tranche de fraise flottant sur les pétales détrempés. »

— Qu'est-ce qu'il y a ?

Colette marchait sans rien voir dans le corridor aseptisé de l'hôpital. Elle était en train de concocter, en pensée, un thé à nul autre pareil, un assortiment de floraisons babillardes et ludiques. Les plantes ont une vie affective qu'il est invitant de découvrir. Elles recèlent une essence qui leur est propre. Leur éclosion est un moment de grâce, comme celui que vit Colette en ce moment. Elle a été trop longtemps endormie. Maintenant, son corps commence à vibrer au même rythme que son âme et elle sera un jour le plus merveilleux des dauphins. Tout est allé si vite. Tout va toujours très vite. Elle a beaucoup aimé écouter la série télévisée *Anne, la maison aux pignons verts.* C'était une autre cadence. Les femmes étaient très occupées, mais elles avaient aussi le temps de jardiner, de broder, de prier… de *catiner.*

— Qu'est-ce qu'il y a ?

Un grand chien poilu sur deux pattes est devant elle.

— La terre appelle Uranus ! Il fait chaud. J'ai les cheveux mouillés. Je suis fatiguée. Il faut que ça saute !

Une femme se balade, vêtue d'une longue robe de satin sur laquelle une rose est largement étalée.

— Cercle rose de poupée empaillée, qu'est-ce qu'on a au programme ?

Colette les aperçoit. La solution vient de surgir instantanément.

— Les toilettes ! lance-t-elle, un peu hébétée.

Elle passe à l'action.

Elles accélèrent le pas. Elles entrent dans les toilettes avec la civière. Colette se retourne rapidement vers Hélène.

— Substitution de poupées !

— Substitution de quoi ?

Hélène n'en croit pas ses oreilles.

— Substitution de poupées.

— C'est-tu *nice* ! Le pays des masques, mais pour une bonne cause.

— Si c'est pour sauver ma Jeanne, je veux bien.

— Je pensais pas voir ça dans ma vie.

Liette sourit.

Jeanne s'assoit dans la civière et lance la couverture à terre. Elle parle vite et sa voix est haut perchée. On dirait une autiste baragouinant à 400 km/heure sur l'autoroute des pensées.

— Je suis une poupée-chiffon de coton. J'ai des pieds de laine. Je hisse mon drapeau et j'arrête de pleurer sur les montagnes de crème glacée. Je ligote ma folle gloutonnerie. J'ai des frontières. Je suis un pays !

— Ça, c'est un rêve qu'elle a fait sur le *couch**, quand elle était couchée chez moi. Florence lui a dit : « Tu es un pays, Jeanne. Quelle est ta devise ? » Ce qu'elle n'a jamais su. Elle lui a dit : « Tu dois saisir sur le vif ta nature profonde, et t'exprimer. »

— Quand j'étais enfant, l'hiver, je pensais qu'il pleuvait des mousses. Ma mère m'envoyait dehors faire le ménage. Je devais nettoyer partout et c'était très épuisant. Toute ma vie, j'ai fait du ménage… J'époussette avec tout mon cœur !

— Voilà sa devise ! Je m'en souviens. *J'époussette, avec tout mon cœur, les maisons et les donjons.* Elle me l'avait écrite sur un bout de papier.

Liette s'élance vers Jeanne, souhaitant la prendre dans ses bras.

* *Couch* : divan.

— Poupée !

Voilà que Jeanne s'endort illico.

— Non ! Elle s'est endormie ! Jeanne… ma Jeanne. Carré noir d'étoile en folie !

Hélène tourne autour de la civière comme une abeille en sevrage des plus délicieux pollens.

— Là, j'en suis certaine, c'est ce mot qui l'endort : poupée.

Colette est très affirmative. Par deux fois, elle l'a remarqué.

— Et quel est celui qui la réveille, bleu poudre d'arc-en-ciel inversé ?

— Vous êtes vraiment drôle avec vos patois colorés !

— Je suis une artiste. C'est plus fort que moi ! Mes états d'âme s'expriment de cette façon.

— C'est *nice*, vraiment *nice*… Mais là, c'est *bad*, vraiment *bad* ! Vous devez changer de vêtements ! Impossible de réussir avec une poupée de chiffon transformée en guenilles. Le chiffon, c'est mou, mais la guenille, c'est mollasse !

Liette fait mine de s'embourber les pattes.

— D'accord, c'est mollasse, c'est flagada* ! C'est comme des nouilles cuites vingt-quatre heures dans une cocotte oubliée un lundi de fin novembre. Mais il faut faire avec.

Hélène commence à en avoir marre.

— Du calme… donnons-nous les mains et faisons un cercle autour de sa tête. Prononçons des mots intuitivement, en espérant tomber sur les bons.

— *Heil* Hitler !

— Mais qu'est-ce que tu fais là, Liette ?

Hélène est carrément commotionnée.

— Elle a peur des nazis. Elle va peut-être prendre ses jambes à son cou !… Parlant des nazis, ils identifiaient les gais avec

* Flagada : qui a perdu toute vigueur.

un triangle rose, dans les camps de concentration. Alors, tu peux voir que le rose, on en fait bien ce qu'on veut.

— Elle s'est déjà réveillée deux fois, Liette, et personne ici, depuis qu'elle a quitté la salle de yoga, n'a prononcé *Heil* Hitler. C'est pas génial ! Et arrête ton *speach* sur le pink. Tu m'énerves royalement !

Hélène passe du rose au rouge.

— … C'est vrai, réplique Liette… Là, je pense que je suis allée trop loin. Je suis vraiment *Liette la poutine râpée.*

Une femme entre en trombe dans les toilettes. Elle voit Jeanne sur la civière.

— Oh ! Elle est morte ! Elle est morte ?

— Non, répondent-elles toutes en chœur.

— *Yé* vais vomir. *Yé un tumor* à la vésicule biliaire. *Un tumor…* c'est le cancer.

Elle a un accent espagnol.

— Vous venez de l'apprendre ?

Colette la questionne, mais elle ne lâche pas les mains du Chien et de la Rose. Elles sont toujours positionnées en cercle autour de Jeanne.

— *Yé* passé une échographie et il m'a dit : « C'est *un tumor, un tumor.* C'est le cancer ! »

— C'est le cancer ?

— Oui. « Ça pourrait m'arriver à moi aussi qu'il *mé* dit, ça arrive à beaucoup de monde. » Il lève les bras en l'air et il s'en va. *Yé* cours après dans *lé* corridor… « Mais qu'est-ce que *yé* vais faire ?… Qu'est-ce que *yé* vais faire ? »… « Voyez votre médecin », qu'il *mé* dit.

Elle épie poliment Liette.

— Vous êtes un animal pour la compagnie ?

— Ses yeux et tout son être réclament un si grand câlin que Liette s'élance vers elle et la prend dans ses bras. La dame éclate en sanglots.

— Vous vivez au Québec depuis longtemps ?

— Oui, depuis vingt-cinq ans. *Yé* viens de Colombie.

— L'hiver n'est pas trop dur ici ?

Elle essaie de lui changer les idées.

— Ce n'est pas l'hiver, Madame, qui est *dour.* Ce sont les humains !

— Votre médecin va demander une biopsie. Ce n'est pas parce qu'on voit une masse à la vésicule que c'est cancéreux.

Elle regarde Colette.

— Vous êtes médecin ?

— Je suis infirmière… infirmière-ambulancière.

— *Excousez,* mais il m'a tellement énervée. *Yé* suis comme une bouteille de champagne. Si on tire sur *lé* bouchon, j'explose !

— Jeanne s'éveille brusquement et s'assoit dans la civière.

— C'est le Troisième Reich ! J'ai sauvé Gérard Lepage. Il avait dix-huit ans et j'en avais quatre.

— Qu'est-ce qu'elle a dit ? Qu'est-ce qu'elle fait ? Elle *mé* fait très peur !

Elle roule ses « r » comme une envolée de castagnettes.

— Les poupées sont translucides. C'est une chance parce qu'on leur tirerait une balle en plein cœur.

— Amivie, ça suffit ! Moi aussi, je suis une poupée. Je suis une poupée-fleur et je ne parle que du bonheur. Ça fera pour le ragoût de frissons et la soupe à l'épouvante ! Tu as fait peur à Madame !

Hélène la réprimande.

Jeanne lorgne vers la dame qui semble éberluée.

— C'est une bonne fille, je vous assure. Elle ne ferait de mal à personne. Elle a été traumatisée et a fait une régression dans le passé. Elle est retournée en enfance. Quel est votre nom ?

Colette s'adresse à la dame.

— Beatriz Hortas.

— Hélène Magnan… Liette Comeau… Colette Leclerc…

— Amivie ! lance Jeanne d'un ton contrit.

— Elle est quand même consciente *dé* tout *cé* qui *sé* passe ?

— D'une certaine façon, lui répond Colette.

— Moi, *yé né* voudrais pas retourner dans mon enfance. Ma mère *né* m'aimait pas. Avant que *yé* naisse, elle avait choisi, si le bébé était une fille, *dé* donner le prénom d'une reine de beauté chez nous, en Colombie, Beatriz. Quand *yé* suis née, elle m'a trouvée laide. J'ai toujours essayé *dé* lui plaire, mais elle *mé* rejetait et *mé* parlait très fort. Elle n'aimait pas mon genre *dé* beauté.

Toutes trois lui jettent un coup d'oeil. Elle a de beaux cheveux longs frisés et un visage très expressif qui respire la gentillesse et la bonté. Haro sur les concours de beauté !

Colette a bien compris maintenant quels sont les mots qui font que Jeanne la Pivoine s'éveille ou roupille, sans crier gare. Le mot « poupée » l'endort. Mais il doit être prononcé seul et sur un ton assez autoritaire. Et le mot « bouchon » la réveille de sa léthargie. Pourquoi ? Elle n'en a aucune idée.

— Merci *dé* m'avoir réconfortée.

Beatriz Hortas a le regard grenat et le sourire reconnaissant.

Quelle rencontre impromptue dans les toilettes ! Il faudra accélérer le changement d'identité.

— Vite, Jeanne. Tu vas maintenant te déguiser en poupée-bonheur.

Hélène lui sourit.

— Je ne veux que le bonheur. Il y en a beaucoup qui sont partis pour la guerre. J'ai nettoyé et habillé les poupées. Elles étaient rationnées, comme le pain et le beurre, et, pour les enfants, c'était très important. Il fallait même en fabriquer. Je suis née pour aider et faire le ménage. Tout a commencé l'hiver, avec la pluie de mousses blanches. J'avais trois ans et il fallait que je nettoie la nature !

— Lève les bras. J'ai détaché ta robe.

Hélène tente de lui changer les idées. Elle est prête à tout faire pour sauver sa Jeanne.

— Moi, à quatre ans, j'ai eu une poupée très spéciale, une petite chienne noire. Elle portait un bijou, une tache blanche au cou. Je l'habillais comme un bébé et je la transportais dans un carrosse, cachée sous une couverture.

Hélène veut partager ce souvenir comme un morceau de gâteau d'anniversaire.

— À mon tour maintenant.

Elle fait aussi vite que possible et revêt le costume de poupée-chiffon pendant que Jeanne se métamorphose en Rose.

— On n'a pas le choix, j'ai besoin de sa carte d'assurance maladie et de son numéro d'assurance sociale.

— D'accord, dépêchez-vous.

Colette commence à avoir les mains moites.

— Il faut sortir de l'hôpital. Pour éviter d'attirer l'attention, on va retourner Jeanne au pays des songes, pour l'éveiller de nouveau et installer par la suite Hélène sur la civière.

Aussitôt dit, aussitôt fait. Colette a communiqué avec le service d'ambulance. Après l'avoir endormie, elle a réveillé Jeanne en insérant le mot « bouchon » dans une phrase à la sortie d'un couloir à l'arrière de l'hôpital. Hélène est alors devenue l'Amivie substitut.

Quelques instants plus tard, la voilà partie en ambulance, en zone de détresse. Colette ne peut l'accompagner, elle doit rester auprès de Jeanne et, à l'heure qu'il est, elle a dû à regret rendre ses armes d'ambulancière. Son dernier quart de travail est terminé. Accompagnée du Chien et de la Rose-Pivoine, elle est prête pour le grand voyage. Il y a trop d'inconscience, de non-respect et d'irresponsabilité face aux humains et aux animaux. Ce soir, elle passe à l'action. « Taxi ! »

# III

Jeanne la Pivoine, on la regarde et on ressent, à la voir, toute la symbolique de la poupée-chiffon. Ces poupées prirent forme il y a plusieurs centaines d'années. Elles sont apparues dans les périodes de guerre et de disette. De toute évidence, les jeunes enfants aiment serrer contre eux une poupée de chiffon, ce qui les réconforte.

Pendant les périodes difficiles, les mères et des personnes bien intentionnées confectionnaient ces poupées apaisantes avec des retailles de vêtements ou encore des vêtements trop petits, ce qui faisait aussi le bonheur des bébés. Elles étaient si rassurantes avec leur texture moelleuse, ces poupées de chiffonnade. Elles furent les gardiennes du sommeil, les compagnes des déplacements et des jeux, les confidentes des peurs et des chagrins.

Jeanne a l'œil hagard.

— Il y a un homme au dos courbé, au parapluie fermé et au long nez. Son manteau sent la malpropreté. Il ne parle jamais. Il capture. Il n'aime pas la confiture. Il déteste la pluie et toutes les poupées de pleurnicheries. Madame Cécil me l'a dit. Elle m'a conté beaucoup d'histoires. Jusqu'à l'âge de seize ans, je lui ai souvent rendu visite. L'hôpital des poupées était dans son grenier. L'homme au dos courbé a des acolytes minuscules… de vraies têtes d'épingle. Ils entrent dans les cœurs, comme des virus de grand chemin. ILS POIGNARDENT LE DESTIN !

Elle crie. Liette réagit très vivement. Elle élève aussi le ton et Jeanne, déconcertée, totalement soufflée, veut se recroqueviller.

— LE CHIEN VA LES MANGER, CES DURS À *MOUILLER* !

Le chauffeur de taxi l'observe dans le miroir et lui fait de gros yeux. D'une petite voix, Jeanne ajoute :

— Il n'ouvre jamais son parapluie. Il est immunisé contre les gouttelettes d'eau. Celles des nuages, des ailes des oiseaux… des personnes en lambeaux qui transpirent les sueurs du cœur. Il est sec. Il sent la corne aux pieds.

— Pouah ! J'en ferai mon affaire, foi de chien malin.

Liette n'est pas impressionnée. En tout cas, elle n'en laisse rien paraître.

— Nous arriverons bientôt à l'hôpital des poupées.

Le chauffeur a un peu hâte que la course se termine.

Colette tient la main de Jeanne.

Amivie, dans sa robe de satin rose, pointe du doigt.

— C'est la nuit. Il n'y a peut-être personne à l'urgence.

Liette est perplexe.

— Il y a possiblement une poupée de garde.

Elle joue le jeu pour rassurer la Pivoine-poupée.

Colette espère que, malgré l'heure tardive, une femme du groupe soit restée pour faire le guet, au cas où elles reviendraient au local de yoga avant la nuit, donner quelques nouvelles. Il y a une lumière, petite mais prometteuse. Elles seront certainement prises en charge par une cellule de crise d'ici 48 à 72 heures, pour faire suite aux menaces de mort qu'elles ont reçues. L'interrogatoire post-traumatique permet d'activer les capacités d'autoréparation et favorise le retour à la normale. C'est d'une prise en charge psychologique que ces femmes auront besoin. Mais pour l'instant, elles constitueront une cellule de crise identitaire pour Jeanne qui a la paillasse en marmelade.

On vient répondre. C'est Françoise Charbonneau.

— Jeanne, c'est bien toi ? Tu t'es déjà remise de ton AVC ? Et… te voilà déguisée en Rose.

— C'est un caillot de chiffon, un grelot de sanglots, une amnésie de coton. Un vieux traumatisme a refait surface. C'est ici qu'elle va guérir, avec nos bons soins.

Colette arrime ses yeux à ceux de Françoise, espérant qu'elle comprenne la mise en scène.

— Et moi, j'en ai marre d'être un chien !

— Pas d'AVC ? questionne-t-elle.

— Non, pas d'AVC… un caillot de chiffon !

— Vous êtes l'ambulancière ?

— Oui, Colette Leclerc, infirmière, ex-ambulancière. J'ai pris ma retraite aujourd'hui. C'était mon dernier voyage.

— Je veux manger des biscuits !

— Hélène est rentrée chez elle ?

Françoise la cherche du regard.

— Non, elle s'est déguisée en poupée-chiffon pour sauver Jeanne.

— Comment ? Une substitution de costumes… d'identités ?

Françoise a le cœur qui turlupine.

Il faut tout expliquer, puis parler de la rencontre de 1990 avec Florence. Elles s'étendent sur de grands matelas soufflés. Jeanne s'endort. Colette appelle son mari. Liette fait de même. Il n'est pas content. Il était mort d'inquiétude. On a parlé de l'homme à la mitraillette dans les bulletins de nouvelles. Elle décide de rentrer chez elle, pour le calmer et bercer en silence sa poupée, Liette, dans une bulle de cajoleries à nulle autre pareille. Elle a concocté un baume issu de la nuit des temps, qu'elle dépose, lorsque la peine implose, sur le chakra de son cœur. Les poupées, elle en fait son affaire. « Les *dolls*, y'a rien de mieux, pense-t-elle, elles n'ont pas de malice et de fripouillerie. Elles ne sont pas morveuses et trompeuses. Elles sont fragiles comme une fleur sur le point d'éclore. Ne vous avisez pas de les frapper, de les contrefaire ou de les défigurer, Liette la Violette est là pour les *rabobiner**. » Les poupées et les oursons sont des colimaçons d'affection où se déposent les premiers parfums de l'apprivoisement du monde, vaste territoire où les loups se déguisent en brebis. Liette est si sensible qu'elle s'est intéressée depuis quelques années à la technique du *reborning*. Ce sont des poupées de vinyle qui, par un art qui permet de les transformer, ressemblent de façon étonnante à de vrais bébés. Elles sont très populaires auprès des femmes collectionneuses. On les achète sur les sites transactionnels ou sur les sites des artistes. On peut même ajouter un cordon ombilical, un simulateur de battements de cœur ou de respiration. Les cheveux et les cils sont faits de cheveux humains. On dit qu'elles sont très recherchées par les femmes souffrant du *syndrome du nid vide,* ayant subi des fausses couches et qui ne veulent pas adopter. Elles ont l'air si réel qu'on pourrait s'y méprendre, ce qui d'ailleurs est arrivé lors d'accidents ou d'incendies. Les policiers et les pompiers ont été trompés. Du point de vue psychiatrique, on se pose des questions. Les *Reborn Babies* masquent-ils l'incapacité d'accepter l'infertilité ? Liette se demande si cette tendance n'est pas un peu loufoque.

Chaperon rouge d'une Acadie séquestrée entre pauvreté et contrariétés, elle s'est accrochée jeune à la bouée de la musique, aux petits lapins et aux poupées. C'était le sauve-qui-peut, coincée qu'elle était entre une mère branchée sur dégoût et un père si souvent rabat-joie. Le Chien sera de retour demain. Attention, la zoothérapie sur deux pattes fera son entrée à l'hôpital des poupées !

Françoise communique avec Lily, la sœur de Florence de Blois, qui sera là à sept heures du matin, apportant un petit-déjeuner de circonstance.

---

* Rabobiner : réparer.

Amivie se retrouve en terrain connu. Après avoir dormi durant une quinzaine de minutes, elle arpente lentement la salle de yoga, encore imbibée de la douceur des tissus qui l'ont enveloppée durant cette dernière semaine où Lily, la sœur de Florence, a fait en sorte qu'enfin, *la thérapie des voiles et des cocons* prenne forme.

Françoise livre à Colette l'essence même de cette thérapie instituée par Florence. C'est un véritable pansement vibratoire, conçu pour aider les femmes blessées par la vie. Du jamais vu et du jamais entendu. Puis elle lui parle de l'incroyable improvisation qu'elles ont réalisée toutes ensemble. Une pièce de théâtre d'une redoutable authenticité. Françoise était une roche d'un million d'années qui a vu les guerres, les révolutions et la construction des cathédrales. Elle a d'ailleurs déjà été dans un clocher bombardé. On a pleuré sur elle. Elle a voyagé dans plusieurs pays. On l'a utilisée pour lapider une femme infidèle. Elle eut alors si honte d'être une roche. Elle a pleuré pendant cinquante ans, dans son tombeau de fortune, et puis, avec les années, la pluie l'a libérée. Elle veut être utilisée pour construire et non pour détruire ! Elle en a fait expressément la demande. Puis, en discutant avec Colette, elle parle de la relation proie/prédateur. Aujourd'hui, devant le prédateur, Jeanne est passée de la haute couture à la haute fracture. Une plaie existentielle s'est entrouverte sans crier gare et, pour Françoise qui a vécu avec un mari violent et qui figeait, même paralysait de peur, sans être capable de défendre ses enfants, l'expérience fut très éprouvante. Mais un jour, après avoir gémi sans relâche pour extirper de son corps l'énergie pétrifiée, Florence lui expliqua que, devant un prédateur, les humains comme les animaux ont trois types de réactions : l'agressivité saine, la fuite ou la sidération qui consiste à s'immobiliser. L'animal, dans ce domaine, est un professeur pour l'homme. Mais par quels mécanismes les animaux sauvages peuvent-ils rester fonctionnels, en particulier ceux qui subissent des agressions au quotidien sans basculer dans un état pathologique ? Le psychologue américain Peter A. Levine a apporté une précieuse réponse à cette question. Colette a les yeux rivés sur Françoise qui, du haut de sa roche et de la peur au ventre qu'elle a su transcender, dépose sans le savoir une connaissance au jardin d'hiver de Jeanne, traumatisée par un occulte passé, mais aussi de Colette, sidérée dès l'enfance, victime muette d'une situation qui l'avait violentée au plus haut point. Son immobilisme avait été psychique car, croyait-elle, aucune avenue ne s'ouvrait sous ses pas. Son cœur battit alors au rythme de l'incompréhension. Ses oreilles bourdonnèrent et *sillèrent**. Elle perdit contact avec son environnement, l'espace d'un moment. Le thorax pétrifié, elle se retrouva un jour dans le bureau d'un médecin, pointant vers cette invisible douleur au cœur qui ne coïncidait avec aucun diagnostic possible.

§ Je l'ai expliqué précédemment. On proposa à ses parents de consulter un psychiatre. Elle eut peur qu'on lui découvre une maladie et, à partir de ce jour, elle fit donc semblant de ne pas avoir mal.

Françoise continue.

— J'ai dû gémir pendant des heures pour débloquer cette énergie paralysée. J'ai revécu ce qui m'avait traumatisée. Lorsque tout se fige. C'est la commotion psychique.

— En tant qu'ambulancière, j'ai dû constater beaucoup d'états de choc : agitation, prostration, confusion. Sans compter la pâleur, les sueurs froides, les nausées, les marbrures violettes sur les jambes ou le ventre, les mains bleutées, la respiration superficielle et la hausse de tension artérielle.

— Mais la sidération ?

Françoise insiste.

---

* Siller : québécisme, produire un sifflement aigu.

— C'est autre chose lorsqu'une personne est figée par un événement... qu'elle est privée de réactions.

Colette est pensive.

— On assiste à un déni du traumatisme par la victime elle-même. « Le corps, m'a expliqué Florence, peut alors rester bloqué sur une sensation de contraction pendant plusieurs années. Il n'est alors plus un lieu sûr. » J'ai eu peur de ma saine agressivité d'autodéfense. Après toutes ces heures de gémissements, elle m'a proposé des exercices pour réactiver des réflexes. Est-ce que je vous embête avec ça ?

— Bien sûr que non.

Colette fait tournoyer une mèche de cheveux entre ses doigts. Elle remarque que Jeanne continue d'arpenter la salle.

— Pourquoi je vous explique tout ça ?

— Parce que nous avons parlé d'un traumatisme du passé qui est venu réactiver chez Jeanne de violentes émotions qui avaient dépassé les capacités de gestion de son cerveau et de son psychisme. Selon moi, c'est ce à quoi nous avons affaire.

Au moment où elle lui parle, une grande chaleur monte en elle. Colette a l'impression que ses mains triplent de volume.

— Je dois poser mes mains sur la tortue, Françoise.

— Je ne sais si on peut lui toucher...

— ...Peut-être juste au-dessus.

Elles se déplacent dans la salle de yoga.

— Je n'en reviens pas : hier encore, cette salle était une cathédrale de tissus. Aujourd'hui, elle devient par la force des choses un hôpital pour poupées.

Françoise est fébrile et Colette est très à l'aise en sa présence.

— Ce que nous vivons pour aider Jeanne nous mettra sur une sorte de piste énergétique. J'ai beaucoup lavé mes mains et je les lave encore plusieurs fois par jour, car elles sont de véritables nids pour virus et bactéries. Ce que bien des gens ignorent.

Mais j'ai aussi réconforté beaucoup de personnes avec mes mains. J'ai touché à des mains sèches chez certains et humides chez d'autres, des mains trapues ou encore osseuses et froides. J'ai touché des mains d'accidentés et de suicidés et je ressentais toujours que je donnais, par mes mains, l'énergie… la vie… même subtile… Le pouce et la paume sont très importants. Au début de ma carrière, je n'en avais pas conscience… Maintenant, je sais qu'elles transmettent des cadeaux invisibles. On dit qu'elles sont nos ambassadrices. Diverses proportions des mains ont servi de références, comme mesure, lors de la construction des pyramides et des cathédrales. C'est fascinant !

— Je pourrais éteindre la lumière, ce qui nous permettrait d'observer toutes les transparences de la tortue.

Françoise allume quelques bougies et se dirige vers le commutateur.

— Je veux bien. Je vais recevoir ce qui émane de ce cristal, sans parler. À certains moments, il m'est difficile d'exprimer le fond de mes pensées… Je suis un papillon masqué.

Françoise continue d'allumer d'autres flammes.

— Mais vous êtes tout de même un papillon.

— Il faut me dire…

Elle chuchote.

— Parlez-moi des exercices.

— Là, maintenant, pendant que nous contemplons ces couleurs époustouflantes ? C'est un phénomène inusité. Le cristal de roche est un émetteur très puissant.

— Oui… je devrais me taire, mais ces énergies m'incitent à parler.

Françoise chuchote à son tour. Elle lui donne des explications avec moult détails.

— Je devais opposer une résistance aux mains de Florence… une véritable résistance. Puis je devais réagir de la même façon, avec intensité, dans un dos-à-dos. Par la suite, j'ai dû imaginer qu'un animal féroce me poursuivait. J'étais assise et mes jambes se sont agitées comme si je filais à toute allure. Il n'était pas question qu'il m'attrape et me dévore. Après cet effort extrême, je me suis mise à trembler de la tête aux pieds. Mon corps n'avait jamais tremblé de cette façon. J'ai eu peur de perdre le contrôle. Ensuite, j'ai pleuré et ma cage thoracique qui était contractée depuis des années s'est enfin relâchée. L'air était bon et frais. J'avais réussi à réagir, à sortir d'une impasse qui m'avait fait perdre ma dignité. J'avais vaincu l'impression d'effondrement.

« Vous avez réagi comme l'impala, m'a précisé Florence, comme la gazelle qui, s'étant immobilisée dans un premier temps pour s'abandonner au prédateur, a profité d'une baisse de vigilance pour s'enfuir. Après avoir frôlé la mort, elle réconcilie son corps et son psychisme en s'ébrouant. Voilà les conclusions du psychologue Levine. Elle s'agite dans tous les sens, vous comprenez. Ainsi réagit l'oiseau qui heurte une vitre, lorsqu'il s'est évanoui. Quand il revient à lui, il se secoue vivement, se réoriente, gonfle ses ailes et s'envole de nouveau, s'il n'est pas blessé. Il ne faut jamais interrompre ce processus, car il s'évanouira une deuxième fois, et si nous persistons à l'en empêcher, il mourra de frayeur. Après un choc, l'énergie ne doit jamais être emprisonnée ! »

Colette se dit qu'elle aimerait suivre ce fil conducteur. Y arrivera-t-elle après plusieurs décennies ? Ce traumatisme secret de l'enfance est sans doute la source d'un figement qui a ouvert la voie à tous ces arrimages de tensions nerveuses extrêmes éprouvées lors d'appels d'urgence où il fallait rapidement faire face au danger imminent et prendre sur soi. Il y a eu boulonnage et ancrage de détresses humaines, sans que notre papillon masqué soit en mesure de s'ébrouer.

Elle est fine mouche et franchement perspicace. Elle a saisi l'essentiel du message. Elle devra vivre ce moment et déclencher la sortie du figement, ce qui lui permettra de réintégrer toutes les dimensions de son être. Certains espaces énergétiques ont-ils été déplacés par ce choc dont elle fut victime ? Lors des cérémonies chamaniques, on rappelle les parties de l'âme qui se sont détachées ou, pourrait-on dire, éloignées du corps. On dit que le succès de la thérapie se manifeste quand le patient est secoué de tremblements, comme les animaux qui ont su se relever ou s'échapper libèrent leur énergie en s'agitant dans tous les sens. Dans le cas de Jeanne, assiste-t-on par contre à une véritable dissociation ?

Colette a déposé ses mains sur la tortue de cristal. Elle a l'impression qu'une volonté extérieure la pousse à poser ce geste. Elle a toujours suivi à la lettre les consignes, règles et recommandations. Elle voulait être parfaite et bonne fille. Mais les règles sont-elles aussi faites pour qu'on puisse y déroger si, en toute conscience, on aspire à aider ceux qui souffrent ? Après avoir substitué Hélène à Jeanne, se livre-t-elle pieds et poings déliés à une observation nouvelle du mal de vivre ? Dans son travail d'ambulancière, les constats de suicide l'ont percutée de plein fouet. Le mal de vivre, pourquoi certains en sont-ils tant affectés ? On dit que la dépression est la plus grande cause de mortalité au monde, compte tenu des maladies qui en découlent. Il y a les champions de l'optimisme et ceux qui, dès la naissance, portent le deuil de chaque jour qui se meurt et, de siècle en siècle, le nombre de suicides ne cesse d'augmenter. Se tuer semble une façon de mettre fin à une souffrance dévorante. Elle se sent momentanément au cœur d'un vortex de lumière, un tourbillon éclatant. Son cœur palpite si fort qu'elle craint l'infarctus. Le souvenir d'un suicidé défile devant ses yeux. Le rythme de son cœur est le sauf-conduit menant au donjon d'une colère qui l'avait alors dévastée. Avril 1997, un appel d'urgence pour un trouble de comportement à Rouyn-Noranda. Un collègue ambulancier vient la chercher. L'adresse semble être à la hauteur d'un centre d'entraînement bien connu. Il s'agit sans doute d'une bataille entre deux gars. Il y a certainement un blessé. Ils descendent la rue. En vérifiant les chiffres aux portes, ils se rendent compte que l'adresse donnée correspond à une maison juste avant le centre d'entraînement. C'est là qu'habite quelqu'un qu'ils estiment beaucoup, le pharmacien Léo, qui est un très bon ami de son mari. Elle connaît bien sa femme, Francine, et leurs deux petits garçons de deux et quatre ans. C'est un duplex et la grand-mère habite en haut. Ils pensent qu'elle est peut-être malade. Sur ces entrefaites, le père de Léo sort. Il leur dit: « C'est Léo. Il est au sous-sol. » Depuis quelques semaines, il est en arrêt de maladie pour des problèmes abdominaux. Ils descendent l'escalier et découvrent Léo étendu sur le plancher, le teint blanc, une corde à linge bien serrée autour du cou. Il est immobile, les yeux entrouverts. Son père leur dit qu'il est arrivé trop tard. Colette panique. Il faut commencer rapidement les manœuvres de réanimation. Elle s'agenouille près de Léo pour mettre en branle le protocole, mais elle n'arrive pas à le toucher. Un policier est à genoux de l'autre côté de Léo. Elle lui confie: « C'est que je le connaissais très bien. Je ne comprends pas ce qui s'est passé... Je n'arrive pas à le toucher. » Son cerveau alors est complètement embrouillé. Son corps est engourdi. Elle n'arrive pas à bouger et pleure doucement en le regardant. Elle ne peut y croire. Elle a la nausée. Son thorax est compressé. Le policier la rassure: « C'est correct, je vais prendre le relais. » Elle réalise à ce moment-là ce qui se passe réellement et qu'elle et son collègue Pierre sont de service. Pierre aussi est en état de choc, mais il faut procéder. Ils doivent donner le maximum pour sauver Léo. Elle arrête immédiatement de pleurer et dit au policier qu'elle va commencer la réanimation cardiorespiratoire. Léo est déjà un peu froid et lui toucher demande un effort suprême.

Pourtant, ce n'est pas le premier suicide qui la saisit. Tout en continuant les manœuvres, ils doivent le sortir du sous-sol. Ils l'installent sur une planche avec des sangles et, par la suite, ils mettent celle-ci debout pour arriver à monter l'escalier très étroit. C'est comme dans les films. Elle reconnaît la voix de sa femme, Francine. C'est tellement triste et dramatique. Mais qu'est-ce qui s'est passé ? Il y a tant de questions qui fusent dans sa tête. En traversant le salon, elle ne se préoccupe pas des gens attroupés et, en sortant, en voyant tous ceux qui sont venus constater ce qui se passe, elle se met à sourire. C'est plus fort qu'elle. Elle apprendra plus tard que c'est une réaction qui survient parfois après une émotion vive, même si c'est très poignant. Dans l'ambulance, un collègue ambulancier venu aider Pierre et Colette continuera les massages et les insufflations avec celle-ci. Ils sont consternés. Léo était toujours de bonne humeur. Elle l'avait vu la veille à la pharmacie pour une prescription d'antibiotiques pour sa fille qui souffrait d'une otite. Il lui avait dit que tout irait bien et qu'elle pouvait même, au besoin, l'appeler la nuit. Et là, le voilà suicidé, couché sur une planche. Et sa femme, Francine ? Et les enfants ? Par moments, elle est vraiment en colère. À l'hôpital, on ne peut que constater le décès. On prétend qu'il avait bien préparé le tout. Il n'est pas mort étouffé, mais à la suite d'une fracture cervicale. Il a une grande marque profonde au niveau du cou. On conclura à une dépression *souriante*. Elle n'avait jamais entendu parler de ça. Il y a des gens qui ont un sens aigu du camouflage ! Elle est si bouleversée que, dès le lendemain, elle prend rendez-vous avec une thérapeute qu'elle connaît depuis longtemps. Elle la rencontrera lors de son prochain congé. En attendant, elle lui dit qu'il est très important qu'elle ait une bougie allumée à la maison, vingt-quatre heures sur vingt-quatre. Elle doit penser à Léo et le visualiser à l'intérieur d'un canal de lumière blanc doré, le canal ouvert vers le haut à l'infini. En le visualisant, elle lui dit : « Allez, Léo, va vers le haut, jusqu'à l'infini, dans cette lumière. » Elle doit le voir monter. Elle lui explique que lorsqu'une personne se suicide, elle se retrouve dans le *bas-astral* et qu'elle voit tout ce qui se passe comme à travers une vitre très épaisse. Elle ressent qu'au moment où Léo a posé son geste, il l'a regretté et qu'il est maintenant très triste de voir ses proches atterrés. Elle doit donc, pendant vingt et un jours, garder sans cesse la bougie allumée et le visualiser dans la lumière. Ce qu'elle a fait, sans plus ou moins y croire, mais elle se disait qu'il valait mieux faire ça que d'être dans le négatif. Souvent lui revient cette pensée que Léo savait, le soir où il a posé son geste, que Colette et Pierre étaient de garde. Les avait-il choisis pour transporter son corps ? Après ce suicide, tout est lourd. Elle a souvent des infections à la gorge. La nuit, lorsqu'on l'éveille, elle s'obstine souvent avec les répartiteurs, car elle est convaincue qu'elle n'est pas de garde cette nuit-là. Son mari doit la convaincre d'aller dans la salle de bain où elle se rend compte qu'effectivement, son uniforme est prêt. Lors des vacances d'été au bord de la mer, elle fait un rêve qui la marque profondément. Elle marche avec son mari Jonathan, main dans la main. Ils aperçoivent Léo tout de blanc vêtu, assis au pied d'un gros arbre. Il a un sourire paisible et les yeux pétillants. Il semble très serein. Elle dit à son mari : « C'est Léo. Ça se peut pas, il est mort. » Léo la regarde et, lorsqu'ils arrivent près de lui, il sourit et lui dit : « Merci… merci. » Elle s'éveille très touchée et interloquée. La veille, elle était allée en pleine mer, à la rencontre des baleines, et se sentait unie à l'univers. « C'est sans doute pour cette raison, se dit-elle, qu'elle a fait ce rêve. » Quelques mois plus tard, elle se rend avec sa mère rencontrer une médium qui transmet les messages de personnes décédées à ceux qui viennent la rencontrer. Elle aura un message de ses grands-parents, entre autres de sa grand-mère, mais à un moment donné la médium, Marjolaine, lui dit qu'une nouvelle personne se présente. Elle n'a pas idée de qui il s'agit puisqu'elle ne connaît pas Colette. Le cœur de Colette bat très fort et très vite. Elle a un pressentiment. Elle lui dit qu'il s'agit d'une personne jeune. Son cœur bat si fort qu'elle en a mal à la poitrine. Fera-t-elle un infarctus ? Marjolaine doit demander à l'entité de faire attention et d'adapter ses énergies aux siennes. Quelques secondes plus tard, tout se calme. Heureusement, car Colette a eu vraiment peur. La médium lui dit qu'il la remercie pour tout ce qu'elle a fait pour lui. Il lui montre l'image d'un arbre. Sur le coup, elle ne comprend pas, puis elle l'invite à s'étendre et à faire une visualisation. Alors, le rêve de ses vacances au bord de la mer refait surface. Marjolaine comprend qu'il a transmis cette image pour qu'elle se rende compte que cette nuit-là, ils avaient bel et bien été en contact et que Léo avait voulu lui transmettre lui-même ses remerciements. Elle canalise un message de sa part: « Merci pour tes prières, Colette. Je ne savais pas que tu étais aussi avancée spirituellement. Jonathan, je sais que tu as de la misère à comprendre mon geste. Je veux te dire que j'ai revu ma vie et ça m'a frappé de voir le gars d'équipe que tu es. J'ai pu apprendre de toi. Ne vous inquiétez pas pour moi. Je suis bien. Je suis sorti de la noirceur. C'était juste ça, mon message. Le suicide, ça part d'un manque de foi et d'une grande peur de la souffrance. C'était mon cas. Ne vous enlevez pas la vie. Léo »

Colette a eu la confirmation que ses prières et sa visualisation ont été pour lui d'une grande aide, mais comment prévenir ces gestes destructeurs ? L'histoire du mal de vivre l'interpelle au plus haut point. Son cœur ne cesse de palpiter. Elle en a mal à la poitrine.

— Je m'excuse, mais je crois qu'on ne peut pas se tenir aussi près de la tortue.

Françoise ressent qu'elle souffre. Colette reprend contact avec la réalité.

— Sans doute… Je pense que malgré mon bon vouloir, j'ai peur du changement. Quand je ferme les yeux, je vois des centaines de mains… non… des milliers, qui implorent de l'aide. Il y a beaucoup d'urgences! Les mains des soignants s'épuisent et… les miennes s'épuiseront aussi. J'ai peur de développer ce don. Mes mains sont si chaudes.

Elle les palpe avec étonnement.

— Elles sont en feu!

Françoise l'observe et lui répond en incarnant de nouveau son personnage de la Roche.

— Je vous envie d'être de feu. Je change si lentement et je suis si dense.

— Mais il y a un juste milieu entre la roche et le feu.

— Je suis très émue de rencontrer une ambulancière. Il y a autour de vous une aura si spéciale.

— Elle est faite de la joie d'aider et de multiples face-à-face avec la détresse.

Françoise soupire et lui fait une confidence.

— Quand j'étais enfant, je m'étais inventé un stéthoscope avec un cordon et un bouton. J'aurais aimé avoir des civières pour mes poupées.

— Les enfants habituellement ne pensent pas à ça.

— Nous étions quatre filles et nous n'avions qu'une poupée par année. Ce qui fait qu'elle perdait souvent un bras ou une jambe et qu'elle développait des maladies. J'ai toujours regretté de ne pas avoir pu soigner ces poupées, mais nous travaillions tellement fort sur la ferme et nous étions sous-alimentées.

— Je ne connais pas les maladies des poupées. Il me semble qu'habituellement, ce sont elles qui soignent les enfants. Elles sont leurs amies, leurs confidentes… surtout quand un enfant est malheureux.

— C'est vrai, mais nous étions si maltraitées et n'oublie pas que nous n'en avions qu'une pour quatre. C'était un lourd contrat de garde partagée... Les civières, dès que j'en vois une... je retiens mon souffle.

— J'ai aussi beaucoup retenu le mien dans toutes sortes de situations, avec les appels dramatiques... Imagine les brancards en zone de guerre, les corps démembrés et les lambeaux de peau arrachés. Les brancardiers, lors des conflits armés... les ambulanciers et les ambulancières sont comme les joueurs de hockey ou les athlètes de haut niveau. Voilà pourquoi certains prennent leur retraite dans la fleur de l'âge. J'en ai tellement vu et j'ai tellement pris sur moi. Aujourd'hui, c'est la première journée de ma retraite et je n'ai que trente-deux ans.

— De retraite comme ambulancière, mais tu as encore beaucoup à donner.

Colette pose ses mains sur ses cuisses.

— Si tu deviens un canal, tu ne peux t'épuiser. Tu recevras la force et tu la transmettras. Puiser à même la force cosmique et en faire cadeau...

Françoise la touche pour la réconforter.

— Je pense que c'est plus que ça.

Colette semble rêveuse.

— La force cosmique, dirait Florence, est l'aspect plus dense. Il s'agit de la Force spirituelle issue de l'au-delà. Les particules spirituelles passent de la matière subtile à la matière dense.

Françoise n'a pas oublié les connaissances qu'elle lui a transmises.

— J'aimerais donner la becquée aux cœurs affamés. Où as-tu connu Florence ?

— Comme toi, à Sainte-Justine où j'ai été préposée aux bénéficiaires pendant plusieurs dizaines d'années.

— Tu l'as rencontrée souvent ?

— Je l'ai vue souvent et je l'ai rencontrée en tête-à-tête quelques fois, le midi, à la cafétéria où nous avons mangé ensemble. C'est là qu'elle a su que je ne rêvais plus depuis trente ans.

— Ouf!

— Peu importe, c'est réglé maintenant.

— Parle-moi des maladies des poupées.

— J'ai faim!

La Pivoine-poupée les fait sursauter.

— Aaaah!

— J'ai faim! Qui parle des maladies des poupées? Je suis une poupée malade. Il faut m'examiner!

Jeanne exige des soins.

— Les spécialistes des soins des poupées ne sont pas ici la nuit.

Françoise ne sait que lui dire. Elle a les paupières lourdes et voudrait tant dormir.

— Et vous, qui êtes-vous?

Elle regarde Colette et ses pommettes rouges ont l'aspect d'une pelure de pomme déshydratée.

— Je suis l'infirmière-ambulancière qui transporte les poupées... et les oursons sur des civières.

— Et les oursons? Alors, c'est bon.

— Je me présente. Je suis une poupée de roche.

Françoise se dit qu'ainsi, Jeanne se sentira moins seule.

— Alors, vous êtes une poupée très ancienne.

— Oui, je suis une ancêtre-poupée. Un jour, on m'a sculptée et offerte en cadeau. On m'a couchée sur un lit de feuilles et je me suis liée d'amitié avec des scarabées.

— Vous parlez certainement avec beaucoup de sagesse... Madame Pichereau... avait un sauf-conduit pour le pays des poupées. Elle m'a parlé des poupées en os qui datent de plusieurs milliers d'années, des poupées en feuilles de maïs ou en paille de maïs ou de blé. Elles étaient décorées de rubans et de fleurs. Il y a aussi les poupées de bois tendre, les marionnettes… dont la plus célèbre a été ? Devinez ! Pi… Pi…

— Pinocchio, bien sûr !

Colette se réjouit.

— Voilà ! Je suis Amivie, poupée de chiffon et fière de l'être, à la vie, à la mort !

Elle les salue.

— Mais… vous êtes déguisée en Rose…

Colette tente de la faire réfléchir sur ce qui s'est passé à l'hôpital Fleury.

— Oui, c'est vrai. On m'a confié une mission pour quelques heures seulement.

Elle chuchote.

— Je suis devenue une poupée-bonheur, mais surtout ne le dites à personne. Le bonheur doit être silencieux, au cas où le malheur s'aviserait à passer. On ne sait jamais. Il pourrait le repérer et lui donner un coup de bottine.

— Cacher le bonheur ? Moi, poupée de roche, ancêtre-poupée, je vous dis que plus on le cache, plus on veut le dissimuler et l'ensevelir comme un *prêt-à-partir.* Le bonheur devient alors si minuscule.

— Il y a des cachettes à bonheur, ancêtre-poupée ! Vous devez le savoir, dans le cœur même des poupées. C'est là d'ailleurs que leurs maladies débutent, lorsqu'on bave trop dessus ou qu'on y pleure durant des heures. Il y a des moisissures qui se développent et c'est très grave ! Heureusement, il y a des hôpitaux pour les poupées et même pour les oursons. Je n'ai pas beaucoup d'oursons en mémoire, mais sans doute en avez-vous connu. Mon fils avait un ourson appelé Phil. Mon fils… mon fils… ? (*Elle court dans tous les sens.*) Je ne peux pas avoir de fils, je suis une poupée ! Il y a mélange d'identité ! Je suis Amivie, mon corps est en chiffon, mais aujourd'hui, en tant que poupée-bonheur, je peux parler de la maternité. Les poupées-bonheur reniflent la peau des nouveau-nés. Elles sont semblables à des petits chiens de laine.

— Il y a aussi les musées de poupées, Amivie. J'ai une amie... poupée d'os, qui a visité un très célèbre musée de poupées végétales en Martinique. Elle en est revenue un peu déprimée... Elle voulait se refaire une beauté... (Françoise s'étonne d'être si volubile.) Elle a rencontré Will Fenton, qui habille ces incroyables splendeurs. (Elle les a elle-même fait connaître à ses petits-fils.) Il utilise des tiges et des feuilles et la matière à draper d'un arbuste surnommé le jupon-cancan. Avec les feuilles de bananiers, il confectionne de longues traînes et des jupes amples. Avec le chou caraïbe, il imite des imprimés.

— Arrêtez parce que je serai aussi déprimée. Mais avez-vous une idée de la tristesse des poupées et du désespoir des oursons ? C'est l'hécatombe des poupées depuis que Barbie est arrivée ! Les poupées d'argile sont devenues poussières et, sur les vagues de la mer, les poupées d'écume, on se fout de leur amertume. Qui admire leurs robes de mousse qui éclatent au soleil ? Personne, que je vous dis ! Personne !

Elle parle de plus en plus fort et traverse la salle, les bras en l'air. On pourrait, à la considérer de loin, y voir une ressemblance avec Lady Macbeth, figure fantomatique du théâtre de Shakespeare, somnambule à l'esprit égaré. Mais à l'observer de près, on comprend rapidement qu'il n'est en ce personnage de chiffonnades aucune errance, mais une volonté de décrier la candeur qui se meurt. Une souffrance du présent l'a catapultée dans le passé. Y restera-t-elle enfermée ? Le rejet fut si total, en un espace-temps si court, comme un chagrin d'amour percuté. Elle marche sur des larmes devenues frimas. Entendez-vous les craquements sous ses bottes de guipure ?

§ Je vais vous en dire un peu plus sur les jouets à deux pattes, pendant que Jeanne arpente cet hôpital. On m'a déjà dit : « Foi d'archéologue, les poupées ont été les premiers jouets connus, mis à part ce qui parvient de la vie elle-même : animaux, oiseaux, insectes et population végétale. » Des poupées ont été retrouvées dans les tombeaux d'enfants égyptiens : des figurines de cire, d'ivoire, de jade, d'os, de bois ou de terre cuite enveloppaient déjà leur existence. Elles transmettaient des secrets verbaux ou vibratoires. Même sous les ruines de Pompéi, avec les petits, des poupées furent ensevelies. Dans le bassin méditerranéen, on leur prépara des articulations de céramique et les Chinois furent les premiers à fabriquer des beautés de porcelaine.

Colette aurait-elle des affinités avec les anciennes poupées ? Des affinités de fragilité et de beauté ? Elle s'intéresse de plus en plus à cet univers trop souvent insaisissable.

D'autres détails : c'est au XVIe siècle que le chiffon fit intrusion dans le monde des jouets-poupons, allié au bois. Aux XVIIe et XVIIIe siècles, apparaissent des poupées aux yeux de verre et aux cheveux peints. Les matériaux se diversifient : la cire et le papier mâché sont utilisés, sans oublier la laine. Au XIXe siècle, la fabrication industrielle remplace la plupart du temps le travail des artisans. Avec la Première Guerre mondiale, de nouveaux matériaux concurrencent le biscuit (de la porcelaine cuite deux fois) dans la fabrication des poupées : la feutrine, le tissu bourré et le Celluloïd. C'est alors qu'un nouveau type de poupon voit le jour : le nouveau-né à corps mou, sans cheveux et à grosse tête, aux yeux vivants qui regardent sur le côté. Ils seront les poupons chéris de Jeanne, durant son enfance. Ceux-ci surnommés les *baigneurs*, on apprend à les laver. Jeanne, en petite fille dévouée, les débarbouillera à outrance. D'où, sans doute, son idée fixe du bouchon qu'il faut trouver. Un *sine qua non* pour donner le bain. Et attention, il faut chauffer l'eau sur le sempiternel four à bois.

Croyez-moi, il y eut beaucoup de poupées très célèbres dans divers pays et plusieurs d'entre elles ont eu des missions de réconfort: Charlotte aux fraises, Bleuette, Daisy, Corinne, Corinette et Marie-Claire d'Italo Cremona, les poupées folkloriques, Tressy, etc. La liste est longue, sans compter les Africaines et les Asiatiques, les poupées *Reborn*, les poupées d'autopsie et de réanimation cardiorespiratoire, les poupées russes, inuites et amérindiennes, les poupées faites de gaze et d'anciens couvre-lits. Il y a... la poupée de Sophie, dans le roman *Les malheurs de Sophie* de la comtesse de Ségur. Celle-là, on doit la tenir par le bras, de peur qu'elle ne s'évanouisse. Il y a Fanfreluche, la conteuse d'histoires, ce personnage déguisé en poupée imaginaire et son grand livre de carton et, dans l'invisible, les *poupées de pluie*, de neige et de vent. Y en a-t-il d'autres que nous ne connaissons pas ? Il y a certainement celles de glace et de feu et, plus encore, celles qui s'apparentent à ces contrastes tranchants dont la représentation même nous donne des illuminations ou des frissons : les poupées de lumière... ou de destruction, qui ne sont au fond que la représentation subtile de tant d'émanations. Sous le *chromatisé*, l'irisé, le moiré des émotions intimes et insondables, elles naissent et croissent, ces poupées translucides, et deviennent souvent des sans-abri ou encore meurent et peuplent indûment les cimetières et... nous ne le savons pas.

Jeanne continue d'arpenter la salle. Elle regarde le plafond et les tissus multicolores qui ornent les murs. Je lui laisse le temps de retrouver la beauté des lieux.

Les ours en peluche, quant à eux, ne s'énervent pas. Ils réclament leur part du gâteau de réconfort et de protection, car ils détiennent divers ingrédients de l'authentique recette. Bruns, marron, café au lait, ils sont des accompagnateurs-nés.

J'ai gardé le mien jusqu'à l'âge de vingt ans. J'ai eu beaucoup de peine le jour où, étalé sur une lampe, il eut la bedaine brûlée. J'ai alors vu ce qu'il avait dans le ventre. Le destin fut féroce et j'ai dû irrémédiablement m'en séparer. Il s'appelait Teddy et... je ne savais pas qu'il avait autant de frères. Maintenant, je le sais. Il y eut une colossale portée au début du siècle dernier. Autant en Amérique qu'en Europe. Les poupées avaient besoin de renfort. Deux horribles guerres étaient pressenties dans la débâcle des conflits. Des milliers d'oursons furent aussi envoyés en mission. Grâce d'une part à Theodore Roosevelt, président des États-Unis qui, lors d'une chasse infructueuse au gros gibier, épargna un ourson qu'on lui proposa en guise de consolation. Une caricature illustrant l'incident parut en 1902 dans le *Washington Post*. Ainsi naquirent, dit-on, les *teddy Bears*, grâce à la femme d'un boutiquier russe immigré à Brooklyn. Le succès fut immédiat. Mais une autre portée allait voir le jour en Allemagne, en 1903, pays où le cauchemar hitlérien allait quelques décennies plus tard semer la tourmente et la désolation. Leur conception est l'œuvre de Margarete Steiff, une jeune femme atteinte de polio qui se déplace en fauteuil roulant, et de son neveu Richard, dessinateur animalier. L'un des ours est présenté à la foire de Leipzig en 1903 et un acheteur américain lui en commande sur-le-champ trois mille exemplaires.

Hum... je vois Jeanne qui frétille des narines. Elle cherche, c'est sûr, quelque chose à manger...

Cet ours Steiff, donc, est considéré par les collectionneurs comme l'ancêtre des ours en peluche. Finalement, j'avais un ours Steiff appelé Teddy. Je reconnais maintenant les longs membres articulés caractéristiques de cette irrésistible *peluchonnade*. On dit aussi qu'il y eut les oursons Bing, confectionnés en 1900, à Nuremberg. Bref, un incroyable débarquement de nounours eut lieu sur les plages affectives des tout-petits. En Angleterre, en 1920, ils furent nommés Rupert, et Prosper en France, en 1933. L'objet incarne le réconfort et l'apaisement. À certains moments, il se transforme même en doudou. Il devient un gardien, doux et puissant à la fois, avec ses yeux ouverts et bienveillants, un compagnon privilégié. Si la poupée est l'enfant de l'enfant, l'ourson sera son alter ego. Tous aideront les petits à traverser des situations angoissantes et traumatisantes et ils ont l'occulte fonction de cultiver la sensibilité que les vents de l'adolescence viendront trop tôt secouer, et les tornades de l'âge adulte balayer. À partir de la fin du XIXe siècle, l'ours-jouet fait son apparition, remplaçant le cheval qui, jusqu'alors, était le jouet le plus utilisé.

— Les poupées aiment les biscuits, c'est bien connu ! Mais on ne doit jamais les regarder manger.

Jeanne commence à s'impatienter. D'immenses gargouillis lui balaient le ventre.

Colette l'examine, intriguée.

— Elles sont un peu capricieuses, lui lance-t-elle.

— Non, nerveuses. Il ne faut jamais les observer quand elles mastiquent.

Françoise a trouvé des biscuits au chocolat.

— On est un peu à court de nourriture.

— Ça fera l'affaire, avec un grand verre d'eau.

Elle renifle et écarquille les yeux. Françoise et Colette ont oublié cette ahurissante dépendance au chocolat dont elle tente de se sevrer. Depuis plusieurs mois, elle était devenue adepte invétérée des trois saveurs fraise-vanille-chocolat. Elle est sobre depuis quelque temps déjà, grâce à Liette qui l'a invitée à grossir les rangs des Outremangeurs Anonymes. Elle a tellement mangé de cette glace tricolore qu'elle est passée de pivoine à bouquet de pivoines et… elle déteste l'allusion ! Le cacao va-t-il percuter Jeanne et s'arrimer à ses papilles ou voyager incognito dans les boyaux d'Amivie, poupée de chiffon affublée d'un estomac de coton ? Elle mange et ne dit mot. À aucun moment, elle n'accélère le rythme de sa mastication. Le délice sur sa langue s'apparente à l'eau sur le dos d'un canard. Le cacao et l'eau ruissellent, ni vu ni connu. Amivie a bien camouflé Jeanne. Elle va aux toilettes et se recouche, au grand bonheur de Colette et de Françoise qui, épuisées, s'endormiront à leur tour sur des matelas soufflés.

# IV

Les poupées ont-elles des rêves ? Elles rêvent de tout ce qui bouleverse les humains et, lorsque le jour se lève, elles travaillent sans relâche. Elles recueillent les babils de l'enfance comme la plus précieuse des rosées. Elles protègent l'enfance avec une muraille de beauté, afin d'éviter la rupture, la brisure, la perte de l'art si précieux qu'est celui de l'émerveillement. Il est, dit-on, à l'origine de toutes les grandes découvertes, de toutes les créations artistiques ou scientifiques. Einstein affirmait : « Celui qui a perdu la faculté de s'émerveiller et qui juge, c'est comme s'il était mort. Son regard s'est éteint. » En lui s'est affadi le bonheur d'être une braise. Il marche et se dit que la route est dure, mais il ne prête plus l'oreille aux murmures. Et pourtant, la vie palpite sous la bruine. Il a démembré ses poupées, égorgé ses oursons, compressé la candeur dans ces boîtes à musique qui ne recèlent plus que des requiem. La nuit est obscure et le jour est vert-de-gris. Qui pourra de nouveau s'unir à la beauté et à la grandeur du monde, dans l'infiniment petit comme dans l'infiniment grand ? Celui qui s'adonnera à la nostalgie. La nostalgie du pays intérieur.

§ Est-ce là que vivent les *poupées de pluie* ? Dites-moi, je veux savoir et… d'où provient la pluie ? Du pays de la transparence, des chutes de la translucidité ? Quand on touche à ces muses bien étranges, s'approche-t-on de la limpidité ? Aller à leur rencontre, est-ce s'abandonner à un instant d'ébahissement si émouvant que les larmes se confondent avec leurs vêtements détrempés ? Elles oscillent comme une pulsation, elles ballottent comme une impulsion. Qui tentera de les retrouver, de confondre la cadence de son cœur et l'ondulation de leur consternation ? C'est au rythme des froissements intérieurs qu'elles se meuvent. Elles tambourinent sur les ailes du temps. Elles sont incomparables et malheureusement innommables pour qui ne les considère que cérébralement. Il faut se mouiller pour les croiser, laisser fondre sa personnalité, l'espace d'un moment de dénuement. Entrer au cœur de son lac, de sa lagune, de son étang de fleurs ou de son marais de pleurs, mais entrer. Ne pas rester en surface ! Plonger dans sa douleur ou son bonheur. Fuir les apparences et la contenance. Si l'on parle du conscient et du subconscient qui, lui, occupe une place neuf fois plus grande dans notre vie que le conscient qui est la partie officiellement pensante et analytique, le rationnel n'est donc que la pointe de l'iceberg. S'y cantonner est limitatif. La rationalité est excessivement critique et souvent incrédule. Elle perçoit la fleur... dissociée de l'univers. C'est la cohérence extrême de la sécheresse et de la famine. On y filtre la pluie et la retourne dans les rigoles. Mélangée à la terre, elle constitue la boue dans laquelle patauge l'humanité. Le cartésien pur et dur craint le subconscient et, plus encore, le superconscient relié aux centrales des formes pensées et la force imprégnant le Grand Tout. Le superconscient nous permet de ressentir notre mission de vie. C'est le siège de l'intuition, le puits où les étoiles de neige se fluidifient et scintillent dans les vêtements ondoyants des poupées que l'on n'a pu givrer. Il arrive que les *poupées de pluie* s'allient aux poupées de vent. Alors, dans la bourrasque, le blizzard, la rafale ou l'ouragan, elles espèrent que la crise existentielle portera fruit et conséquences ! Mais le monde a bien changé. Le malaise profond est rejeté. Il est alcoolisé ou médicamenté. Vous ne devez pas pleurer et vous ronger les ongles !

Les chagrins, les colliers de misère, les angoisses et les tracas, chacun a son remède, en comprimés ronds ou rectangulaires. Les détresses sont occultées, les amertumes gelées, les anxiétés frigorifiées. Les vêtements des poupées de nostalgie se métamorphosent en manteau de neige, puis en glaciales aquarelles. Plus rien ne bouge. C'est le règne de l'ankylose, de la catalepsie. C'est l'immobilisme, la sclérose, la destruction : le génocide. Voilà où nous en sommes rendus, et cela sous des dehors aseptisés ! On détruit l'intelligence du cœur, les nobles rêveries, la profondeur des perceptions, l'aura de l'amour. On sait aussi les égorger avec des paroles assassines. On choisit des mots qui asphyxient. Rien de mieux que la violence verbale pour arriver à ses fins, lorsqu'un cartésien se rend compte que son influence et sa puissance se raréfient sous les rideaux de pluie d'une conscience qui s'éveille.

La pluie intérieure ! Elle mouille toute pensée et toute chose. Donne de l'éclat à la patine. L'œil révulsé est obligé de percevoir, de considérer… même à tâtons, dans le noir. Elle porte le parfum ou le désespoir des heures et, plus encore, elle transporte. En aucun temps, elle ne noie. Elle confronte la rigidité qui pétrifie toute forme pensée, dans l'œuf où déjà elle coagule. De subtils filets, prisons en suspension, sordides machinations, polluent d'invisibles territoires. Il arrive que le subconscient devienne si chargé et le superconscient si inspiré, qu'ils percutent le conscient de plein fouet. On fait alors face à la psychose et l'hospitalisation en fait sa chose, sans chercher pourquoi ! L'iceberg de Jeanne a-t-il piqué du nez, livrant les secrets des chocs et des non-dits de ce qui était depuis longtemps submergé ?

Est-ce un état de somnambulisme, un sommeil paradoxal, une lucidité magnétique ? Elle palpe le passé et le ramène au présent. Va-t-elle récupérer ce que sa conscience a occulté ?

Elle a perdu la mémoire de son identité. L'amnésie psychogène va-t-elle se prolonger ? Il y a divers types d'amnésie et celle-ci fait suite à un choc, nul ne peut en douter. Mais le défi est de disséquer sous le perceptible.

* * *

SEPT HEURES DU MATIN

Lily entre en trombe avec le petit-déjeuner. Il y en a pour six, car elle sait que Liette, le grand Chien, sera du voyage. Elle lui a parlé en fin de soirée. On est samedi matin. Éloïse, la petite-fille de Florence, sera aussi au chevet de Jeanne qui... n'est pas alitée. Elles s'aiment tellement, ces deux-là. Comment Jeanne, de sa condition d'expatriée de la réalité, va-t-elle la considérer ? Elle leur a demandé d'arriver à sept heures trente.

— Elle dort encore ?

— Oui, mais on ne sait pas, de Jeanne ou d'Amivie, laquelle va se réveiller.

Françoise se frotte les yeux.

— Merci d'être restée ici, Françoise.

Lily lui en est très reconnaissante.

Tout en lui parlant, elle sort de son sac des Thermos.

— C'est plus fort que moi, je devais être de veille... Mais attention, je suis une poupée de roche, une poupée-ancêtre. Il faut jouer le jeu. La salle de yoga s'est transformée en hôpital de poupées.

Colette s'avance vers elle.

— Colette Leclerc, infirmière-ambulancière à la retraite depuis quelques heures.

— Oui, je sais, Liette m'a expliqué et... hier soir, vous avez protégé Jeanne avec tout l'amour d'Hélène qui a accepté d'être l'Amivie substitut. Merci d'être parmi nous !

— C'est le destin... Jeanne n'est pas dangereuse et la médication risque de l'envoyer aux oubliettes. Il serait triste que la poupée-chiffon continue son improvisation jusqu'à ce que mort s'ensuive. J'ai laissé parler mon intuition. C'est ici même que le remède lui sera administré. Il n'a rien de matériel !

— Blocage des chakras, sans doute... Je vais déposer une malachite sur son chakra du cœur. Pour moi, c'est la pierre des situations d'urgence.

Lily la fait glisser entre ses doigts.

— Elle est douce et poreuse.

Elle a une relation extraordinaire avec les cristaux et les pierres précieuses, qui représentent pour elle les bébés de la terre.

— Elle a de belles nuances, du vert clair au vert noir. Celle-ci est originaire d'Australie... Je ne veux pas trop parler et surtout parler fort... je risque de la réveiller... mais autrefois, en Égypte, c'était une pierre très appréciée. Le spectacle de la malachite présentait une combinaison de couleurs magnifiques. J'aime parler des pierres et des cristaux. J'ai eu la piqûre durant mon enfance, lorsque j'ai rencontré la tortue.

Elle la pointe du doigt.

— C'est du cristal de roche, précise-t-elle.

— Sa transparence pourrait nous amener en transe...

Colette en frémit.

— C'est dans le domaine du possible. Il est très magnétique, mais il ne faut rien provoquer... Il aura sans doute sur Jeanne un effet incomparable. Il faudrait, pour y arriver, qu'elle s'en approche en portant la malachite sur son cœur, précise Lily.

— Comment faire entrer ça dans la tête d'une poupée qui s'évertue à crier qu'elle est cent pour cent coton ?

Françoise est perplexe.

— C'est à ce point ?

— C'est à ce point. Jeanne n'est plus. Un souvenir lié à son fils est remonté à la surface. Elle l'a chassé avec une pointe de colère.

— J'ai apporté du thé au beurre.

Elle ouvre un Thermos.

— C'est très chaud, précise-t-elle.

— Des *toasts* au beurre... mais du thé au beurre...

Colette sourit et son nez retrousse malgré elle.

— J'en bois tous les matins depuis trente ans. J'ai été fascinée par ce breuvage en lisant les livres de Lobsang Rampa lorsque j'avais vingt-deux ans. Il disait être né au Tibet où il serait devenu lama, un guide spirituel. C'est ainsi que, pour la première fois, j'ai entendu parler du troisième œil, de l'aura et de la notion de voyage astral, ce que je n'ai jamais fait d'ailleurs. Je me contente de voler dans mes rêves. C'est plus prudent. Il m'a sensibilisée à l'Au-delà et au sens de la vie terrestre. Il prétendait être né avec le pouvoir de voir l'aura, mais je ne sais si c'était vrai, car la chirurgie qu'il a dit avoir subie au front à l'âge de sept ans... hum... percer un petit orifice pour ouvrir le troisième œil est discutable.

— Il faut percer cet œil de l'intérieur !

Colette en est persuadée et Lily abonde dans son sens.

— Pour voir les gens tels qu'ils sont et non tels qu'ils font semblant d'être. On verrait que le monde est une vaste mascarade. Moi, poupée de roche, je vous le dis.

— Ouf! C'est vrai, nous sommes des poupées.

Lily revient à la réalité de cet hôpital de fortune ayant vu le jour hier, en soirée.

— Je suis la poupée-ambulancière.

— Et moi... la poupée gardienne des cristaux.

Elle leur verse du thé.

— La recette est faite d'un amalgame de thé noir, d'un *bibou* de café, de beurre et de lait entier biologique.

— Un « bibou » ?

Colette sourit en entendant ce mot hors du commun.

— C'est un mot qu'a inventé une de mes filles quand elle était enfant. *Bibou* veut dire : un peu ou un petit morceau. Elle trouvait que ce mot était *le quoutiest** de tous les mots qu'elle avait imaginés et je l'ai adopté… Il faut le déguster bien chaud. Pas le mot, mais le thé. (*Elle rit.*) Au Tibet, on parle de beurre de yak. La femelle est appelée *dri* ou *drimo* chez les Tibétains et *nak* par les Sherpas, un groupe ethnique originaire du Tibet… J'ai préparé des crêpes au sarrasin tartinées de beurre d'amande et fourrées de pommes râpées. Je les ai roulées. C'est plus facile à manger. Il y a aussi des œufs cuits dur et du jus de mangue et, pour Jeanne ou plutôt Amivie, de l'eau de cristal de malachite. J'ai fait tremper quelques cristaux dans de l'eau de source. Ça ne sera pas prêt avant la fin de la soirée.

— Merci, Lily… Et que mangera-t-on, ce midi ? Hier, pour souper, j'ai dû appeler pour une livraison de mets chinois. Les rouleaux n'étaient pas terribles.

La poupée-roche se désole de ne pas avoir un estomac de pierre.

— Liette apportera le lunch, et Éloïse, des sandwiches pour ce soir.

— Et si Jeanne avait été piégée devant Mike Darlington et sa mitraillette par un souvenir dramatique ? Ces réminiscences sont de véritables bombes qui nous arrachent les entrailles. La terreur… Savez-vous ce qu'est la terreur ?

Françoise en tremble.

— J'ai eu à y faire face dans les appels d'urgence. Quand le système d'alarme au tréfonds d'une personne décèle un danger imminent, on entend des cris que la mémoire ne peut oublier, des supplications affolantes, croyez-moi !

— Et lorsqu'il fonctionne à vide… Lorsqu'aucun cri ne se fait entendre…, la stupeur laboure et défonce. On croule de peur et personne ne le sait…

---

* *Quoutiest (cutest)*: le plus mignon.

Françoise sait de quoi elle parle et elle a de plus en plus de facilité à l'exprimer.

— L'aura se contorsionne et pleure de ne pas être aimée.

Lily compatit.

— Tout ce qui interfère avec ce besoin primordial d'être aimé est à l'origine de beaucoup de perturbations physiques et psychiques... Comme ambulancière, j'ai tenté de donner de l'amour de multiples façons.

§ Il y a beaucoup d'âmes tuméfiées... Beaucoup ? Une multitude.

— Les poupées souffrent parce qu'on ne connaît pas leur langage.

Jeanne s'est éveillée. Elle a marché en catimini jusqu'à la table.

Elles sursautent.

— Jeaaaanne !

— Jeanne ? Qui est Jeanne ? Je suis Amivie, poupée de chiffon qui nettoie les salons et les donjons.

— Ah bon ! Je suis contente de connaître ta fonction.

Lily lui répond du tac au tac.

— Toutes les poupées ont un travail à titre privé, confidentiel et anonyme. Elles connaissent même les secrets d'État, grâce aux enfants ou aux petits-enfants des présidents.

— Elles murmurent ce qu'elles entendent aux oreilles des tout-petits... c'est le Chien qui vous le dit ! Dans leurs dessins, ils tentent de transmettre leurs conseils. Mais qui s'occupe de décoder des symboles aussi naïfs ?

Liette vient de se joindre au groupe. Elle fait un clin d'œil complice à Lily. De son costume pelucheux, elle voit le monde sous un angle différent. Il fallait s'y attendre, la zoothérapie sur deux pattes vient de faire son entrée dans l'hôpital des poupées. La patiente sera si bien entourée qu'elle risque d'en perdre son baragouinage. Un caillot de coton ankylose par moments les étranges friperies de son cerveau ; alors, elle ne sait quel marmonnage adopter, celui de Jeanne ou de son *alter sans ego*, Amivie l'égérie.

Liette a préparé ses remèdes : berceuses, chansons d'époque qui ont pu marquer l'imaginaire de Jeanne, et questions bien velues. Le but : percer le mystère de ce retour en arrière. Il faudra certainement y aller d'un imposant travail à la chaîne !

— Qui êtes-vous ?

Amivie est sur ses gardes.

— Je suis ton amie qui vient chanter pour toi une berceuse.

— Pas de berceuse le matin. J'ai du travail à faire. Où est le balai ?

— Tu es en vacances.

Elle s'approche d'elle et lui pose une patte sur l'épaule.

— Vous êtes quel genre de poupée ?

— Une poupée-chien, il me semble que c'est évident.

— Une poupée-chien qui sent le café. Je trouve que vous êtes bien étrange.

— Et toi, Amivie, tu sens les biscuits !

Colette ressent que la tempête gronde.

— Nous sommes toutes des poupées transfigurées, ajoute-t-elle. Alors, pas de chicane. Nous étions humaines et nous avons décidé de quitter le monde.

— Pourquoi ?

— Parce que nous avions de la peine ou trop de mauvais souvenirs. Quand j'avais quatre ans…

Voilà Jeanne qui repart sur sa ritournelle. Elles n'osent respirer.

— …j'ai sauvé Gérard Lepage. Il en avait dix-huit. Je n'ai pas dit qu'il était caché dans le grenier de la maison. Grâce à moi, il n'est pas allé à la guerre. Quand j'avais six ans, il me regardait jouer avec mes poupées. Quand j'avais neuf ans, il a acheté du linge pour mes poupées. Quand j'avais douze ans, il voulait venir me visiter dans le grenier, chez madame Pichereau. Là, j'ai appris à faire des poupées avec des vieilles doudous, des manteaux et des couvertures. Les enfants étaient tristes. Plusieurs avaient perdu leur père dans le débarquement en Normandie. Le plus jeune soldat allié qui est mort sur ces plages n'avait que seize ans ! Pour s'enrôler, il avait triché sur son âge… J'ai toujours aimé les greniers.

— Il faut chanter dans les greniers, affirme Liette.

— C'est madame Cécil qui chantait.

— Et qu'est-ce qu'elle chantait ? questionne-t-elle.

— Des chansons de Charles Trenet…

Elle chante le début du refrain :

*Le soleil a rendez-vous avec la lune*
*Mais la lune n'est pas là*
*Et le soleil l'attend*

— Elle écoutait souvent la radio ?

— Oui. Il y avait les chansons, les radioromans, mais aussi les nouvelles à Radio-Canada. Quand on écoutait les nouvelles, toutes les poupées étaient mortes de peur. Chez nous, c'était un poste affilié : CJBR Rimouski. De Rivière-du-Loup à Matane, on était branchés sur la radio. Aussi, une partie de la Côte-Nord et de la vallée de la Matapédia. Elle écoutait *La situation ce soir*. Plus tard, j'ai compris pourquoi. L'animateur s'opposait à ceux qui étaient du côté des nazis et qui diffusaient du poison par les ondes courtes au Québec… Il y avait aussi *Un homme et son péché*. Elle détestait Séraphin qui cachait de l'argent et des pièces d'or dans son grenier. Elle le traitait d'horrible babouin.

Liette la reluque et entonne une chanson devenue l'hymne de la Seconde Guerre mondiale. Elle espère percuter Jeanne de ses grenades musicales. Elle voudrait qu'elle revienne à la surface, comme une sorte de sous-marin :

*A song of love is a sad song,*
*Hi-lili, Hi-lili, Hi-lo*
*A song of love is song of woe*
*Don't ask me how I know**

— Ça, c'était chanté au départ en allemand, dans l'Allemagne nazie. Madame Cécil me l'a dit.

— Ensuite, les Britanniques en ont fait une version anglaise. C'est une chanson d'amour qui est devenue une chanson de guerre et de liberté. Elle a couronné la victoire des Alliés. Le 25 août 1944, ils ont libéré Paris.

Liette est une véritable encyclopédie de chansonnettes et de ballades.

— Je m'en fous. Il y a bien des sortes de guerres et beaucoup d'hypocrites. Quand il y en a une qui se termine, il y en a dix qui commencent. Et la guerre détruit tout. Quand on est une poupée de chiffon, on sait au moins qu'on ne peut pas mourir au front.

— Parce que les poupées ne meurent jamais ?

— Pas de cette sorte de mort. (*Elle contemple sa robe.*) Je trouve que mon vêtement de rose est bien froissé. Il sent la transpiration.

— Ce qui prouve que tu es encore humaine.

Liette insiste.

— Comment ? Je suis encore humaine ? Mais c'est une grave maladie !

— Alors, il faut choisir ta maladie !

Le Chien s'impatiente.

— Tu es malade d'être une humaine ou d'être une poupée !

---

* *Une chanson d'amour est une chanson triste*
*Hi-lili, Hi-lili, Hi-lo*
*Une chanson d'amour est une chanson de malheur*
*Ne me demandez pas comment je le sais*

— Je suis coincée entre deux maladies ? Je vais disparaître. On m'a jamais laissé parler. Fais le ménage et ferme ta margoulette !

— Je suis découragée. Je suis ici avec la meilleure volonté du monde et tu joues à la cachette entre les mots.

— Je ne joue pas à la cachette. Je suis dans une cachette !

— Bon voilà, ça se précise. Tu es dans une cachette.

Liette la pointe du doigt.

— Oui !

— Pourquoi ?

— Parce que j'ai peur !

— De quoi as-tu peur ?

— J'ai peur de la peur. Elle est revenue vers moi, comme une grosse coulée de boue ! (*Elle se roule en boule par terre.*) La boue n'a pas d'emprise sur les poupées, alors ne me demandez pas d'être humaine. Si je sens la sueur, on va me dénicher.

Liette soupire. Elle regarde Colette, Françoise et Lily. Éloïse, la petite-fille de Florence, entre dans la salle de yoga. Elle aperçoit Jeanne, transformée en boulette.

— J'ai rencontré beaucoup de poupées chez madame Cécil. Elle les faisait venir par bateau. À chaque fois qu'elle recevait une nouvelle poupée, c'était la fête. Les poupées transportaient le bonheur d'un continent à l'autre. Elles avaient des yeux magnifiques. Je parlais beaucoup avec elle, le soir, entourée de vingt-cinq poupées et de cinq oursons. Il y avait trois bruns, un noir et un panda. J'ai connu l'ours panda avant tous les enfants du village. Elle aimait le panda qui est un ours chinois. Elle avait fabriqué elle-même cet ourson de l'autre bout du monde. Madame Cécil était la couturière du village ! On venait même de Québec et de la Beauce pour découvrir ses doigts de fée. Y'avait rien à son épreuve : des robes, des pantalons, des manteaux... Les robes de mariée, elle savait les tailler. Des fermetures éclair, elle en avait de toutes les couleurs et de toutes les grandeurs. Paris était dans son cœur, même si elle n'y était jamais allée. C'était la capitale de la France « et Paris, c'est Paris », qu'elle me disait. « J'irai un jour. » Elle rêvait aussi d'aller en Chine et de voir la Grande Muraille. On a confectionné des centaines de poupées de chiffon pour les enfants tristes. Il fallait en envoyer beaucoup par la poste. Un jour, j'ai apporté une belle poupée aux longs cheveux blonds à la maison. J'ai dit à madame Cécil qu'en la voyant, ma mère recommencerait à sourire. C'était sa quatrième dépression et ses *poupées de pluie* étaient encore une fois redevenues muettes. Mais je n'ai pas eu de succès. Alors, j'ai paniqué parce que je savais que c'était le plus merveilleux des remèdes. Elle l'a fixée du regard et… n'a rien dit pendant deux longues minutes. C'est très long quand tu tiens dans tes mains l'espoir de la guérison. Mes sœurs faisaient la vaisselle, le cœur en cendres. Celui de ma mère était dans une brume tellement épaisse que plus rien n'avait d'importance. Elle prenait des petites pilules plusieurs fois par jour. Elle n'avait plus de peine et plus de joie. Je suis repartie. Je courais sous la pluie. J'avais quatorze ans. Je suis arrivée face à face avec Gérard Lepage. Il livrait un télégramme chez le notaire. Il travaillait pour le bureau de poste. J'ai caché la poupée dans une couverture. Il voulait absolument me parler. Je lui ai dit que j'avais pas le temps. Il pleuvait très fort. C'était l'été et il commençait à faire noir. Je l'entends encore… Il est revenu se promener dans mes souvenirs.

— Tu n'as jamais de temps pour moi, qu'il me dit.

— Je suis très occupée.

— Qu'est-ce que c'est ?

— C'est une poupée.

— Vas-tu rester une enfant toute ta vie ?

— Comment ça ?

— Ne fais pas l'innocente.

— Je suis très occupée. T'as pas compris ? (*Mais elle-même fait mine de ne pas comprendre.*) As-tu perdu la mémoire ? On est en 1948. Le débarquement en Normandie a eu lieu il y a quatre ans… Il y a beaucoup d'orphelins ! Je te rappelle que c'est l'après-guerre. Un millier de soldats de chez nous sont morts, blessés ou disparus, ce jour-là ! T'aurais pu en faire partie si on t'avait trouvé dans le grenier.

— C'est vrai, tu m'as sauvé, et c'est pour ça que je t'aime.

— J'ai entendu cette phrase sans comprendre. Il a trente-deux ans et je suis même pas encore menstruée. Il est devant moi, gros et grand comme un ourson pas bien léché. J'ai peur. Je n'ai rien à lui dire. Je m'enfuis avec la poupée sous la couverture. Ça sent la laine mouillée. Madame Pichereau a de la teinture rousse sur la tête. Elle me reçoit, tout inquiète et désolée de ce qui m'arrive. Monsieur Pichereau fume son cigare dans le salon. Il travaille comme plombier. Quand il arrive à la maison, il a plus rien à dire. Nous montons au deuxième étage pour essuyer la poupée et faire sécher son linge. Je pleure. C'est là que j'apprendrai l'existence des *poupées de pluie*. Tout ça me revient aujourd'hui. Avant, elle avait tenté de m'en parler. Elle m'expliquait que les pensées sont comme des petits personnages.

C'est le silence total. Plus personne ne parle. Jeanne est dans ses fragilités. Elle oscille entre la réalité et ses cotonnades. Entre le passé et le présent qui l'a giflée avec l'arrivée impromptue, hier, en fin de journée, de Mike Darlington qui les a tenues en joue pendant de longues minutes avec sa mitraillette. Alors, du fond de ses mémoires, la frayeur a refait surface. Elle s'est scindée en deux. Entre Jeanne et Amivie, une crevasse a maintenant des airs du Grand Canyon.

— Ma belle Pivoine…

Éloïse l'appelle de son joli surnom de fleur aromatique. Lorsqu'elle avait quatre ans, Jeanne lui avait fait cadeau d'une poupée qu'elle avait fabriquée avec sa vieille doudou trouée. Elle ne l'avait pas lavée pour qu'elle conserve ses odeurs familières. Mauve et blanche, elle fut surnommée Marie-Lilas. Jeanne, c'est la femme à tout faire qui reprise les vêtements et les cœurs. La voilà aujourd'hui qui gît par terre, en pelote, et apeurée. Elle n'est pas reposante, c'est sûr ! Elle a souvent son mot à dire sur la digestion ou la vomissure des événements incrustés dans les corolles du temps. Il lui arrive de dramatiser et de s'inquiéter à outrance, mais ce qu'on sait d'elle, c'est qu'elle a la fraîcheur du vent du large et une étonnante capacité d'émerveillement. Tragiquement, depuis hier, elle a fui même la lumière qu'elle sait pourtant débusquer sous les apparentes désolations.

— Ma belle Pivoine…

Jeanne ne parle plus. Elle a les yeux fermés. Éloïse joue dans ses cheveux et caresse son visage. Colette aimerait qu'elle soit couchée en pleine nature, entourée de fleurs, de foins fraîchement coupés et des sons familiers des jours et des nuits d'été. Elle pourrait entendre l'eau qui ruisselle et apaise l'oreille. Avec tous ces émois, le sang monte à la tête de Jeanne et, si ça continue, elle devra se résoudre à palper son poignet pour savoir à quel rythme bat son cœur de chair et son double de tissu. L'ambulancière aux *yeux de biche* est aux aguets. Devra-t-elle se résoudre à l'hospitaliser et… comment va Hélène, déguisée en Amivie ? A-t-elle pris la bonne décision en l'envoyant ainsi en zone de guerre ? Et… s'il fallait que les deux Amivie se retrouvent face à face à l'hôpital psychiatrique ? On assisterait à un dramatique dédoublement de personnalité.

Elle n'a rencontré Florence de Blois que deux fois, mais elle a bien saisi sur quelle route elle déambulait pour y lire l'histoire des non-dits. Des résonances profondes ont percuté cette étrange poupée de chiffon. Elle tente de sonder l'imperceptible. Ce qui est très difficile. Elle devra y parvenir par une autre méthode. C'est là qu'on touche à la zone vibratoire. Colette devra se compromettre, mettre à nu son don qui s'éveille, entourée des cristaux de Lily et de l'ineffable tortue qui l'invitent à faire appel à l'inconscient guérisseur, afin de donner à Jeanne une substance immatérielle et, en quelque sorte, immortelle: l'espoir. Elle le fera en utilisant des placebos, en espérant que celle-ci accepte de les boire, de les avaler sous forme de comprimés, ou encore qu'on les applique sur son corps. Colette connaît l'effet placebo. Elle se donne la permission d'y avoir recours en son âme et conscience. Ce n'est pas une tromperie. C'est de l'eau, du sucre de lait ou de la farine, utilisés à titre de remède pour diverses affections. L'intensité de l'effet est augmentée par la confiance, les attentes de la personne malade à l'égard du soignant et l'attitude du soignant face au malade. Cela est donc directement lié à la foi et à la perception. C'est du type *baiser sur le front* à un enfant qui s'est fait mal en tombant. Quoi de mieux pour chasser la peur et la douleur? L'amour inconditionnel, l'attention et l'espoir. L'effet est psychologique et non magique. L'âme accueille ces baumes subtils dont les effets se répercutent en écho dans le cerveau, l'intériorité, le système nerveux et immunitaire.

Elle s'adresse à Amivie et non à Jeanne. Ses prescriptions seront poétiques et colorées. Elle se dirige vers Amivie qui est totalement prostrée. Elle entend sans doute les mots doucereux d'Éloïse, mais elle est paralysée, victime d'un grelot de sanglots, ce qui s'apparente à un AVC dans le monde des poupées! Colette pressent qu'il est du type de celui qu'a dû subir une poupée ayant appartenu à une petite fille tuée dans l'attentat du World Trade Center. C'est du sérieux!

— Amivie, je suis la poupée-ambulancière. Vous êtes à l'hôpital pour être soignée. J'ai des remèdes. Ils sont spécialement préparés pour être donnés aux poupées.

Jeanne lève lentement la tête.

— Vraiment ?

Elle ouvre les yeux.

— Ah ! une poupée-pirate.

Éloïse n'ose s'identifier. Elle est bouleversée.

— On se connaît ?

— Oui, on se connaît, Pivoine.

Éloïse porte un cache-œil rose, côté droit. Kidnappée, il y a quelques mois, par un réseau de trafic d'organes, elle a échappé à la mort, mais on lui a prélevé un œil sous anesthésie, pour des greffons destinés à une enfant du même âge.

Colette s'agenouille auprès de Jeanne.

— J'aimerais écouter les babils de votre ventre.

Liette, devenue poupée-chien, aimerait parler des gazouillis dans les bedaines de paille et de carton, des borborygmes dans les tripes de latex ou de caoutchouc, mais elle doit passer sous silence ces murmures qu'elle connaît bien. Les ventres des poupées recèlent tant de confidences.

— De mon ventre ?

— Oui, le ventre d'une poupée n'est jamais muet.

Amivie cligne des yeux, confiante et incrédule.

— J'ai soigné beaucoup de poupées et d'oursons.

— Quels sont vos remèdes ?

Colette a préparé ses réponses et ses potions. Il ne faut jamais hésiter devant les poupées. Elles sont rarement malades, mais leurs maladies sont la résultante du malheur des hommes.

— De la neige bien cristallisée, des pétales de jonquilles finement compressés. Une poupée triste a besoin de pigments éclatants. Des pétales orangés de calendula, pour la confiance en soi, et de roses rouges, car elle se nourrit d'amour. Le tout en prescription de dragées glacées.

— Mais encore ?

— Elle doit aussi boire des larmes d'enfants abandonnés et maltraités, ce qui n'est pas difficile à trouver, pour oublier sa propre peine.

— Quand commence le traitement ?

— À l'instant même… Avant, je dois poser mon oreille sur votre ventre, à quelques centimètres du nombril.

— Si vous entendez des murmures, vous devez m'en parler… parce que… J'ai un nombril ?

— Oui.

— Ce qui déjà est anormal.

— Je vous l'ai dit, nous sommes des poupées transfigurées. Nous étions humaines et nous avons décidé de quitter le monde.

— Est-ce que nous y retournerons un jour ?

— Nous aimerions y retourner toutes ensemble.

— Oui, c'est notre souhait !

Liette ne peut se retenir.

— Je ne vais certainement pas être un chien toute ma vie. Il fait déjà chaud. Ça sent la peluche puante après vingt kilomètres de course à pied. Alors, imagine !

— J'ai un hamac dans mon bureau. Y'a rien de mieux pour la détente. Je suis la poupée gardienne des cristaux. Je vous invite à vous y reposer.

Lily est toujours perspicace.

Jeanne se lève.

— C'est très intrigant, les cristaux. Qu'est-ce que vous recommandez pour le soin des poupées ?

— Je propose de poser un cristal de malachite sur le cœur. Les poupées sont très sollicitées côté amour, et l'œil-de-tigre peut redonner du courage.

— Vous avez arraché l'œil d'un tigre ?

Jeanne ne peut croire ce qu'elle entend.

— Au grand jamais ! C'est un cristal très puissant qui donne le courage d'un nouveau départ.

Lily sait de quoi elle parle.

— Si on le veut bien.

— Ce ne sont pas les cristaux qui commandent, mais ils émettent des vibrations qui sont favorables du point de vue énergétique. Il faudrait le tenir dans une de vos mains.

— L'œil-de-tigre... Il faut se méfier, il y a des voleurs de prunelles !

Elles se déplacent vers le bureau de Lily.

— On veut me soigner, mais j'ai rien mangé. J'ai faim ! J'ai très faim !

— Ce qui est très humain.

Lily la regarde avec un sourire au coin des lèvres.

— Je vais m'empiffrer. On peut pas soigner un ventre vide... Chez madame Cécil, j'ai découvert le chocolat, la tarte aux fraises et le quatre-quarts vanillé. Quand monsieur Pichereau était pas là, j'avais droit à un petit morceau... C'était son dessert préféré.

Liette se lève, abasourdie par la révélation.

— Hum ! dis-toi que tu viens de déclarer à ta marraine des Outremangeurs Anonymes la racine même de ta cocaïnomanie des trois saveurs : fraise, vanille, chocolat ! Pendant des mois, tu as mangé des montagnes de crème glacée trois couleurs. Tu dégustais des souvenirs à t'en fendre l'estomac !

— Des montagnes de crème glacée ? Là, je vais manger des montagnes de biscuits.

Elle en goûte un.

— Ça goûte pas le chocolat.

— Parce qu'une poupée peut goûter ?

— Elle a une bouche. On peut lui donner à manger.

— Ne joue pas à la ficelle emberlificotée. C'est quoi, l'histoire du chocolat ?

Jeanne ouvre les yeux très grand. Elle répond immédiatement. Elle a la science infuse, ou diffuse. Elle retrouve la mémoire des conversations.

— La couturière du village, on l'appelait Madame Chocolat. Elle me préparait du lait au cacao bien chaud. Pour elle, c'était un élixir sans pareil. Elle m'a parlé de son enfance.

Jeanne raconte. Elle prend l'accent français pour imiter Madame Chocolat et revient à la normale pour elle-même. Elle commence donc, en imitant la couturière :

— *Je suis née à huit mois et demi de grossesse. Ma mère faisait de l'albumine et ça ne m'a pas réussi. À la naissance, je pesais 750 grammes… une livre et demie. J'avais l'air d'un rat écorché.*

— *D'un rat écorché ?*

— *Oui, on m'a enveloppée dans de la ouate. Si on m'avait enveloppée avec du lin, ça m'aurait arraché la peau. J'aimais pas le lait et je ne digérais pas très bien. On y a ajouté du cacao et du sucre roux. J'ai été un bébé-chocolat. J'ai pleuré pendant trois ans. J'étais très maigre. J'ai appris très tôt à me réfugier dans ma bulle. Je vais te donner un conseil : pour éviter de souffrir, il faut entrer dans ta bulle.*

— *Dans ma bulle ?… Pour combien de temps ?*

— *C'est à toi de décider. Il y a une porte pour y entrer et une autre pour en sortir… En tout cas, dans la vie, il faut faire avec ce qu'on a. J'ai appris très tôt à me battre et j'ai survécu. C'est à huit ans que j'ai vraiment commencé à manger et là, je mangeais tellement que je faisais des fièvres de croissance.*

— Entrer dans ta bulle… Ouais ! je vois que tu as bien appris ta leçon. Mais elle t'a pas parlé de changer d'identité !… Et les fraises ?

— Chez Madame Chocolat, à part le gâteau quatre-quarts, les desserts, c'était toujours des tartes aux fruits ou des pommes au four. « *Pourquoi aimez-vous autant les fruits ?* » que je lui ai demandé.

*— Où je suis née, dans la ville de Naintré dans la région du Poitou-Charentes, il y avait plein d'arbres fruitiers. Il y avait des cerisiers, des poiriers, des abricotiers. J'ai tellement mangé de cerises que j'en ai fait des indigestions. Ma mère préparait de délicieuses tartes. Les petits fruits, c'était mes bonbons. Avec les cassis et les cerises, j'avais des lèvres rouges de poupée.*

*— Pourquoi aimiez-vous autant les poupées ?*

*— J'ai eu une première poupée à l'âge de six ans. C'était une poupée qui disait maman. C'était une des premières poupées-phonographes. C'était très rare à l'époque. Les poupées de mes cousines et la poupée de ma sœur ne pouvaient pas parler. Ce n'était pas normal. J'étais vraiment intriguée. J'ai toujours été très curieuse. J'ai donc arraché la tête de la poupée et j'ai trouvé dans le cou le petit mécanisme parlant. Comme il n'y avait pas d'hôpital de poupées, on n'a jamais pu la réparer et je n'ai pas eu d'autres poupées. J'étais bien triste. J'étais considérée comme une brise-poupée. Je me suis par contre occupée de la poupée de ma sœur. Elle avait un baigneur. Une magnifique poupée-bébé comme celle que je t'ai donnée quand tu avais cinq ans… J'aimais sa grosse tête sans cheveux, son corps mou de nouveau-né, et ses yeux étaient peints. Il avait un regard doux et triste. Je découpais dans le tissu et je lui faisais des vêtements. Alors, on m'a montré à coudre à la main. J'étais très habile. À quinze ans, j'ai commencé à travailler dans la couture. Plus tard, j'ai démonté un réveille-matin et à l'âge de vingt-sept ans, un fer à repasser que j'ai réussi à remonter… Tu aimes quand je prépare du civet de lapin ?*

*— Oui, c'est bien meilleur que les tourtières !*

*— Quand j'avais douze ans, on m'a montré comment dépouiller les lapins. La mère de mon père en faisait l'élevage. Je devais les préparer la veille. Ma mère les cuisinait souvent*

*en pâtés. Eh bien… j'étais obnubilée par les organes. Il me semblait que je découvrais la vie. Chez moi, on avait des lapins, des poules et des canards. Mes tantes avaient des oies. Ici, je n'ai pas le temps d'avoir tout ça, mais j'ai montré aux gens du village comment élever des canards et des oies. Les oies sont magnifiques et résistantes aux maladies. Elles vivent en groupe et, lorsqu'une des leurs ne va pas bien, elles pleurent. Elles émettent des sons particuliers qui attirent l'attention. Leur graisse est un corps gras qui est roi. Sa composition est très proche de celle de l'huile d'olive. C'est un extraordinaire produit du terroir. Les gens d'ici m'en font cadeau quelques fois par année, pour me remercier de leur avoir expliqué comment extraire cette graisse. Je l'emploie pour cuisiner, faire une pommade avec de l'oignon et soigner les blessures et les brûlures… Je pourrais te raconter tellement d'histoires… J'ai toujours aimé les intrigues policières. Je voulais aller au fond des choses. Je lisais le journal* L'Intrépide, *un hebdomadaire pour enfants. Il y en a des dizaines d'exemplaires ici, dans le grenier. Tu peux les lire si tu veux. C'est sensationnel et exotique. J'ai beaucoup appris en lisant* L'Intrépide : *comment on élève les serpents venimeux et qui est le monstre des forêts du Congo… J'ai découvert l'explorateur Marius Tournesol et Tartarin. D'une semaine à l'autre, mon frère et moi, on était hors d'haleine, avec toutes sortes d'histoires de chasseurs de trésors et des bandes dessinées. On n'arrêtait pas de farfouiller. On voulait toujours trouver de nouvelles histoires.*

— Un autre soir, je lui ai demandé : « Pourquoi avez-vous quitté votre pays ? »

— *Parce que j'avais peur de la guerre,* qu'elle m'a répondu. *Mon père a fait la guerre de 1914-1918, la Première Guerre mondiale. Il est allé au front trois fois de suite. Il était dans les troupes de chasseurs alpins qui faisaient quatre-vingt-dix pas à la minute. J'ai entendu des histoires d'horreur et, à dix-neuf ans, j'ai décidé de quitter la France. Dans ma vie, j'ai souvent eu des prémonitions et celle-là en faisait partie. La Première Guerre avait été dévastatrice et celle qui suivrait le serait plus encore. Peux-tu me croire, Jeanne?... Et tiens bien les poupées et les oursons dans tes bras... les soldats du bataillon de mon père devaient rester au front jusqu'à ce que quatre-vingt-dix pour cent des hommes soient tombés au combat. Ils marchaient sur les morts et, au cas où ils se feraient zigouiller, on leur faisait boire un demi-litre de rhum avant de les lancer à l'attaque de l'ennemi. Ce qui devait leur donner du courage... ou réduire leur lucidité.*

*— C'est quoi, la lucidité?*

*— C'est la lueur dans la lampe du cœur... Beaucoup d'hommes sont morts à cause de l'Ypérite.*

*— De quoi?*

*— On appelait aussi ça « les gaz moutarde » parce que l'odeur qui s'en dégageait ressemblait à celle de la moutarde ou de l'ail.*

*— Et... et...* Je tremblais de tout mon corps.

*— C'était un gaz chimique qui infligeait de grosses brûlures aux yeux et à la peau. Il traversait les vêtements, les masques et les bottes de caoutchouc. Il provoquait des vésicules... de grosses ampoules immenses sur la peau et dans les poumons. Mon père m'a dit qu'un soldat avait fait pipi sur les cadavres. Eh bien, la chaleur de son urine a fait monter les vapeurs du gaz dans ses poumons et il est mort debout. Les poumons brûlés. « Ça lui apprendra. On n'a pas idée de pisser sur les cadavres de ses compagnons d'armes. » Mon père était vraiment choqué. Même les chiens qui étaient utilisés par les services sanitaires pour signaler les blessés portaient des masques. Les hommes qui n'étaient pas morts étaient devenus aveugles. Mon père avait horreur de la guerre. Il m'a conté que deux ans avant ma naissance, près du village d'Ypres, les Allemands ont lancé*

*dans l'atmosphère cent cinquante tonnes de chlore. Poussé par le vent, le nuage maudit avait dérivé vers les Alliés.*

*— C'est quoi, le chlore ? C'est qui, les Alliés ?*

*— Le chlore, c'est un désinfectant qui peut tuer et les alliés, c'est des régiments de soldats amis : des Français, des Algériens, des Belges, des Canadiens.*

*— Des Canadiens ?*

*— Oui... même à la Première Guerre mondiale.*

*— Je déteste la guerre.*

*— Oh !... pas autant que moi. Mon père m'a inoculé cette phobie et pendant cette Deuxième Guerre qui est maintenant heureusement terminée, mon père et mon frère m'en ont encore appris. Assez pour que j'en fasse des cauchemars. Souviens-toi toujours de ce que je t'ai expliqué au sujet des Allemands qui sont entrés dans Paris et des SS qui ont claqué des bottes avec le pas de l'oie. C'est une insulte à ce volatile si charmant. J'ai appris à apprivoiser les oies. Eux... ils terrorisaient le peuple...*

*— La terreur, c'est une grande peur ?*

*— Il y a pas longtemps, pendant la Deuxième Guerre, un capitaine allemand est arrivé dans la cour chez mes parents. Il parlait français. Mon père s'attendait au pire, mais cet homme était comme mon père, il en avait marre de la guerre. Ils se sont mis à parler de la Première Guerre mondiale. Ils avaient servi tous les deux sous les drapeaux. Mon père lui a offert de la gnôle.*

*— De la gnôle ?*

*— Oui, c'est de l'eau-de-vie de raisin.*

*— Vaut mieux de l'eau-de-vie que « de l'eau-de-mort » !*

*— Eau-de-vie, oui, c'est un drôle de nom... Ça veut dire de l'alcool... à soixante-dix degrés.*

*— Soixante-dix degrés ?*

*— Oui, c'était très fort, ce qu'ils buvaient... du vrai chloroforme.*

— *C'est quoi, du chloroforme ?*

— *C'est une substance qui endort... qui fait oublier... peu importe. Ils ont parlé pendant des heures et ils se sont saoulés. Ils étaient ronds comme des boudins. Pendant ce temps les SS, de jeunes soldats qui se croyaient de la race supérieure, mitraillaient tout ce qui bougeait dans la campagne. Ils ont même tué le facteur. Les SS étaient plus que des chiens enragés. C'étaient pas des soldats de plomb, c'étaient des soldats d'acier ! Il y a eu aussi un bombardement au-dessus de la forêt de Châtellerault. De la maison de mes parents, ils pouvaient voir en pleine nuit beaucoup d'éclats lumineux. Si j'avais vu ce genre de ciel durant mon enfance, j'aurais trouvé ça artistique, mais c'était tragique.*

— Elle m'a alors servi un lait au chocolat, une pointe de tarte aux fraises et un petit morceau de gâteau à la vanille. Elle a fait jouer un 78 tours de fanfare. Elle raffolait de ça. Puis, nous sommes allées dans le grenier lire des bandes dessinées. J'ai découvert *Le roi du lasso* et *Les démons de la mer.* Elle était vraiment spéciale... Elle aimait beaucoup la soie, qui l'éblouissait doublement parce qu'elle venait de Chine. Durant sa jeunesse, elle avait été une casse-cou. Elle avait pas seulement cassé le cou d'une poupée, mais elle aurait pu casser le sien. Elle aimait grimper aux arbres et se promener en vélo avec son père, assise sur la barre. « Dans le Poitou-Charentes, on appelle les garçons *des drôles*, et les filles, *des drôlières* », qu'elle me disait. « À Rimouski et en Gaspésie, on les surnomme *flos* et *flounes* », que je lui répondais. Mais les enfants partout sont les mêmes. Après un baptême avec son frère, ils ont semé des dragées dans le jardin, espérant récolter des plantes à bonbons. Moi, j'ai semé une bague, espérant récolter des pierres précieuses. Nous étions tellement pauvres... Elle était aussi intriguée par les dinosaures et les tortues. C'est elle qui m'a fait connaître les animaux préhistoriques. Elle avait un beau coussin en forme de tortue en velours vert et gris. Cette tortue soyeuse s'appelait comme elle, Cécil. J'aimais la flatter quand j'étais triste, particulièrement quand ma mère était hospitalisée. C'était un coussin somptueux. Elle me disait : « Je suis avec tout le monde, mais je ne suis pas là. Vaut mieux être dans sa bulle que de se fâcher. Je n'ai rien à foutre des qu'en-dira-t-on. » Je savais pas qu'il y en avait… Le grenier, c'était son repaire, son bunker de pain d'épices. Durant sa jeunesse, elle allait dans le grenier chez ses grands-parents. Il y avait beaucoup de journaux et aussi du blé et de l'avoine. L'hiver, on y conservait plusieurs fruits dans du papier journal, entre les céréales. Il n'y avait pas de fenêtres, mais, à Sainte-Blandine, elle en avait fait installer une par son mari.

Elle sursaute comme si elle reprenait tout à coup contact avec la réalité.

— Est-ce que ça suffit ? J'en ai assez dit, il me semble. J'ai l'air d'un piano mécanique qui fait jouer plein de mélodies. J'ai déterré mes racines. Si ça continue, j'vais faire une crise, une rechute. J'sais pas laquelle, mais ça va mal aller.

Colette fait signe à Liette de ne pas répliquer.

— Je voulais manger des biscuits et tu me fais jeûner.

Lily part en courant dans le coin-cuisine et en revient tout essoufflée.

— Il y a aussi du beurre d'arachide, des biscottes et des oranges.

— Madame Cécil aimait les oranges. Elle m'en donnait toujours au temps des Fêtes, avec un minuscule ourson qui tenait dans le creux de ma main. J'sais pas pourquoi, mais de l'âge de cinq à seize ans, elle m'en a donné un par année, plus un baigneur à cinq ans et une poupée Bleuette à douze ans… Elle ne voulait pas que j'aie de la peine.

Colette tartine les biscottes.

— C'est une très belle histoire.

— C'est une vraie histoire.

— On peut pas en douter. Je n'aurais jamais cru que durant les années…

L'ambulancière est intriguée par cette histoire mystérieuse.

— Je suis née en 1935… Qu'est-ce qu'il y a ? Tu veux parler de l'hôpital des oursons et des poupées ?

— Oui.

— Cet hôpital a existé dans son grenier de 1939 à 1951.

— Je n'aurais jamais cru que, de 1939 à 1951, dans un grenier à Sainte-Blandine, un tel hôpital ait existé. C'est touchant de prendre le temps de soigner les peluches et les poupées. J'aurais aimé étudier en *nounoursologie…*

Colette affiche un sourire enfantin et elle ajoute :

— En 2000-2001, les étudiants en médecine de plusieurs pays ont mis en place un projet, le *Teddy Bear Hospital*, mais c'était pas pour soigner les oursons ou s'attarder à ce qu'ils représentent. C'était pour qu'ils accompagnent les enfants dans leurs classes et qu'ils n'aient plus peur de la blouse blanche.

— Ah bon… Pour ce qui est de la véritable *nounoursologie*, tu aurais été en avant de ton temps. L'étude approfondie de toutes leurs facéties et de celles des poupées n'est pas enseignée à l'université… En tout cas ! C'était aussi une manufacture fantasmagorique !

Éloïse s'approche à pas feutrés.

— Je voudrais poser une question.

— Tu m'en as déjà posé bien d'autres pendant que je mangeais.

— Alors, tu te souviens de moi ?

— Je ne sais plus vraiment ce qu'est un souvenir.

— En tout cas… je suis là et je t'aime de tout mon cœur.

— Vas-y, crache le morceau.

— Je connais pas la poupée Bleuette.

Éloïse a l'impression d'être à l'école.

— Beaucoup de poupées ont vu le jour avant ta naissance et… Bleuette en fait partie. Elle avait un petit air naïf et très charmant. (*Elle soupire.*) Je l'ai donnée, il y a quelques années, à l'Armée du Salut. Peut-être que j'aurais pas dû, mais elle devait repartir en mission de consolation. J'en ai tellement appris sur les poupées avec Cécil Chocolat. Madame C-C – c'était un joli diminutif – m'a présenté Bleuette, le 5 mars 1947. Elle en avait reçu trois par bateau. Une des trois, tout habillée de bleu, était un cadeau à l'occasion de mon anniversaire.

On a l'impression qu'elle regarde dans une boule de cristal. Si Jeanne a une dimension artistique, a-t-elle aussi une dimension autistique particulière ? Il y a un véritable génie dans toutes ses réminiscences de bavardages ! Elle reprend le fil d'une conversation.

— *Souviens-toi, Jeanne, cette poupée a été fabriquée en 1905 par la Société française des bébés et des jouets. Souviens-toi… la mémoire, c'est fait pour ça. C'était à l'occasion du lancement du journal* La Semaine de Suzette. *J'en ai aussi d'autres exemplaires dans le grenier. La première portée a été de vingt mille. Elles sont maintenant très rares et les collectionneurs les offrent à des prix très élevés. Cette poupée devait même servir de mannequin pour les jeunes lectrices que ce journal devait initier à la couture, mais je n'en ai jamais eu. Ma réputation de casse-poupée m'en a aussi privée. Elles seront maintenant dans le grenier. Deux ici et une chez toi.*

— *Je ne veux pas l'emporter chez moi. Elle sera très bien ici, tout près de la machine à coudre.*

— *Elle a une jolie tête en porcelaine. Sa bouche est toujours ouverte. Celles-ci, les trois Bleuette, n'ont pas d'yeux fixes. Elles ont des yeux dormeurs… Souviens-toi toujours de ce que je t'enseigne. Tu pourras plus tard avoir ton propre hôpital de poupées et, qui sait, peut-être inventeras-tu une nouvelle poupée.*

— *Je deviendrai riche et je pourrai faire soigner maman !...*
J'avais encore beaucoup d'espoir.

— *Les soins des riches ne sont pas toujours meilleurs que ceux des pauvres. Tout dépend des maladies. Quand on manque d'amour, de tendresse et qu'on n'a personne à qui se confier, on perd rapidement de la vitalité.*

— *Mais moi, je suis ici avant tout pour faire le ménage, car vous détestez ça et si je le fais pas, il y aura des retailles de tissus et des épingles partout.*

— *Ici, il y a Bella. Par des amies couturières, j'ai reçu un des premiers modèles en carton trempé 1946, qui ont été développés dans un garage à Perpignan...*

Jeanne se secoue la cervelle.

— Arrêtez-moi, j'ai l'impression de raconter ce qui s'est embobiné dans ma tête pendant toutes ces années. J'aurai les cordes vocales ratatinées.

— Au contraire, c'est formidable ! Ça va te faire un très grand bien de te nettoyer l'arrière-train. Tu m'impressionnes !

Liette l'encourage.

§ Jeanne, tu as eu la faculté d'emmagasiner dans ta mémoire une incroyable tranche de vie. À t'entendre parler de la sorte, on croirait que tu as *la mémoire absolue*, ce qui est très singulier. Ce phénomène nous interpelle sur les bizarreries du fonctionnement du cerveau. Tu avais certainement la capacité de percevoir simultanément avec tes cinq sens. D'autres circuits ont été sollicités et sans aucun doute ton âme et sa tendreté où fut gravé cet émouvant parcours de vie.

— On dirait un balayage cinématographique ! J'ai la mémoire bizarroïde. « J'attends aussi Françoise, Jacky, un baigneur garçon, et Josette », qu'elle me dit. C'était un véritable centre d'adoption. Elle me parlait beaucoup. Elle m'expliquait tout et trois fois plutôt qu'une.

Elle retourne à nouveau dans le passé.

*— Ici, c'est une poupée de salon de l'entreprise Gégé. C'est aussi grâce à mes contacts dans le domaine de la couture que j'ai pu avoir accès à ce modèle... Les Chinois ont été parmi les premiers à fabriquer des poupées de porcelaine... Ici, au fond, avec ses petits meubles, tu as Rosette qui fait partie des poupées avec un beau visage expressif, que les fabricants français de poupées ont bricolées bien avant ta naissance. Rosette a des amis. Bambino qui est un mignon petit bébé, mais qui n'est pas jeune non plus. Il a de belles « jottes ». Dans le Poitou, ça veut dire de belles joues... Ici, tu as la petite poupée-infirmière, des jumeaux avec des vêtements de velours, une poupée japonaise ancienne, des poupées noires et... Mignonnette et son salon de poupées-modèles.* Ça, c'était magnifique.

Jeanne ajoute même quelques éléments de narration.

— Il y avait aussi la revue de la poupée-modèle avec des cartonnages et des patrons. C'était sans pareil pour apprendre à coudre.

Elle imite de nouveau madame Cécil.

*— Les poupées représentent toutes sortes de personnages. Elles sont à mi-chemin entre la statuette et le jouet. Elles ne sont pas des décorations. Elles consolent, écoutent, enseignent. Le jour où on n'aura plus de respect pour les poupées, on n'aura plus de respect pour les enfants et ce sera le génocide le plus grave que la Terre n'ait jamais engendré.*

*— C'est quoi, un génocide ?*

*— C'est la destruction systématique de millions de personnes. C'est la mort d'une génération.*

*— J'ai peur.*

*— Ce génocide sera invisible.*

*— Ce sera une sournoiserie ?*

*— Ce sera déloyal et ce seront les enfants intérieurs qui seront exterminés... parce qu'il s'agit de ceux que l'on porte à l'intérieur de soi.*

— *Directement dans le cœur?*

— *Oui... Vive les poupées!*

— C'est vrai. Poupées! Poupées! Poupées!

Liette marche de long en large, le poing en l'air, revendiquant plus de civilité à l'endroit de ces inestimables jouets. Mais voilà, elle s'est emportée avec ses griffes levées et elle a oublié les mots-clés du sommeil paradoxal.

Jeanne s'endort à l'instant même, un morceau de biscuit coincé dans l'arrière-gorge. Colette est à l'affût. Elle sait qu'il y a là un grand risque d'asphyxie.

— Le biscuit pourrait être un bouchon! lance-t-elle sur le ton de l'urgence.

Jeanne s'éveille aussi vite qu'elle s'était endormie. Elle s'étouffe. Colette se place rapidement derrière elle, la saisit par le thorax et applique immédiatement une manœuvre de compression: ce qui fait qu'elle crache le morceau.

— Il faut boire de l'eau de neige! Tu l'as échappé belle!

Jeanne en avale plusieurs gorgées.

— Qu'est-ce qui se passe? J'ai perdu la carte? J'ai vu noir l'espace d'un instant.

— Moi aussi.

Liette est penaude.

— Jeanne doit manger! Voilà ce que je décrète à l'instant... Jeanne... ou Amivie.

Colette n'entend plus à rire.

— Voilà... j'attendais! Parce que je suis pas sûre d'être tout à fait l'une ou l'autre.

— Je suis désolée. J'ai le tempérament à fleur de poils, mais j'ai porté attention à ce que tu as dit. Ne me réponds pas. Mange et écoute-moi. Tu parles de Gérard Delage qui s'était caché dans la grange en 1939.

— Gérard Lepage, et c'était dans le grenier!

— Euh… Lepage… En 1942, il y a eu un référendum dans tout le Canada au sujet de la conscription, pendant la guerre. Il y a que le Québec qui s'est opposé à l'envoi obligatoire des hommes comme chair à canon. Quand ton *sweet love* s'enrôle sous les drapeaux, tu dois avoir des *downs,* certains soirs, comme c'est pas possible. Tu as peur que tes enfants deviennent orphelins. Quand ça arrive, heureusement qu'on peut compter sur les *dolls* et les *teddy Bears…* J'aurais pas aimé ça, être une mère, dans ce temps-là.

§ Non, elle n'aurait pas aimé, et de plus, elle est une adulte entourée de poupées. Dans l'Antiquité gréco-romaine, on soulignait par des rites de passage le moment triste et délicat où les enfants et les adolescents devaient renoncer à leurs petits chéris pour s'acheminer vers l'âge adulte. Si une certaine naïveté devait les quitter avec ce rituel, il n'était pas question pour autant de délaisser la capacité d'émerveillement qui permet de s'oublier et de s'unir à la beauté et à la grandeur du monde, moteur essentiel de la vitalité et nourriture des profondeurs de l'être. Liette, quand feras-tu ce rituel de passage ? Je l'entends me répondre : « J'ai fait ce rituel de passage, mais ce sont les poupées qui ont décidé de ne pas me quitter ! »

## V

Pendant que Jeanne ingurgite tout ce qui lui taquine les narines, Colette réfléchit. Elle lui a parlé de neige bien cristallisée. C'est un placebo féerique… De la poésie d'hiver… Il y a aussi l'été, avec les fleurs compressées, l'automne et sa dure nostalgie, celle des enfants de suicidés. Le printemps qui passe trop vite, avec ses odeurs de terre mouillée. « Je vais la masser, se dit-elle, avec une crème de plumes de merles d'Amérique. Elle se rappellera leur chant merveilleux. Les poupées entendent-elles les ritournelles des oiseaux ? » Puis, elle pense à Hélène. Elle ira la retrouver en soirée, espérant qu'on lui donne bientôt son congé. Elle doit se languir en pensant à sa Jeanne qu'elle a placée sous une coquille d'amour. Elle prépare sa trousse de soins et de compassion.

Elle magnétisera l'eau en pensant aux hautes cimes des conifères. Jeanne devra prendre ses dragées à heures fixes, avec la ferme conviction que se manifestera la transformation. Colette a vu et constaté de très près, dans les appels d'urgence, jusqu'où peut mener le non-amour pour soi et pour les autres. Une véritable épidémie, un jeu de dominos où, placées à la verticale, les pièces s'écroulent les unes sur les autres, à l'infini.

Les placebos renvoient, qu'on le veuille ou non, aux ressources insoupçonnées de notre subconscient et de notre superconscient.

Confrontées à ces remèdes étonnants sans qu'elles le sachent, beaucoup de personnes ont vu leur condition de santé s'améliorer. Colette a lu sur le sujet. La douleur est particulièrement *placebo sensible*, même les douleurs cancéreuses, certains cas de dépression, d'anxiété, de maladie de Parkinson, d'angine de poitrine, etc. Les placebos mettent en branle les capacités d'autoguérison. C'est fascinant ! Les bonbons glacés qu'elle nomme dragées, ce qui est plus sophistiqué et leur donne de la prestance, elle en a toujours dans sa mallette d'urgence.

Elle les a placés, bien à la vue, dans des petits contenants. Elle sait que les pathologies ne sont pas toutes vibratoires. Elles peuvent aussi être toxiques ou microbiennes et, dans certains cas, provenir de carences nutritionnelles. Mais on fait fi du manque d'amour et des émotions corrosives, des tracasseries qui s'entrelacent et dévorent, à l'image des plantes carnivores. Cette réalité s'est offerte à ses *yeux de biche* dans les urgences les plus dramatiques : *le cœur caché des choses et des roses.* Elle captait les reflets de la souffrance, tentant d'apporter aide et réconfort... Mais il était souvent trop tard. Ce qui la percutait au plus haut point. Elle comprend aujourd'hui que tout cela a grugé, jour après jour, sa résistance. Il y a tant de déguisements de bonheur. On traîne des poids émotifs gigantesques qui dépassent de loin la capacité de l'être et de l'aura. Attention, il y a double manifestation d'une même réalité.

Amivie est, à bien y penser, une poupée russe. L'explosion dans les profondeurs de son monde intérieur a heurté toutes ses enveloppes. Ses *poupées de pluie* ont été pétrifiées. Mais voilà qu'elles dégoulinent sans avertir. Qu'un ruisseau en apparence anodin la soulève et l'emporte à rebours. Éloïse, dans toute sa naïveté, veut lui lancer une bouée. Jeanne est devenue une poupée. Quelle originalité ! Lorsque sa petite protégée a été kidnappée, il y a quelques mois à peine, la Pivoine s'est enfuie à Sainte-Blandine de Rimouski pour voir la maison de son enfance. A-t-elle alors jeté un coup d'œil du côté de l'habitacle de madame Pichereau où l'hôpital des poupées avait élu domicile ? On n'en sait rien. Ce n'était que pour une journée ; après quoi, elle avait rejoint sa cousine Marie-Jocelyne, à l'île aux Basques, près de Trois-Pistoles. Elle voulait voir les animaux et respirer la forêt. Elle avait crié : « Je vous quitte ! Je quitte Montréal ! Tout arrive dans cette ville. Je prends le train aujourd'hui même à la gare Centrale, je n'ai jamais eu de vacances. Je pars et je ne reviendrai pas ! » Mais elle était revenue, piquée au vif par la détective Diane Dumesnil, chargée de l'enquête.

— Je suis fatiguée ! Je n'ai rien à faire ! Je ne veux plus porter ce déguisement de rose.

Elle enlève la robe. Plus rien ne la retient. Comme un maringouin aux abords d'une mare, elle pourrait piquer. Elle est affolée. Elle voit, à l'intérieur de la salle, les tissus suspendus aux cordes à linge qui avaient été utilisées durant la semaine pour *la thérapie des voiles et des cocons*. Elle se dirige vers un long taffetas noir.

— C'est parfait ! C'est la couleur de la crasse et du bois brûlé.

Elle s'enveloppe de ce long tissu.

— J'ai utilisé beaucoup de chiffons pour le ménage. Ils sont devenus aussi noirs que ça !

— Vas-tu nous faire une crise ? Tu ne seras plus jamais ma Pivoine d'amour ? C'est moi, Pitchou !

— Pitchou ? C'est toi ? Pourquoi m'observes-tu seulement d'un œil ?

— Parce que c'est le seul que j'ai et il ne voit que la beauté du monde.

— Il doit être myope !

— Il n'est pas myope. C'est un œil de lynx !

— Les lynx, parlons-en des lynx. Tu entres dans la forêt et ils te mangent !

— Alors, il ne faut pas y aller et… tout dépend des forêts !

— J'y suis allée sans le vouloir. C'est la forêt qui est venue vers moi ! Tu es Pitchou ?

Le surnom d'Éloïse jette les amarres du côté de sa mémoire.

— Oui, je suis Pitchou que tu aimes, et mes amis te remercient pour les sandwichs que tu leur as souvent préparés.

Elle l'examine, interloquée.

— Quand j'allais à mes cours de peinture, tu me donnais plein de bouffe.

— Il faut bien s'occuper des artistes, même quand les drames sont sur le point de nous égorger.

Son œil est vif et Éloïse pense qu'elle l'a touchée en pleine zone sensible. Jeanne se couche dans le hamac. On dirait une corneille qui va pondre des œufs.

— Tout est noir. Il y a plein de crottes dans l'écurie.

— Dans l'écurie ?

— Oui. Quand j'étais enfant, des chevaux, il y en avait partout.

— C'était où ?

— À Sainte-Blandine, pas loin de Rimouski. C'est là que je suis née et à seize ans, je me suis enfuie.

— Tu te sauves souvent !

— Je ne me sauve pas souvent. On peut compter sur moi.

— Tu as toujours été là pour moi. C'est vrai. Mais depuis quelques mois, t'es comme en crise d'adolescence.

— Je suis pas en crise d'adolescence. J'ai le chiffon fatigué ! C'est toujours moi qui ramasse et qui console. Je suis née pour faire le ménage. Quand je suis arrivée à Montréal en 1952, j'ai travaillé comme cuisinière et femme à tout faire dans un presbytère. C'est là que j'ai appris que sainte Blandine est, avec sainte Marthe, la patronne des servantes. Alors, je me suis plus posé de questions.

— C'est vrai ?

— Certainement que c'est vrai.

— C'est dangereux de ne pas se poser de questions.

Colette les interrompt.

— C'est l'heure de la dragée de pétales de roses.

Jeanne écarquille les yeux. Elle voudrait sans doute en faire une *overdose.*

— Il faut l'avaler avec un grand verre d'eau de neige. Nous commençons le traitement. Je vous donne une double dose.

Elle prend son pouls. Jeanne avale sagement les pétales guérisseurs et l'eau du bonheur. Colette vérifie sa tension artérielle.

— Je suis une poupée qui a du sang. Quelquefois, je vois rouge.

— Attention, si le sang vous monte aux yeux, il faudra vous hospitaliser côté humains. Votre pression est haute : 170 sur 90.

— Je n'irai plus jamais du côté des humains. Je suis une poupée. Arrêtez de m'énerver !

— Je vous parle très doucement, comme on parle aux chevaux qu'on apprivoise. Je pourrais chuchoter dans votre oreille.

— Essayez toujours, mais je suis chatouilleuse. (*Elle rit.*)

Colette s'approche. Jeanne a l'oreille bienveillante. Elle babille quelque chose d'inaudible.

— Ha ! Qu'est-ce que c'est ?

— C'est du babillage de poupée !

— Encore ! Encore !

Jeanne raffole de ce gazouillis.

— On dirait un baiser de colibri !

Colette recommence.

— Encore !

L'ambulancière est prête à recommencer, dans la mesure où le baragouinage recèle un message que la Pivoine pourra déchiffrer.

— Oui… oui… le cimetière des poupées, c'est là que j'aimerais être enterrée.

— Avec les crottes des chevaux et la bouse de vache ! As-tu fini de broyer du noir ? Quand je peins des toiles à l'École des beaux-arts, je travaille avec le noir parce qu'il fait ressortir la couleur ou qu'il tranche avec le blanc… pas parce qu'il peut tout masquer !

— Je veux étaler du goudron.

— Pourquoi ?

Liette le Chien s'est approchée. Elle lève ses pattes vers le ciel.

— La poupée-chiffon pourrait-elle nous faire des confidences ? C'est difficile de soigner quand on a pas idée de la maladie.

— On sait de quoi je souffre puisqu'on me donne des remèdes.

Elle se lève et court entre les cordes à linge.

— Je pourrais changer de couleur, si ça vous fait plaisir.

— Recouvre-toi de dentelles !

Liette prend un long tissu blanc, une beauté de broderie, et elle le place par-dessus le taffetas noir.

— C'est pour te faire plaisir… Noir et blanc… ça me rappelle les yeux de chien de Florence. Après son agression, elle disait qu'elle voyait le sérum de vérité. C'est comme la télé de notre enfance… « Crème et carbone », qu'elle précisait. Je suis habillée en Sérum de vérité ! Alors, gare à vous, ça va frapper dur dans le pare-brise !

— Dragées de pétales de jonquilles ! Double dose de pigments jaunes !

Colette est aux aguets.

— Ce sont des pigments très joyeux. Mon amie Yaara est la spécialiste de la gamme des jaunes.

Éloïse affectionne ces pigments éclatants.

Elle regarde Jeanne, mais elle se souvient que le jaune est parfois porteur de tristesse. Yaara l'avait expérimenté lorsque, le cœur en bouillie au lendemain du kidnapping d'Éloïse, elle traçait d'étranges formes sur la toile. La tristesse se mélangeait au chamois, la colère au citron, la rage au safran, l'incompréhension au kaki. Foutue planète où l'élan de vie est tué dans l'œuf… Le jaune s'écoule tout entier.

— Avec un grand verre d'eau de neige.

Jeanne l'avale goulûment.

— C'est de la neige à bonhomme ?

— C'est ce qu'il y a de mieux.

— L'hiver, il y a des tempêtes de dentelles, et l'été, des goélands au-dessus de la mer. Ils venaient quelquefois nous visiter à Sainte-Blandine. C'était pas si loin du fleuve salé.

— C'était la mer ?

Éloïse est très intriguée.

— Pour nous, c'était la mer. Le golfe a des marées. Mais la vraie mer commence dans le coin de Cap-Chat…

Elle est soudainement ailleurs.

— J'aimais aller à la beurrerie… jusqu'au jour où Gérard Lepage…

La voix lui manque.

— …Les poupées n'ont pas de seins et Barbie nous a trahies…

— Jusqu'au jour où…

Colette lui flatte le front. Amivie a les yeux ronds comme des petits ballons.

— Jusqu'au jour où… le 14 novembre 1950… C'est un secret d'adolescente… Jusqu'au jour où… il est arrivé par-derrière, celui que j'avais sauvé d'une mort certaine sur les plages de Normandie… Il a mis, sans permission, ses mains sur mes seins, comme s'il tenait des grenades. J'ai eu tellement peur ! Il commençait à faire noir. Je me suis retournée. J'ai arrêté de respirer. C'était bien lui. Il riait de toutes ses dents cariées. Il a encore mis ses mains sur mes seins. Il les tâtait comme une pâte à pain. Un vrai dégueulasse! J'avais la gorge tellement serrée que je pouvais pas crier!

Colette pleure, ce qui semble démesuré quand on pense à tout ce à quoi elle a été mêlée lors des appels d'urgence.

— L'horreur est entrée entre tes seins par un trou que personne ne connaît dans le milieu médical.

Jeanne est sans voix.

— C'est un trou énergétique!

— Je n'en ai jamais parlé à personne. C'est la première fois aujourd'hui. Qu'est-ce qui m'arrive? Je suis un peu vieille pour parler de ça.

— Tu retournes dans le passé.

Françoise, la poupée-roche, connaît le grand danger que recèlent les émotions figées.

— Crie, danse, saute, tremble! Fais aller ton chiffon dans toutes les directions. Tu dois rejeter l'agression, même cinquante ans plus tard!

— Je me suis enfuie et, pendant deux jours, chez moi, on disait que le chat m'avait mangé la langue. Y'en avait une de plus qui faisait silence. Ma mère était dans la brume, et moi, dans la lune... Dans le grenier, je n'entendais plus le langage des poupées. Madame Cécil me demandait si j'avais mes règles. Non, je ne les avais pas. Elle m'a préparé un thé de lavande, m'expliquant que c'était une herbe berceuse. Mais j'avais une blessure. J'étais allée à la guerre, malgré moi. On avait débarqué dans ma Normandie.

— Il y a des herbes qui luttent contre l'agitation humaine.

Elle pleure et Colette sanglote avec elle.

— Ça arrive quelquefois si brusquement et on n'ose pas dénoncer le coupable. On peut être violé de bien des façons.

Les *yeux de biche* sont délavés.

— Je pourrais te donner un surnom ?

Jeanne semble un peu apprivoisée.

— Ah oui ? Pour une fois dans ma vie, j'en aurais un.

— Pirouette.

— Pirouette ? J'en ai fait beaucoup dans ma vie, mais peut-être pas celles du genre toupie en folie.

— Tu es la poupée-ambulancière. Tu es Pirouette !

— Je veux bien.

Elle fait tourner à toute allure une mèche de cheveux dans chacune de ses mains.

Jeanne se lève en trombe. Elle court de nouveau dans la salle, entre les cordes à linge où des tissus suspendus l'invitent au déguisement.

— Le Sérum de vérité a pris la poudre d'escampette. C'est pas pour fuir, c'est pour dire. Pour déclamer !

Colette vient la rejoindre.

— Ça prend un tissu coloré pour danser et tourbillonner !

Jeanne la suit du regard.

La poupée-ambulancière se laisse emporter dans la ronde. Elle choisit un large tissu orange et violet, ses couleurs préférées. C'est de la flanelle, ce qui lui rappelle la douceur de ses pyjamas.

— C'est génial ! lance-t-elle.

Son nez retrousse quand elle sourit. On dirait un elfe dans un jardin de fleurs… ou de pleurs.

Danser, tourbillonner avec cette étrange poupée l'enchante. Quand elle est joyeuse, elle se sent tellement vivante ! Ce rapprochement avec Jeanne ne pourra qu'aider celle-ci à redevenir humaine et, du même coup, à chasser au loin son effarante mascarade. Jeanne a bien connu Florence. Il y a certainement, en elle, des relents d'intenses moments vécus en sa compagnie, se dit-elle.

Jeanne rit.

— Les dragées de jonquille vous font du bien.

— Je ris de tristesse et je pleure de joie.

— C'est un étrange mélange, un vrai mélodrame.

Françoise s'approche d'elles.

— Il faut pousser dans les mains de Colette, qui va résister. Réagis ! Chasse Gérard Lepage !

Amivie est bonne élève et Colette se cabre avec vigueur.

— Non, ne me touche pas ! Ne me force pas ! Va-t'en ! Je veux rien savoir ! Je veux rien savoir !

Elle le visualise et ses oreilles s'apparentent une fois de plus à de gigantesques groseilles.

— Il a frigorifié mes poupées de pluie et je les ai même pas bercées pour les réchauffer. Avec madame Cécil, j'ai tout appris sur les poupées-personnages.

— Ne pleure pas. C'était une façon très originale de te faire prendre conscience de l'importance du monde secret des pensées.

Françoise, il faut le dire, a le cœur dans l'eau. Elle pleure.

— Je veux aussi pousser dans les mains d'Amivie !

Colette passe à l'action. Elle a ses raisons. Personne ne la questionne. Elle ne dit mot, mais on se doute qu'un souvenir très ancien la gruge inopinément.

— Pourquoi le mal existe-t-il ? Pourquoi ! Pourquoi !

Voilà ce qu'elle crie pendant que Jeanne résiste à sa propulsion.

— Sautez ! Tourbillonnez ! Criez !

Françoise les encourage à s'ébrouer. Elles cabriolent et trépignent comme des animaux sauvages. Elles pleurent à s'en fendre l'âme. Et voilà qu'elles en tremblent pendant de longues minutes où l'on s'interroge même sur l'issue de cette trépidation.

— Le bonheur est en vue !

Françoise parle avec un engouement qu'elle ne connaît pas.

— L'onde de choc se retire. Le tsunami s'essouffle et revient vers la mer.

Éloïse les observe et se demande ce qui fait que les seins sont des appâts si convoités.

Elles se couchent par terre… abattues, mais heureuses.

— Pendant des années, j'ai détesté qu'on me touche les seins. J'ai eu un enfant à 42 ans et l'allaitement a été une bonne façon de me soigner, mais le choc était prisonnier dans mon corps. Merci ! Je n'ai plus de pieds de laine. Je reviens à la vie.

— Poupée !

Liette n'a pas pu retenir ses ardeurs et Amivie, en entendant ce mot, s'est endormie aussitôt, ce qui rappelle à ses amies de frénésie que le charme est loin d'être rompu. Amivie n'a plus de pieds de laine, mais le reste de son corps est épinglé à d'étranges cotonnades. Un grelot de sanglots a fait tout un boucan dans sa mémoire et elle pourrait ne pas emprunter le chemin du retour ou… vouloir l'emprunter, mais ne plus le retrouver.

— Laissez-la dormir. Je vais lui chanter une berceuse. Elle l'entendra dans son sommeil, j'en suis certaine. Avez-vous déjà fait l'autopsie d'une poupée ? Il y en a qui s'amusent à les démembrer. Il y a des artistes qui les mutilent et les agrafent et… on appelle ça de l'art. Faut pas regarder !… Je sais pas si elle a eu le mal des transports en partant à toute allure dans ses anciennes histoires. Moi, j'aurais eu la nausée, c'est sûr, et plein de vomissures.

Liette relève une partie du corps de Jeanne et la berce.

— Pourquoi cherches-tu à t'évaporer ? T'as abandonné ta cocaïnomanie des trois saveurs… La vanille s'est dissipée, la fraise a été congédiée, le chocolat s'est dérobé. Je te dis bravo ! Mais là, pour ton changement d'identité… moi, Liette, je n'ai pour toi aucunes félicitations. C'est grâce à Colette que t'es à l'hôpital des poupées. Alors, profites-en. Tu es vraiment *bénaise*[*]. Et pire encore, c'est Hélène qui t'a servi de substitut. Elle t'a placée sous une coquille d'amour. Elle te protège… Je sais pourquoi tu as choisi, dans toutes les variétés de poupées, d'être la très typique de chiffon. Parce qu'elle est une source de réconfort et la première amie des tout-petits. Ce sont les mères qui, depuis longtemps, les ont confectionnées, et les femmes bien intentionnées comme la dame Pichereau, importée de France. Mais moi… je sais… que la première amie de chiffon qui a été vendue dans les grands magasins était grande comme un bébé de deux ans. Elle était blanc et rose, avec des petites culottes à froufrous et son bonnet bien assorti. (*Elle continue de la bercer et, dans son habit de chien, elle transpire.*) J'aime beaucoup celles qui sont artisanales. Il y en a de magnifiques dans les pays en voie de développement et les collections de poupées vestiges de l'histoire. Ce qu'elles en ont du babillage ! Elles ont traversé toutes les misères et les bonheurs du monde. Je les aime autant que je t'aime… Amivie. J'ai apporté une poupée en os. C'est la reproduction d'une poupée très ancienne d'il y a plus de deux mille ans. Est-ce que tu te souviens que tu as des os ?

Elle lui montre la poupée, mais Jeanne est quelque part entre ciel et terre.

— Elle a une belle chevelure sculptée… Je déteste te voir en hibernation. Elle est où, ta grotte du roupillon ?

Elle replace la poupée dans un grand sac à main de cuir.

— Je t'ai apporté une jolie poupée de bois décorée de rubans et de fleurs séchées. C'est un pied-de-vent[**] et elle est pas rouspéteuse. Une magie de la forêt… Elle attend patiemment que tu fasses le tintamarre… J'ai des chaleurs d'impatience. T'as les oreilles dans la cire d'abeille.

* Bénaise : acadianisme, heureuse.
** Pied-de-vent : un rayon de soleil dans un ciel brumeux.

Elle replace la deuxième poupée dans le sac et en sort une autre.

— Celle-là, elle concerne tous les amis. C'est Corn Dolly ! Regarde comme elle est belle avec son petit bébé et sa touffe de cheveux de maïs. C'est une poupée de paille qui protège les récoltes.

Elle soupire… regarde Jeanne qui ne bronche pas et dépose Corn Dolly dans son grand sac.

— Tu te fous de ce que j'essaie de semer dans ton cœur.

Elle murmure une berceuse : *Parlez-moi, parlez-moi, j'ai besoin de tendresse…* « T'as peur des nazis, mais ils sont partis et moi, je les passe à l'inspection avec les lunettes de Nana. »

Elle en a toute une collection et elle connaît bien ses chansons. Elle affirme haut et fort que Nana Mouskouri l'a sauvée du désespoir.

— Écoute, ma chérie, les mots de sa chanson *Crie* :

*Crie ta fragilité*
*Dans la ronde triste de l'éternité*
*Quand le silence a pris le pas sur l'espérance*
*Quand le troupeau subit la loi de la violence*
*Crie la paix, crie l'amour, crie la vie, mais surtout, crie*

C'est comme ça que je *backboule** la démence ! Tu m'entends ?

Elle chante l'extrait de la chanson et Jeanne marmonne du fond de sa léthargie.

— Ils se prenaient pour la race supérieure. Ils étaient cruels et sans pitié. J'ai lu le *Journal d'Anne Frank.* Toi, tu n'avais pas un petit journal caché dans le grenier de madame Cécil ? Hum ? T'aurais dû. Ça lave le cœur. Ça *empirouette* le bonheur. Moi, aujourd'hui, pour toi, je fais de la zoothérapie sur deux pattes. Les animaux ont tout un pouvoir, bien plus que les soldats ! L'animal ne juge pas, il accompagne. Les chiens

* Backbouler : repousser.

sont les plus populaires. Ils sont sociables et de bonne volonté. Ils aident à promouvoir le respect et l'empathie. Et les chats, ils se couchent ici et là : de vrais acrobates de la valise. C'est vrai que tu as une psychose ? Le volcan a craché plein de lave ? Il t'a réduite en cendres ? Non !… je vais trouver le bouchon que tu cherches, pour donner le bain aux poupées !

Jeanne s'éveille brusquement. Liette s'y attendait. Elle a prononcé le mot « bouchon » pour reprendre contact avec son amie, sachant que c'est ce qui l'éveille de son sommeil paradoxal.

— Ah ! J'ai rêvé à un bébé de chiffon grand comme un enfant de deux ans. Il était rose et blanc, avec des culottes à froufrous.

Pendant que Liette berçait Jeanne, Colette s'est confiée à Françoise, qui n'en dira mot à personne. Elles sont dans une bulle particulière…

— Je suis toujours déguisée en Sérum de vérité. Quand je serai la Vérité sans le sérum, ça va cracher le feu !

Amivie a élevé le ton.

— Dragées orangées de calendula, double dose pour la confiance en soi !

Colette s'égosille.

— Pirouette, j'ai confiance en toi !

— Merci, mais ça s'adresse à toi.

— Une poupée peut-elle avoir confiance en ses capacités ?

— Tu es mi-humaine, mi-poupée, une sorte d'avatar nouveau genre, réplique Colette.

— C'est quoi, un avatar ?

— C'est une métamorphose, une révolution de la forme, le chamboulement du déguisement.

— Aaaah ! Là, tu parles vraiment poupée ! Tu connais bien la langue… le chamboulement du déguisement… Tout se passe dans la garde-robe.

Liette tape des pattes.

— C'est bien beau tout ça, mais vous avez délaissé la poupée-pirate. Je suis seule dans mon navire. Je vais me chercher un tissu-doudou très poilu.

Elle choisit du mohair à poil long et elle s'en recouvre.

— À partir de maintenant, tu pourras flatter mon pelage.

— Et moi, j'ai fait appel à du renfort. Nous aurons la visite, aujourd'hui même, de plusieurs poupées qui n'ont pas les bonnets dans les poches.

Lily sait de quoi elle parle et elle en parle avec autorité.

— Amivie, tu dois guérir. Tu es mi-humaine, mi-poupée ; en es-tu consciente ?

— Oui, je me rends à l'évidence. J'ai un nombril, du sang et un estomac. Mais il y a un problème.

— Quel est le problème ?

— J'ai le nombril frisé, le sang glacé et l'estomac en boulettes.

— Pourquoi ?

Lily l'interroge sérieusement.

— J'ai des frissons dans les narines. Je suis paniquée.

— Tu es Jeanne et Amivie.

— Je suis deux personnes ?

— Tu es une personne confondue avec une poupée.

— Une poupée n'est pas une personne ?

— C'est un humain stylisé. Poupée vient du latin *pupa*, qui veut dire « petite fille ».

— Alors je suis une femme-enfant !

— Je dirais que tu es une femme candide qui habite chez un personnage ingénu qui lui ressemble : Amivie !

— Mais je suis Amivie, je vous assure !

— Tu n'as pas un cœur de coton, tu as un cœur en décomposition !

— En décomposition ? Je suis morte et faite de pourriture ! Il m'a tuée ?

— Qui ?

— L'homme au parapluie qui n'entend pas à rire. Il est immunisé contre la pluie, je vous l'ai dit. Il déteste la confiture. Il est sec de la tête aux pieds !

— Si tu me parles, c'est que tu n'es pas morte.

— Peut-être que je vis dans un rêve.

— *Time out !* Est-ce qu'on peut manger des sandwichs ?... LE CHIEN VA BAVER DE RAGE, JEANNE, SI TU CONTINUES À ARGUMENTER !

La poupée chuchote.

— Je ne suis pas Jeanne... Il y en a plein d'autres qui argumentent et font la guerre jusque sur les écrans de cinéma.

* * *

Pendant le repas, Colette a pris la relève et Éloïse, heureusement assez mature pour son âge, écoute avec attention. Elle est sensible et artistique. C'est une enfant-peintre qui souhaite devenir plus tard travailleuse sociale. Elle a du cœur au ventre.

JEANNE PRENDRA-T-ELLE CONSCIENCE QU'ELLE S'EST RETROUVÉE DE L'AUTRE CÔTÉ DU MIROIR SANS LE TRAVERSER ? QU'ELLE TENTE AINSI DE SE SUICIDER SANS EN MOURIR ?

— Parlons suicide. Il y a le visible, l'invisible et celui qui s'opère à petit feu. Se tuer... se mettre la corde au cou ou se couper les veines. C'est le désespoir à l'état pur. Il y a même des enfants et des adolescents qui se tuent.

Colette est très préoccupée.

— Et... qui délaissent leurs oursons.

Éloïse n'a pas froid aux yeux.

— Ou leurs poupées de chiffon.

Liette est l'ultime protectrice des personnages-jouets.

— Ça arrive aussi lorsqu'ils sont kidnappés. Ils les abandonnent, malgré eux.

Éloïse persiste et signe quasiment de son sang, car c'est ce qui lui est arrivé.

— Peut-on suicider sa personnalité, la mettre à mort pour éviter de se remémorer des accablements plus tranchants qu'un sabre de samouraï, le genre qui transforme le cœur en viande hachée ?

Lily choisit des mots percutants. Elle sait qu'il n'y a pas de temps à perdre.

Jeanne soupire dans son coin.

— Ouf… ça s'appelle avoir mal.

Françoise, la poupée-roche, tente de se ventiler. Certains souvenirs pourraient la faire craquer.

— J'ai eu le cœur en viande hachée, mais je n'ai jamais pensé au suicide. L'amour de mes enfants m'a donné du courage.

— Mais il arrive étrangement que ça ne suffise pas. J'ai fait face à ce genre de situation dans mon travail d'ambulancière et, franchement, j'ai été heurtée. Quand tu rencontres un parent pendu ou qui s'est tiré une balle en plein cœur, tu es commotionné à tout jamais. Devant un corps froid, il n'y a plus rien à dire. Je voudrais ne pas avoir vu ce que j'ai vu. Désolée, Éloïse, c'était pas des mannequins de papier mâché ! Je déteste la démission, le décrochage. Tout ce qui déguerpit et vide la place. Renier sa foi en la vie… Mais encore fallait-il en avoir une !

— Justement, voilà. J'en ai déjà discuté avec Florence. Il y a des suicidés qui se réincarnent et se re-suicident et ça peut durer comme ça pendant plusieurs vies. Ils sont nés avec une peine d'amour inconsolable et n'arrivent pas à aimer la vie. Ils exigent qu'elle soit précuite et prémâchée. Ils sont du genre à manger mou, sans comprendre le sens du karma et de l'existence.

Françoise a tant souffert qu'elle ne craint plus d'exprimer cette vision des choses.

Jeanne écoute. Elle se tient la tête entre les mains.

— Si je me réincarne, j'aurai des bras de chiffon et des jambes de brocart.

— C'est quoi, du brocart ?

— C'est une sorte de soie, Éloïse.

— Quoi, tu m'as appelée Éloïse ?

— Oh !, désolée, je me suis trompée.

— Non, tu t'es pas trompée. Tu reviens parmi nous !

— Qui est nous ?

— Peu importe.

— Ils penseront, quand je naîtrai, que j'ai une horrible malformation.

— Mais tu n'en auras pas !

Lily s'enflamme et ressent que Florence s'unit à elle dans ses propos.

— Tu auras une extraordinaire mutation, la candeur aux pattes et l'émerveillement aux bras. L'enfant intérieur se manifestera aux yeux de tous. On ne pourra plus le tuer en catimini et l'exterminer sans procès. On saura qu'il est né pour s'unir à la beauté et à la grandeur du monde. Qu'il est là pour faire et pas seulement pour interpréter. Qu'il a encore la capacité de s'étonner. Einstein et Chagall furent de ces enfants jusque dans leurs vieux jours.

Lily pose ses mains sur son cœur.

— Elle est ici, je vous assure… Ma sœur Florence est parmi nous !

Elles sont momentanément dans une extraordinaire espérance, placées devant l'inattendu et son mystère quasiment perceptible. Liette a le corps qui passe du chaud au froid. Elle dévisage Jeanne, n'osant regarder autour.

— Pour l'instant, tu es une sorte de poupée russe, de matriochka. Il y a, à l'intérieur de toi, une série de poupées de bois.

— J'en ai combien ?

— Peut-être une dizaine.

— Je sais ce que c'est, la matriochka. C'est une grosse paysanne russe. Ce que j'ai à l'intérieur de moi, c'est pas des poupées. C'est d'énormes pots de crème glacée trois couleurs ! Je suis devenue boursouflée. J'en ai trop mangé !

Si ça continue, Jeanne va péter les plombs !

— Pourquoi tu veux pas voir en dedans ? C'est moi, Liette, ta marraine des Outremangeurs Anonymes. Je suis déguisée en chien. Tu as gavé tes poupées intérieures comme des oies. Elles étaient en pleurs et tu voulais qu'elles se taisent.

Éloïse lui prend les mains.

— Le silence est devenu trop sucré, ma Pivoine.

— Un silence sucré… j'aurai tout entendu. Mais… (*Elle réfléchit.*) C'est ça, le silence des poupées ! Oui, c'est ça ! Elles ne parlent pas et elles donnent plein de réconfort. C'est du miel, de la bonne cassonade !

Lily l'observe. Elle veut la ramener à considérer les émotions du présent, qu'elle tente de fuir c'est évident.

— Pour une poupée, tu as la parole bien facile.

— Ce qui prouve que je ne suis pas une poupée de bois.

— Tu es une femme avant tout !

— J'en étais une, mais tout ça est fini pour moi !

Colette les écoute. Elle commence à trouver que le temps presse. Jeanne est une pétaradante bouilloire. Son histoire de vie s'envole en fumée.

— Il y a des poupées funéraires, lui dit-elle, dans les sarcophages ou dans les urnes, à côté des tombeaux. Elles honorent les souvenirs des défunts ou les représentent à différents moments de leur vie. Il faut aller devant la tortue. Il y en a une en toi qui veut sortir de sa cachette. Elle a mal aux seins.

Elle fait mine de la sortir du ventre de Jeanne.

Jeanne n'entend plus à rire.

— Elle a mal aux seins ?

Elle touche à ses seins.

Colette se fait violence pour aborder ce sujet très délicat. Elle ressent que c'est une piste à suivre. Une blessure à désinfecter.

— En 1956, j'avais vingt et un ans. Je n'étais plus à Sainte-Blandine. Je travaillais à Montréal dans un presbytère depuis trois ans. Barbie est arrivée et elle a trahi toutes les poupées. Déjà, quand j'avais quinze ans, Lolita nous avait prises par surprise et madame Cécil trouvait qu'elle était différente des autres poupées-mannequins qui avaient des seins. Mais quand Barbie est arrivée, le monde a bien changé. Nous en discutions toutes les deux, dans le grenier, autour d'un thé bleu.

— Un thé bleu ?

Colette va de surprise en surprise.

— En réalité, il était mauve-bleu.

— C'était un véritable thé ?

— Non, c'était une invention de madame C-C. Elle le faisait avec des pommes de terre ! Elle raffolait des pommes de terre bleues. Je dis bleues, mais elles n'étaient pas bleues. Elles étaient violettes. Pendant des années, une fois par semaine, nous buvions du thé avec les poupées dans le petit service de porcelaine avec lequel elle avait joué lorsqu'elle était enfant et je faisais semblant d'en servir à Bleuette qui était ma préférée. C'est elle qui a apporté les semences de cette pomme de terre. Ses parents et ses arrière-grands-parents cultivaient la vitelotte, qu'on appelle aussi la truffe de Chine, et elle en était très fière.

— Je pensais que cette pomme de terre résultait d'un croisement.

— Non, elle est née comme ça, avec des pigments violets. On dit qu'elle est originaire du Pérou. En tout cas, c'est grâce à elle, parce qu'elle l'a cultivée à Sainte-Blandine et qu'elle a obtenu des semences à profusion, qu'on la cultive maintenant en Gaspésie et ailleurs au Québec.

— Sans blague ! Et comment préparait-elle le thé ?

— Elle faisait tout simplement bouillir les pommes de terre dans l'eau. Ça donnait un bouillon bleu-mauve plus pâle que les pommes de terre. Je sais aussi que la pomme de terre violette était la préférée d'Alexandre Dumas.

— Il a écrit *Les trois mousquetaires,* Jeanne. Ne l'oublie pas. Ça, c'est la culture et c'est très important !

— À l'heure du thé, je peux le dire maintenant, on refaisait pas le monde, on le *réenchantait.* J'avais des frissons pendant les discussions. Je buvais ses paroles en même temps que le thé. C'était très spécial quand elle parlait de Barbie.

Une jeune femme entre en trombe dans le local de yoga.

— Moi, je vais vous en parler. J'arrive toujours au moment où je dois arriver. J'en ai pris conscience depuis quelque temps. Ce n'est pas un hasard, c'est ma ligne de vie qui se déroule ainsi.

— Qui es-tu ?

Jeanne est méfiante.

Lily prend les devants.

— Je te présente une autre poupée.

Mélodie Schmidt a été dans son enfance une petite reine de beauté et elle en a souffert au point où, prisonnière des apparences, elle a tenté quelques fois de mettre fin à ses jours. Elle était de *la thérapie des voiles et des cocons* et de l'improvisation.

— Euh… je suis une poupée qui déteste le plastique.

— C'est-à-dire ?

Jeanne, malgré ses chiffonnades, est perspicace.

— Je suis… Néo-Barbie… Mélodie, la poupée de velours.

— Néo-Barbie ?

— Oui, la nouvelle Barbie. Celle qui a subi une métamorphose.

— Je veux te toucher. (*Elle lui touche.*) Où est ton velours ?

— Il est à l'intérieur. La nouvelle Barbie n'est pas grotesque et distordue. Si tu dis, et je te l'ai entendu dire, que Barbie a trahi les poupées, je te dis qu'elle a trahi les enfants, et plus grave encore, elle a trahi la vie ! Elle a fait passer le faux-semblant pour la réalité. Elle a plastifié l'humanité.

— Ça me dégoûte !

— Ma mère a été miss France. J'ai eu soixante Barbie et un seul ourson qui tentait de me consoler devant cette invasion. J'ai vieilli prématurément et je n'avais aucun autre modèle de poupée auquel je pouvais m'identifier. Mon rêve, à l'adolescence, c'était la taille 0 et même la taille 00 et de gigantesques seins.

— Si on a moins de taille et moins de ventre, ils sont où les intestins ?

Jeanne semble extrêmement préoccupée.

— Ils sont recroquevillés.

— Il faudra inventer les câlins d'intestins. Il y a beaucoup de cellules nerveuses dans ces boyaux-là !

— Si on reproduit Barbie à l'échelle humaine, elle mesure un mètre quatre-vingt (cinq pieds neuf pouces et demi), son tour de poitrine est de quatre-vingt-dix-huit centimètres (trente-huit pouces et demi), sa taille de quarante centimètres (quinze pouces et demi) et ses hanches de quatre-vingt-quatre centimètres (trente-trois pouces). Son poids est de cinquante-neuf kilos (cent trente livres) et son indice de masse corporelle est, par conséquent, 16, ce qui selon les normes est considéré comme anorexique. De plus, ses seins sont tellement corpulents qu'elle en serait réduite à marcher à quatre pattes. On dit qu'elle était le rêve ultime de celui qui l'a façonnée, le concepteur Jack Ryan.

— Sans blague !

Jeanne n'en revient pas.

— C'est la *call-girl* de luxe à la taille ultrafine et au visage enfantin. Ma mère salivait en me voyant marcher avec des talons aiguilles. À quinze ans, mes parents m'ont fait cadeau de prothèses. On a tôt fait de m'en gonfler les seins. Je les portais comme un trophée. J'étais très heureuse d'attirer les regards. Je gagnais tous les concours de beauté, mais le soir, je pleurais, la tête cachée dans mes oreillers. Dans mon cœur, c'était le néant.

— Là, vraiment, chère, j'ai bien du chagrin.

La Pivoine est triste et Éloïse se gratte la tête.

— C'est quoi, le problème ?

C'est beau des seins, mais si ça devient gros comme des ballons de football, on ne voit plus ton visage et on se fout de tes opinions.

— À vingt ans, après ma dernière tentative de suicide, j'ai lu les livres de Florence et j'ai fait enlever mes prothèses. J'aurais tant voulu la rencontrer. Je n'ai pu qu'assister à ses funérailles.

— Alors, tu n'aimes pas Barbie !

Jeanne est heureuse d'avoir du renfort.

— C'est difficile d'aimer une poupée qui m'a flouée. Je n'ai pas eu de poupées-bébés. Je n'ai eu que des Barbie. Le symbole même du faux-semblant. À quatre ans, je rêvais d'être comme elle, pin-up et séduisante. C'était mon modèle. Je m'identifiais à elle. Il faut dire aussi que ma mère ressemblait à Barbie.

— La mienne, elle ressemblait à un mille-pattes qui portait des chaussures trop serrées.

— Comment ?... Je n'avais pas de crayons de couleur. J'avais des collections de rouges à lèvres, du rose cuisse de nymphe au brun terre de Sienne. (*Elle rit.*) Mes poupées traînaient dans le salon... souvent sans vêtements. De vrais cadavres que personne n'aurait eu besoin d'embaumer. Barbie ouvre la porte à l'anorexie et à la femme-poupée ! Avec tout son univers de pacotille, elle donne l'impression que le bonheur à l'état pur, c'est l'acquisition de biens matériels. Il y a des collectionneurs qui en possèdent des milliers. Ça me donne la nausée.

Lily réfléchit.

— Florence et moi, nous avons eu des Barbie. J'avais sept ans et elle en avait neuf. Ce qui nous intéressait, c'était surtout sa relation à la maison. Il faut dire que nous possédions déjà plusieurs poupées-bébés. Nous avions eu une jolie maison en cadeau. Mais j'avoue que, même si plus tard on l'a présentée comme infirmière, avocate, astronaute ou même médecin, son succès n'était pas lié à son intelligence ou à son sens de la compassion. Il était toujours lié à son apparence physique… Je n'avais pas saisi qu'elle pût inconsciemment entraîner autant de filles vers l'anorexie.

Jeanne est pensive.

— Dans ton cœur, il y avait le néant ?

— Ton cœur était vide ?

Éloïse est perplexe.

— C'était le rien absolu.

— J'aime autant avoir de la tristesse et de la peur que du rien absolu.

Jeanne est catégorique. Éloïse la regarde d'un œil complice. Elle ne voudrait jamais connaître ce genre de malaise.

— Je n'en reviens pas.

Françoise est horrifiée.

— Toi, tu as fait face à une invasion de pin-up en plastique et nous, on avait qu'une poupée-bébé pour quatre filles. Les enfances se suivent, mais ne se ressemblent pas. Chaque année, notre poupée finissait toujours par avoir un bras ou une jambe arrachée et… les hôpitaux de poupées, il fallait pas y penser.

— Les miennes, elles arrachaient ma personnalité. J'ai été marquée au *fer rose*.

— Tu étais une sorte de morceau de viande. Je comprends très bien l'importance de tout ce que tu dis, chère.

— Les poupées impriment des modèles dans l'inconscient des enfants. Avais-tu une Barbie ambulancière ?

Colette est aussi en profonde réflexion.

— Non, et franchement, je vois pas comment elle aurait pu faire l'affaire. Mais j'ai fini par me révolter. Je me suis fait teindre les cheveux bleu outremer et j'ai décidé de les porter court. Ils étaient longs et blonds depuis l'enfance. Pour moi, cette poupée aguichante en plastique et toutes ses reproductions représentaient la perfection à laquelle je devais aspirer coûte que coûte. On vend sur la planète une poupée Barbie à la seconde ! En 1965, la trousse de la Barbie en pyjama était vendue avec un pèse-personne bloqué à cinquante-neuf kilos et un livre sur les régimes. Quand j'ai eu neuf ans, je l'ai eue en cadeau… Un message à peine subliminal. C'est alors que je suis devenue amie inconditionnelle de la laitue !

Mélodie s'essuie les yeux.

— Il y a toujours quelqu'un qui arrache quelque chose. Toi, c'était ta personnalité. Est-ce qu'une bonne journée, on va avoir la paix ?

Jeanne se dit qu'il y a certainement beaucoup de martyrs.

— C'est pour avoir la paix que tu es devenue une poupée ?

Lily la scrute du regard.

— Oui… c'est pour ça.

— Enfin, tu l'avoues. JE VAIS ABOYER !

Liette est encore *à fleur de poils.*

— Tiens, pose cette malachite sur ton cœur. Pour moi, c'est le cristal de l'urgence.

Lily la prend par la main.

— Tu as des blessures invisibles et il faut les soigner.

Colette aimerait tant qu'elle comprenne.

— Pourquoi ? J'ai le droit de saigner jusqu'à ce que mort s'ensuive.

— C'EST ÇA, ISOLE-TOI DANS UNE NICHE !

La poupée-chien a des airs de danois agacé.

— Mais tu ne saignes pas. Tu as un trou énergétique. Un entre les seins et possiblement d'autres qui n'ont jamais été colmatés. Triple dose de dragées rouges, un grand renfort d'amour ! Ce n'est pas pour toi, Amivie, mais pour celle qui se cache en toi qui... (*Colette se risque à dire des choses*) a très peur des mitraillettes et des bottes des soldats.

— Je déteste ça ! C'était la guerre dans l'écurie !

— Qui parle, Jeanne ou Amivie ? renchérit Colette.

— C'est moitié-moitié !

Elle s'apprête à avaler les dragées

— Avec un grand verre d'eau de pluie de Sainte-Blandine de Rimouski, cuvée 1950.

— Vraiment ?

Elle avale les dragées.

— Cet été-là, les tournesols étaient gigantesques. Mon père disait qu'il y avait des taches dans le soleil, des sortes d'explosions. C'était bon pour les fleurs. Gérard Lepage écoutait Frank Sinatra. Moi, j'écoutais Charles Trenet chez madame Cécil. Quand il me rencontrait, il m'appelait « poupée », d'un ton agressif !

Prononcé de cette façon, le mot en exclamation lui fera sans doute l'effet d'un somnifère. Elles ont à peine le temps de s'en rendre compte, voilà que son corps de chair et de coton s'affale dans les bras de Colette et de Lily, estomaquées. D'où vient ce réflexe conditionné ?

Justina et Sophear font leur entrée. Elles seront respectivement la poupée-flamme et la poupée-tristesse, pour être fidèles à l'improvisation qu'elles ont vécue en compagnie de Jeanne, au cours de la semaine.

— Il faut l'étendre devant la tortue. Vaut mieux qu'elle se soit endormie.

Colette et Lily essaient de la transporter, mais elles ont besoin de renfort. Jeanne a mangé tant de glaces et ses cuisses ont tant de replis et de bajoues depuis qu'elle s'est livrée pieds et poings liés à sa cocaïnomanie des trois couleurs, que quatre mains ne peuvent suffire à la tâche. Elles devront toutes s'acharner au transport de son corps et, pour y arriver, elles auront besoin d'une grande équipe de poupées: Liette, Françoise, Éloïse, Mélodie, Justina et Sophear viennent les rejoindre.

— Allons-y, à seize mains! Y'a rien de mieux que des poupées musclées! Franchement, Jeanne, t'as mangé combien de pots de crème glacée? BOUCHON, GLOUTON DE ROUPILLON!

— C'est quoi: une formule magique?

La poupée-pirate trouve la poupée-chien bien étrange.

Jeanne s'éveille rapidement, évidemment.

— C'est une formule de *marchage* à deux pattes.

— Qu'est-ce qui m'arrive? On me transporte le cadavre?

— On te transporte la paillasse et le coton, mais tu dois maintenant marcher jusqu'à la tortue!

Liette n'entend plus à rire. Elle est en lavette sous les poils trop fournis de son costume de berger des Pyrénées. Personne n'ose parler. Jeanne a le *bouquet de pivoines* si balourd. On en est rendu à penser qu'elle devrait devenir l'amie inconditionnelle de toutes les laitues.

La voilà enfin bien en vue de la tortue.

— Voilà, et rendors-toi, poupée!

Elle sombre de nouveau dans le sommeil.

— Il faudra sortir de ce cercle vicieux de mots. C'est une façon vraiment inusitée de s'endormir et de s'éveiller!

Colette hoche la tête. Elle voudrait que Liette se repose un peu. Si l'instinct du chien-loup s'empare d'elle, on ne donnera plus cher de la bergerie.

— Justina, poupée-flamme, Florence est parmi nous! Je suis en lien avec ma sœur depuis un bon moment déjà. Je ressens une urgence au sujet de la psychose de Jeanne, et aussi un déversement d'amour prêt à changer sa vie pour toujours. Je voudrais tellement qu'elle revienne parmi nous que j'ai la tête qui cristallise.

Lily ressent que son aura s'extrapole dangereusement. Son cœur va-t-il battre à un rythme fou ? Colette devine qu'elle s'apprête à vivre une expérience qui ne lui est pas inconnue. Lily aura-t-elle besoin d'aide ?

— Si elle se cristallise vraiment, tu seras sur une étonnante longueur d'onde.

Justina est toute dédiée à l'instant présent.

— Je voudrais me cristalliser en mode améthyste, pour intensifier le flux du chi dans mon âme. Au-dessus de ma tête, mon chakra coronal se déploie à vitesse grand V. Sa couleur est violette et sa note est un si.

Liette entonne le *si* et sa voix fait tressaillir Colette.

— J'aime la lavande et le lilas.

Lily a l'odorat pour les fleurs de la douceur. Elle rêve un court instant à ces fleurs sublimes.

# VI

— La couleur de ce chakra ne fait qu'un avec moi.

Lily est contemplative.

— Mais elle ne fait plus un avec Jeanne, j'en suis sûre. Je veux poser mes mains sur le dessus de sa tête. Je suis ici pour elle. Le violet sert de bouclier contre la négativité. Je dépose une lumière pourprée sur son crâne pour qu'elle y pénètre, comme un vent de printemps.

Colette a l'impression que ses mains ont triplé de volume.

— Poupées de vent…

Jeanne est endormie, mais elle a capté la volonté bien arrêtée de Colette. L'ambulancière est très déterminée. Elle en a vu d'autres, mais vraiment rien de cette nature où le changement d'identité semble un suicide déguisé.

— Je ne vois pas ma sœur, mais je sais qu'elle veut lui parler. Elle doit craindre une menace.

Lily ressent les aspirations de Florence.

— Jeanne restera endormie. Le rayonnement puissant du cristal de roche… fera en sorte qu'elle vive une *décorporation*, une OBE, *out-of-body experience*. Elle ira à la rencontre de Florence, j'en suis certaine. Les cristaux, comme tout ce qui est vivant, ont un champ énergétique et plus ils sont grands, transparents et brillants, plus ils élèvent le rythme vibratoire de ce qui est à proximité.

— J'espère qu'elle laissera sur terre son double de coton. Sinon, je ne donne pas cher de son trognon.

Liette est épouvantée. Un peu plus et elle n'hésitera pas à ronger ses griffes.

— Il faut faire silence et l'accompagner. Mes oreilles sillent.

Justina est disposée à mettre son don au service de cette cause : le sauvetage in extremis de Jeanne la candide. Elle avait tant demandé que ses yeux se dessillent.

— Voilà, Jeanne est sortie de son corps. Je ne pensais jamais qu'elle y arriverait si rapidement. Elle cherche. Je l'entends qui parle.

Justina a le cou qui s'étire.

* * *

§ Traversons, sans tarder, le voile.

Jeanne cherche, effectivement. Elle semble énervée et très préoccupée. Projetée au-delà de son sommeil paradoxal par un mot que l'on n'ose plus prononcer, elle marmonne. « Je fais le ménage pour garder le moral. Ceux que le ménage ennuie n'ont pas idée du bonheur que j'ai à utiliser le savon noir. » Elle fait mine de le mélanger à l'eau dans un seau. « C'est du cent pour cent pur et biodégradable de la Savonnerie du Midi. C'est le détergent multi-usage par excellence. Y'a rien de mieux. C'était une tradition dans la famille de madame Cécil. »

Elle se promène un peu partout, s'affairant à l'époussetage et au lavage.

— J'aime les lavettes et les plumeaux. Les plumes des autruches aspirent toutes les poussières ! Faut pas me déranger. C'est du sérieux : le vaporisateur au vinaigre, la petite brosse plate, l'huile au citron et les sacs à déchets.

Mais elle n'est pas seule dans ce rêve éveillé ! Hélène, contre toute attente, vient à sa rencontre et elle est loin d'être calme.

— C'est bien beau, faire le ménage dans sa maison ou celle des autres, mais il faut aussi faire le ménage en soi. Jeanne, je suis très inquiète ! Je me suis fait passer pour toi. Sur la civière, dans le corridor de l'hôpital psychiatrique, c'était vraiment difficile. Je déteste l'odeur des médicaments. Pour moi, ça sent le malheur. On m'a questionnée. On m'a demandé pourquoi je suis devenue une poupée. C'était marqué dans le dossier. Je leur ai dit : « Ne vous inquiétez pas, j'ai compris. Je me suis cachée dans une nouvelle identité parce que j'ai eu peur d'un tueur. Je suis en choc post-traumatique, mais je vais m'en remettre. » J'étais calme et en état de prière. Je m'étais recouverte de plusieurs boucliers. Une psychiatre est arrivée qui ressemblait à ma mère. Ce qui, déjà, était une épreuve. Elle m'a foutu une lumière dans les yeux. Elle a inspecté le fond de mes pupilles. Elle cherchait l'aliénation mentale. Je me suis raidie et me suis mise à pleurer. « Les poupées ne pleurent pas. Je suis humaine et je veux rentrer chez moi », que je lui ai dit. « Vous devez être évaluée. Vous vous êtes entêtée et, pendant plusieurs heures, vous avez refusé la réalité. Vous étiez dans un autre monde. » « J'étais dans le monde des poupées où les oursons ont droit de passage. » « Parce que ce monde existe vraiment ? » « Il n'existe que pour ceux qui y croient. » « Pavillon B, pour trois jours. » « Je veux rentrer chez moi ! » Je fais mine de me lever. On me prend par les bras, me retourne pour relever ma robe et baisser mes culottes. On m'injecte un calmant. Du vrai poison de serpent. Il me paralyse et m'enveloppe comme un gant de chirurgien. Jeanne, j'ai voulu te protéger, mais on m'a foutue dans une oubliette ! Tu es dans un rêve et je rêve moi aussi. La tortue, heureusement, nous a réunies !

— Hélène… c'est bien toi ? Qu'est-ce que c'est que cette histoire de poupée ? Je fais le ménage et j'écoute les cris des désespérés. On t'a injecté une sorte de venin ?… Dans les maisons, il y a beaucoup de larmes mélangées à toutes sortes de poussières. Les femmes de ménage sont aux premières loges de la détresse. Je suis très occupée. Es-tu à l'hôpital ?

— Jeanne, j'ai besoin d'aide. S'il te plaît, fais un effort ! Nous sommes réunies dans un rêve, je te l'ai dit. Tu es en état de crise.

— Je suis pas en état de crise, qu'est-ce que tu racontes ?

— Je te raconte la vérité. Il y a un mur entre celle que tu es et celle que tu penses être. Je t'ai placée sous une coquille d'amour pour te protéger. Je voulais entrer en communication avec ton âme pour te dire de te battre et c'est ce que je fais aujourd'hui. J'ai été la première plante humaine de Florence. Grâce à elle, ma véritable nature a vu le jour. Écoute-moi ! Il faudrait que Mozart et Beethoven te soulèvent sur des montagnes de partitions pour que tu comprennes du bout de leurs inspirations ce qui fait que tu as si peur. Tu te caches dans les jupons d'une poupée. Carré noir de fraise barbouillée !

— Les fraises ? Je peux plus en manger. Ça me donne le goût d'avaler beaucoup de crème glacée.

— Reconnais que les racines de ton être sont ébranlées.

— Les racines, c'est très souterrain.

— Quand elles sont malades, les arbres se dessèchent et les fleurs n'ont plus de force dans leurs bourgeons. Ça te prend des racines-échasses.

— Mais j'ai des racines !

— Alors, demande un renfort d'échasses pour te hisser au-dessus de la vase et résister aux marées.

— J'ai pas peur de la marée haute.

— T'as pas peur, mais tu t'es étouffée avec une énorme gorgée d'eau salée.

— La seule qui peut me donner ces échasses, c'est Florence.

— Ou te montrer comment les chausser.

Florence est devant elles. Jeanne vient de l'apercevoir. Elle a les yeux exorbités, tant elle en est surprise.

— Florence, c'est bien toi ? Tu reviens vers la Terre ?

— Je ne reviens pas vers la Terre, Jeanne. Je viens vers toi parce que j'ai entendu le cri du cœur d'Éloïse et aussi celui d'Hélène. Tu traverses une crise existentielle, ce qui est très occulté sur la Terre. Faut pas chercher à l'endormir avec de l'alcool, des médicaments, des montagnes d'aliments ou toutes sortes d'attitudes qui engourdissent.

— Je serai changée en statue de sel ?

— Ou de sucre, tout dépend, cercle noir et blanc ! Florence, où que tu sois, tu peux pas résister à l'appel des âmes en détresse. Ce qui fait que tu as entendu ma supplication. Merci, l'heure est grave !

— Il y a beaucoup de suicidés et je tente d'apporter de la lumière dans leur noirceur. Jeanne, tu t'es placée sous respirateur artificiel. Tu vis dans un sommeil paradoxal, chassée par un traumatisme que tu es incapable d'affronter. Mais tu dois y parvenir, sinon tu risques d'être emprisonnée pour le restant de tes jours dans un monde parallèle ! Je veille sur toi, mais je ne peux être toi. La violence est destructrice. Tu devras aller au tréfonds de toi-même, dans les cicatrices encore douloureuses de tes anciennes blessures que... je ne connais pas, et faire face, Jeanne. Tu le dois !

— Je ferai face, Florence. Mais le problème, c'est que j'ai deux faces, d'après ce qu'on me dit... T'as pas peur des suicidés ?

— Je n'ai jamais peur de ceux qui de bonne foi demandent à être secourus.

— Et ceux qui continuent de se zigouiller ?

— Il y en a pour qui c'est *ad vitam aeternam*. Ils ne voudraient surtout pas en être empêchés.

— T'as pas peur d'être attaquée ?

— J'ai mon protecteur, Ogawa, qui veille sur moi chaque jour et chaque nuit céleste.

— C'est vrai, monsieur Neil m'en a parlé. C'est un samouraï de la plus digne espèce !

— Hélène, es-tu mon amie ?

Elle lui tend une main.

— Oui, je suis ton amie.

— Et toi, Jeanne, es-tu mon amie ?

— Oui, je suis ton amie… Je ne suis pas ton tsunami !

— Pardon ?

Hélène est époustouflée par cet étrange jeu de mots.

— Suivons, Jeanne, la symbolique du tsunami… imprévu… brutal… destructeur qui peut anéantir en quelques secondes.

Florence tente de l'amener sur une piste.

— Quand tu es morte, j'ai fait une crise de nerfs.

La Pivoine ne s'est pas encore remise du décès de Florence.

— Oui, je sais, mais on ne parle pas de mon décès. On parle de ce qui en toi est mort, à cause d'un acte ou de plusieurs actes provoquant la terreur. Regarde tes racines…

— …Oui… Manger les pissenlits par la racine…

Elle met sa tête dans ses mains.

— Je comprends donc que tu voudrais mourir.

— Je pourrais aller te retrouver.

— Qui dit que tu me retrouverais ?

— Florence a raison, Jeanne. Elle peut venir vers toi, mais qui dit que tu pourrais aller vers elle… surtout si tu mets fin à tes jours prématurément ?

Hélène veut lui faire entendre son véritable prénom.

— Je ne veux pas me suicider !

— Ne crie pas si fort, chocolat de racines brisées !

— Tu détruis la force du silence, Jeanne. *Être ou ne pas être, là est toujours la question* posée par Shakespeare et… il a mis en scène plus d'une cinquantaine de suicides… Ce n'est pas pour rien. Ici, je vois de tout dans la zone désertique où le gris m'interpelle. Je vais à la rencontre des suicidés parce que je m'interroge. Pourquoi libérer son âme avant la fin du voyage ? Le geste de l'un est souvent alimenté avec la froideur, du rejet et l'incompréhension de plusieurs. Il y en a qui sont roulés en boule et n'ont jamais été aimés. D'autres crient leur amertume. Ils étaient fatigués d'être en vie, mais... ils ne sont pas véritablement morts pour autant. Ils s'en rendent compte maintenant. Ils ont encore l'ombre des aiguilles dans les bras. Je veux apporter la douceur et la bonté du cœur, la force du réconfort et la beauté des gestes dans ces plans où la laideur est omniprésente. J'ai des anticorps contre la laideur, ne t'inquiète pas.

Florence se veut rassurante.

— Pourquoi ils crient ? Personne ne les entend.

Jeanne ne comprend pas.

— Il y a les cris des enragés, mais aussi de ceux qui sincèrement appellent au secours. Je te l'ai expliqué. Ils doivent être transportés pour recevoir des soins et ceux-là... on les entend.

— Tout ça, c'est bien effrayant, chère. Es-tu devenue ambulancière ?

— Je suis celle que j'ai toujours été, Jeanne. Je suis à l'affût des blessures de l'âme. J'ai rencontré plusieurs hommes d'affaires qui se sont suicidés lors du krach de la bourse en 1929 et d'autres qui sont passés à l'acte lorsqu'un attentat a été perpétré contre Jean-Paul II. Pour eux, c'était la fin du monde. En tout cas, les enfants qui se suicident, ils éventrent du même coup leurs parents. Nous sommes plusieurs à visiter ces lieux et quand j'y rencontre des enfants, j'ai une peine immense. J'espère ne jamais t'y retrouver. Tu n'es pas une poupée de coton et tu n'as aucun cousin ourson, malgré tout l'amour que tu as pour ces jouets dont certains sont aussi vieux que l'humanité. Que l'amour incrusté dans les roses que tu as tant de fois reçues et offertes dans toutes ces maisons où tu as travaillé t'enveloppe en cet instant. Apprivoise de nouveau ces fleurs. Les roses, avec leurs odeurs de violette et de fruits, ont un langage poétique inégalé. Chaque moment de sensibilité est un don vraiment précieux !

Puis Florence repart, sans un au revoir.

— Elle m'a encore fait le coup ! Quand elle voulait me faire réfléchir, elle me parlait comme ça, très intensément, et elle mettait fin rapidement à la conversation. Tout ce qui restait, c'était l'odeur de son parfum. Ho ! Attention, cache-toi, Hélène !

Jeanne a vu une ombre maléfique.

— Où ?

— En petit bonhomme, c'est tout ! Ne bouge plus et épie du coin de l'œil… C'est l'homme au parapluie !

Jeanne s'est accroupie.

— D'où est-ce qu'il sort, celui-là ?

— Le vois-tu ?

— Oui.

Elle chuchote.

— Il sort d'un conte qu'elle… madame Pichereau, a inventé… mais… il existe vraiment. Il est très puissant. S'il vient vers nous, nous sommes finies. Elle en savait bien, des choses.

— Comment ça ? Tu vas te laisser bouffer comme une tranche de saumon fumé ? C'est toi qui forcément lui accordes de la puissance.

— Je me suis jamais laissé bouffer.

— Alors, pourquoi ça arriverait aujourd'hui ?

— Parce que je suis à bout.

— Alors, demande de l'aide, fais quelque chose !

— Je te demande de l'aide.

— Le problème, c'est que nous sommes dans un rêve. Tout ce qu'on se dit est parallèle à la réalité. Tu devras te souvenir de notre conversation et du message de Florence. Colette l'ambulancière doit venir à mon secours et tu dois faire face à la terreur que tu as enterrée et… ce n'est que de l'intérieur que tu peux résister à l'homme au parapluie. Est-ce que tu saisis ce que je te dis ?… J'en suis certaine.

— Il ouvre son parapluie… Tu ne sais pas ce qu'il y a dedans… des acolytes lilliputiens qui dépersonnalisent, de vraies têtes d'épingle.

— Qui dépersonnalisent ?

— Oui… ils sont comme des gommes à effacer. Ils s'attaquent à l'identité. Ils poignardent les poupées de pluie !

— Il faut que je comprenne ce qu'elles représentent profondément, puis il faut les protéger.

Hélène est songeuse.

— Ils sortent. Vois-tu clair ? Ils sont minuscules. Il y en a de toutes les couleurs et… de toutes les mauvaises odeurs. Quand on s'approche, on voit très bien leur laideur. C'est pas comme dans les films où les assassins se promènent incognito. Là, je les ai en pleine face.

— Tu es stupide si tu les regardes de près. Madame Cécil est une personne très perspicace. Elle t'a aidée à saisir la nature des pensées… Pendant des années, j'ai traversé le désert avec un cœur en lavette et j'ai survécu.

— Il a de la corne.

— J'en ai aussi. J'ai résisté à la persécution… Les moments de silence, d'interrogation et de réflexion où on voit le cœur des êtres et des choses, ça, c'est la véritable nature des poupées de pluie. J'en suis convaincue !… Ils poignardent la capacité de réflexion qui nous empêche d'être des moutons. Maudites têtes d'épingle ! Lilliputiens dégueulasses !

— Il faut pas avoir de bouclier troué quand on fait face à ces démolisseurs des profondeurs. Je veux partir. Si je fais une crise de panique, le rêve deviendra un très horrible cauchemar. Crois-moi !

— Tu vas pas me laisser ici toute seule ? Tu peux retourner dans ton corps, mais moi, c'est pas évident que je vais y arriver. J'ai le sang plein d'Ativan ! Et si j'y retourne, c'est une véritable prison !

Justina a tout vu et tout entendu, les deux pieds bien campés dans la réalité. Elle remercie pour ce don qui lui permet de percevoir au-delà de ce qui s'offre aux oreilles et aux yeux de chair.

Jeanne s'agite et marmonne. Elle tente de revenir dans son corps et Hélène se sent abandonnée. On dirait qu'elle a de l'eau plein la bouche. Sans doute un reflux provenant des *poupées de pluie* qu'on tente d'égorger.

— Eau… secours!

§ Je l'écris ainsi, car il faut aller à la rescousse de l'intériorité. La sienne et celle de beaucoup de déprimés qui ont le moral dans les talons et le tendon des villes sérieusement amoché. À la campagne, il y a aussi un sérieux accablement. Où que l'on soit, le désenchantement opère et la lassitude gagne du terrain.

— Eau… secours!

Justina ne sait que faire. Jeanne est dans une panique extrême. Elle veut fuir devant ces lilliputiens qui lui feront à coup sûr le coup des épingles bien enfoncées. Elle a l'impression de n'être devant eux qu'une vulgaire passoire.

Hélène essaie de toutes ses forces de la retenir.

Justina n'aime pas ce qu'elle voit. Le corps de Jeanne est rouge et une veine est dangereusement gonflée sur son front.

Colette prend la décision, à regarder sa peau écarlate et ses joues de rubis, de la ramener sur le plancher où ses pieds sont enflés.

— On n'a pas le choix, il faut enlever le… bouchon!

Elle connaît la formule pour la réintégrer dans sa bulle de poupée cendrée.

— Aaaah!

— Voilà qu'elle s'éveille.

— Aidez-moi! Aidez-moi! Je veux plus y retourner! Hélène était là. Je l'ai rencontrée, mais elle a plus de force que moi pour les affronter!

— Calme-toi, Jeanne.

Éloïse l'observe pendant que Colette vérifie sa tension artérielle.

— … 180 sur 90… Va falloir que ça s'arrête.

— Affronter quoi ? Tu as vu mamie ?

— Oui… Qui va les arrêter ? Y'a pas de policiers pour les têtes d'épingle hors-la-loi ?

— Hors quelles lois ? Et… de quelles têtes d'épingle parles-tu ?

Lily hausse les épaules, l'air de dire : « Il y a des lois auxquelles nous sommes tous soumis, au-delà de celles des hommes. »

§ Les têtes d'épingle assassines, ravageuses, minuscules issues du cœur des humains où ça sent le purin, sont aussi inévitablement concernées. Les lois cosmiques sont implacables, eussions-nous les ailes de l'aurore. La sagesse populaire l'a souvent proclamé.

Hélène est seule devant des centaines de pensées destructrices. Mais elle se dit, à les considérer, qu'elle n'a pas mis au monde son enfant intérieur après tant de labeur pour qu'il soit dépouillé et dépecé par ces empêcheurs de tourner en rond.

Cette métaphore lui dessine un sourire, car Florence lui avait expressément fait remarquer, en lui demandant d'apprivoiser le cercle, qu'elle était vraiment portée vers les carrés. Mais le carré n'est pas qu'affaire d'intellect. Il représente aussi la terre et les quatre points cardinaux. Le cercle allait lui donner plus de fluidité et il n'était pas question de quitter cette souplesse chèrement acquise qui donne la force de se défendre et, par moments, de se détendre.

Les têtes d'épingle avancent dans sa direction. La catalepsie, faute de pouvoir se matérialiser, en fera une grabataire de la pensée ! Elle ne panique pas et se recentre. Il n'est pas question qu'elle perde sa dignité ! Reliée à son intuition, elle recherche l'ultime arme de vie qui la rendra invincible… Voilà, elle a trouvé : la danse de l'immunité ! Ses mouvements symboliques et ses phrases repoussent tout ce qui détrousse. Elle la connaît par cœur. Elle s'en est bien imprégnée. C'est maintenant que ce cadeau issu de l'âme de Florence lui servira d'armure.

— *Je suis un être sensible. Veuillez présenter votre passeport vibratoire à la frontière de mon territoire spirituel personnel !*

Elle trace la largeur de cet espace.

— *Mon plexus solaire n'est pas une porte sans serrure et sans clé. Je suis en lien avec la dignité et le respect, la réflexion et les nobles intuitions. Je cultive la candeur, non la naïveté. J'habite mon corps avec amour et gratitude. Je veux agir et non subir, loin de toute manipulation ou agression, d'arrière-pensées ou de fausses identités. Le terrorisme, de quelque nature qu'il soit, est un régime auquel je ne souscris pas.*

Elle avance et les repousse.

— *Ma conscience a brisé ses chaînes. Je vis de façon authentique. Sommes-nous de la même famille d'âmes ? Si oui, votre passeport est accepté. Sinon et que vous êtes malgré tout de bonne volonté, que puis-je faire pour vous être utile ?*

*L'authenticité vous manque ? Le système d'alarme de mon âme m'alerte et… je l'entends !*

C'est le cas en ce moment !

*Inutile de tenter de m'amadouer. Avec politesse, je me retire dans mes terres, je retranche le pont-levis et j'éteins les lumières. Allez voir ailleurs si j'y suis. Vous ne pourrez me trouver masquée, un pied dans la tombe et l'autre dans un semblant de vie.*

Est-ce clair ?

Elle continue d'avancer et de les repousser.

— *Que ton oui soit un oui ! Que ton non soit un non ! Le reste appartient aux baobabs. J'ai de la compassion, mais je ne verse d'aucune façon dans la pitié, car elle est mauvaise conseillère. Je travaille de façon active à ma protection et à mon autonomie. Je souhaite que mes actions ne nuisent à personne et profitent à tous. Le pacifisme est une forme d'amour en action. J'y dédie ma vie. Tel un invisible mur de feu, il brûle les scories de la haine et de la cupidité et… réchauffe mon âme. J'ouvre ma corolle au grand jour. Je déploie mes pétales et parfume l'atmosphère. Je m'assume en tant que fleur de lumière.*

Est-ce clair ? Fleur de lumière !

Son aura est si incandescente que les images devant ses yeux s'estompent, privées des courants de pensées obscures qui les alimentaient.

— *Fleur de lumière. Suis-je une lanterne, un phare dans la nuit, une simple bougie ? Peu importe la nature de mon rayonnement. Je souhaite apaiser les souffrances, transcender les différences. Loin de toute diabolisation, je suis en mode compréhension.*

*Je suis un être centré.*

Centré… centré… centré !

*Je ne suis pas une victime. Je suis un être sensible. Veuillez présenter votre passeport vibratoire à la frontière de mon territoire spirituel personnel. Mon plexus solaire n'est pas une porte sans serrure ni clé. Je suis en lien avec la dignité et le respect, la réflexion et les nobles intuitions.*

Tout est disparu.

— Merci, Florence, pour ce cadeau. Je l'apprécie à sa juste valeur.

— Ouf ! Elle l'a fait. Elle a réussi. Elle a chassé les emmerdeurs et les paralyseurs. Elle a ouvert fièrement sa corolle au grand jour. Bravo, Hélène, tu es une battante ! Je t'admire !

Justina s'agite. On dirait qu'elle regarde un film. Toutes les femmes sont suspendues à ses lèvres. Puis elle fixe du regard la poupée-ambulancière.

— Elle a appelé à l'aide, Colette ! Je n'attendrai pas que Jeanne s'en souvienne. À l'hôpital psychiatrique, on lui a injecté du lorazépam. Elle en a plein les boyaux. Elle est prisonnière de son corps. Elle a dit : « Il faut avertir Colette l'ambulancière. » Il faut la délivrer !

— Alors, je pars sur-le-champ… mais avec une inquiétude. La pression de Jeanne est trop haute.

— Qui est Jeanne ?

— C'est toi ! lui répond Éloïse. Tu es Jeanne-Amivie.

— J'ai un nom composé ? Depuis quand ?

— Depuis maintenant.

— J'ai une double vie ?

— Il semble que oui. Tu te promènes comme un caméléon sur deux couches d'oignon.

Françoise, la poupée-roche, aime lui donner des précisions.

— Ça sent fort ?

— Ça titille un peu trop les narines.

Liette a vraiment hâte qu'elle arrête son cinéma.

— Et qu'est-ce que je peux faire pour dégager moins d'odeur ?

— Arrête de te prendre pour une poupée.

— Arrêter ? Et si je te dis que c'est impossible ?

— Pourquoi ?

— J'imagine que si j'avais la réponse, j'aurais une partie de la solution !

— En tout cas, nous sommes ici pour toi, pour t'aider à retrouver ton équilibre. Nous t'aimons très fort et nous avons de la peine.

Deux autres poupées viennent de faire leur entrée.

Liette verse une larme.

— Je ne veux pas vous voir pleurer.

— Est-ce qu'il faut te présenter toutes les poupées ?

Lily veut savoir si elle commence à prendre pied dans la réalité.

— Oui… pourquoi pas ?

— Bon, très bien.

Elle regarde Busara Akida, originaire du Congo, qui, lors de l'improvisation, il y a deux jours à peine, incarnait la Reine de la Peur.

— Voici la poupée qui a peur. Ses yeux sont des diamants.

— Salut !

Jeanne l'observe, intriguée.

— Salut à toi !

Lors de l'improvisation, elle entretenait la peur chez ses sujets. Voilà que maintenant son rôle est inversé.

Il y a aussi Denise Marien qui, dans son costume de ballerine, avait apprivoisé les mouvements, s'arrachant ainsi au vide.

— Voici la poupée-ballerine.

— Est-ce que tu danseras pour moi ?

— Je pourrai danser si tu me le demandes, mais j'aimerais surtout que tu danses avec moi.

— Je ne sais pas si on t'a expliqué… je n'ai plus vingt ans. J'aimerais danser, mais pour y arriver, ça me prend des bottines qui giguent sur des ressorts !

— Tu feras la danse de la tornade et tu nous jetteras par terre. Le Chat botté avait des bottes de sept lieues, et ce n'est même pas à comparer. Alors, imagine !

La poupée qui a peur joue le jeu de la frayeur. Rien de mieux pour contrer l'effroi d'Amivie, victime d'un AVC bien cotonné.

— Je l'avais dit dans l'ambulance, ça sentait la *doll* ! Hélène était foudroyée. Elle avait peur que Jeanne meure !

— Je ne suis pas morte !

Oups ! Jeanne a des relents de son ancienne vie.

— Je pars et je reviendrai avec Hélène, la poupée-bonheur.

Colette met son imperméable et saisit sa mallette de premiers soins, après avoir donné quelques recommandations à Lily.

— C'est parce qu'elle est déguisée en poupée-chiffon qu'on a abusé d'elle. On abuse des mollasses et des *flagadas,* peu importe l'endroit !

Liette a les pattes en l'air.

— Tu n'as rien compris. C'est parce qu'elle s'est affirmée quand elle est arrivée à l'hôpital qu'on a mis Hélène hors d'état de nuire... Écoutez le Sérum de vérité !

— Tu te souviens d'Hélène ?

Liette ne la lâche pas d'un poil, mais elle ne lui répond pas.

Elle regarde le tissu noir et le tissu blanc dont elle est enveloppée.

— On l'a plutôt mise dans un état hors de *se* nuire, dirait-on dans un langage *politically correct.*

Lily vient de terminer une conversation sur son téléphone portable.

— J'ai appelé Yoshiko qui, de chez elle au Nouveau-Brunswick, nous avait protégées avec ses pensées, la semaine dernière. Je lui ai annoncé la triste nouvelle. Elle est infirmière. Je l'ai appelée ce matin pour lui annoncer que Jeanne... (*elle le dit devant elle*) est devenue une poupée. Elle a tout compris. Elle a travaillé pendant de nombreuses années en psychiatrie. Elle a décidé de prendre l'avion. Elle sera la poupée-pont qui ramène les égarés vers leur véritable identité. Elle arrivera ici en fin de soirée.

Amivie est préoccupée.

— J'ai la mémoire qui scintille... Hélène a besoin d'aide. Où est la poupée-ambulancière ?

— Je suis sur le bord de la porte. Mais je ne sais toujours pas qui va vérifier la tension artérielle de Jeanne.

Lily se porte volontaire.

— Je sais comment faire, ne t'inquiète pas. S'il y a une urgence, je t'appelle sans tarder.

— J'ai laissé mon numéro de cellulaire sur la table, et le tensiomètre.

— J'aime la tortue, mais elle me donne des palpitations. Je veux retourner dans le hamac et faire silence. J'ai la tête qui tourbillonne et c'est peut-être pas bon signe. Ne me touchez pas, je vais me reposer. Je ne dormirai pas.

Jeanne dévisage la poupée qui a peur et la poupée-ballerine.

— Il faut se rendre à l'évidence. Vous aussi, vous avez quitté le monde... Poupée, de quoi as-tu peur ? dit-elle, en questionnant Busara Akida.

Éloïse, vraiment, ne la lâche pas des yeux.

Jeanne s'installe dans le hamac qui s'étire vers le bas comme une toile d'araignée sous le poids d'une gigantesque capture.

— Je suis en réalité, lui dit-elle après mûre réflexion, la poupée qui ramasse les peurs... pas celle qui a peur. C'est un travail immense et... je suis épuisée. Les peurs des enfants sont si bouleversantes. On n'a pas idée des traumatismes qui par moments les envahissent. On n'a pas idée et souvent on ne veut pas en entendre parler. Alors... on fabrique des poupées qui doivent les écouter dans ces instants fatidiques où la détresse est à son comble. C'est bien triste... et moi, j'aime beaucoup les enfants.

Elle pleure.

— Les bombes et les fusils qui démembrent et tuent, nécessitent une incroyable production de poupées ramasse-peurs. Nous ne sommes pas assez nombreuses. Voilà pourquoi nous sommes fatiguées... exténuées, ajoute-t-elle.

— Mais... si vous quittez toutes le monde, les enfants traumatisés seront abandonnés.

— Il y a quelques décennies, un très grand renfort d'oursons est arrivé en Europe et en Amérique… Heureusement, car nous avions les joues et les bras usés.

— Et les hôpitaux pour poupées ?

— Ils sont débordés.

— Et Barbie ?

— Ce n'est pas une poupée ramasse-peurs. Elle n'est pas douée pour l'écoute. C'est une poupée de parade, qui sourit et se balade.

— Elle ne donne pas le bon exemple avec son minuscule ventre qui ne donne jamais le goût de manger.

Jeanne regarde sa peau couleur chocolat.

— Tu es originaire de quel pays ?

— Je suis du Congo et j'ai été envoyée en mission lors du génocide rwandais. Les poupées étaient maculées de sang et de chiures de mouche.

— Arrête, ça m'écœure.

— L'Afrique a très peu de poupées ramasse-peurs. Elle a plutôt des poupées de fécondité. Ça prend beaucoup de bébés, car il y en a souvent qui meurent. La fécondité est à la base de la société africaine. Les ethnies ont différents cultes, mais ils ont tous pour but de favoriser la grossesse. La plus connue est la poupée Ashanti. On la retrouve particulièrement au Ghana. On la surnomme Akwaba. Elle est faite de bois. Elle représente le corps de la femme. On dit qu'elle favorise la fécondité. Les jeunes filles doivent la porter dans le dos avant le mariage. Elle est sculptée avec un très grand soin, parée d'ornements et habillée. Toutes ces poupées de bois sculptées sur le même modèle accompagnent la grossesse jusqu'à son terme. Il y a aussi les bigas des Mossis. C'est le père qui doit en faire don à sa fille pendant l'enfance. Quand elle se marie, elle l'emporte avec elle et elle doit s'en occuper comme s'il était un véritable nourrisson. Elle apprend donc à jouer à la mère. Après l'accouchement, il est lavé comme le bébé, massé au beurre de karité, et il reçoit une goutte de lait.

— J'aime voyager dans le monde des poupées.

Jeanne est interpellée par le massage et la goutte de lait.

— En Afrique du Sud, il y a les poupées de perles confectionnées par les jeunes filles pendi, pendant leur initiation. Les fillettes jouent avec elles durant leur enfance. Lors des cérémonies de fertilité, ces petites beautés de perles aident les mères sans enfants. Elles peuvent aussi représenter les enfants disparus.

— Je trouve ça un peu difficile parce qu'on dirait qu'en Afrique, une femme sans enfants n'a pas de valeur.

Éloïse est perplexe.

— Oui, j'avoue que c'est un peu exagéré. Mais rassure-toi, il y a aussi d'autres poupées noires. Les poupées modernes ont permis aux enfants de couleur de se voir sous un jour différent. Elles favorisent beaucoup plus maintenant l'estime de soi. Il est bon que ces poupées soient offertes à des enfants de toutes les races. C'est une bonne façon de lutter contre le racisme. Ces premières poupées ont été fabriquées en papier mâché au début du XIX$^{e}$ siècle, mais plusieurs n'ont pas résisté à l'humidité. Elles étaient produites en Europe.

— C'était où ?

— En Allemagne qui était un important centre de fabrication de jouets et de poupées. Il y a même des Barbie noires depuis la fin du XX$^{e}$ siècle : Francie et Shani.

— Pourquoi je n'en ai jamais entendu parler ?

— Ça prouve qu'il faut les faire connaître.

— Si elles sont faites que pour la parade, je vois pas pourquoi on devrait s'y intéresser. Barbie, c'est Barbie, peu importent la race et le pays !

Jeanne ne veut surtout pas la prendre en pitié.

— Tu as raison.

— Et la poupée-ballerine ?

Jeanne ne cesse de la regarder.

— Je suis là auprès de toi pour t'aider à revenir à la vie.

— Dis donc que je suis morte !

— Je n'ai rien dit de la sorte !

— Je raffole des poupées-ballerines, mais on les voit seulement dans les vitrines.

— Elles ne veulent pas donner de spectacles, mais elles apportent la beauté dans les cœurs, non seulement des petites filles, mais aussi des adolescentes et des femmes adultes. La poupée-ballerine est très recherchée. Elle est faite de rêves amalgamés, une véritable courtepointe enchantée.

— Pourquoi as-tu quitté le monde ?

— À cause de toi, et ce n'est que pour quelques heures, car je n'y suis arrivée que sur le tard. J'ai eu beaucoup de difficulté à prendre pied dans la matière. Je n'ai rien d'un bébé prématuré. Quand j'étais enfant, je n'avais aucune poupée, seulement des animaux empaillés.

— De véritables animaux ?

— Oui, des véritables. Je ne pouvais que toucher leur fourrure et je ne devais leur parler que sur le ton de la confidence.

— Quelle drôle d'enfance !

— Ma mère était très migraineuse. Alors, je n'avais presque pas droit à la vie. J'ai apprivoisé ce qui était statique.

— Ça, j'aimerais pas ça.

— Alors, je suis devenue thanatologue. J'ai appris à embaumer les morts.

— Sans blague ! Tu allais à leur rencontre dans les réfrigérateurs ?

— Forcément.

— Tu aurais pu y placer des poupées inuites. Ça t'aurait réconfortée.

— J'aurais eu plutôt l'air étrange.

— Tu devais être triste d'être encore coincée dans l'empaillement.

— Je n'étais pas triste. J'étais vide.

— Vraiment, ça me donne froid dans le dos ! Encore une autre qui était vide !

Éloïse écoute la conversation. Elle n'aime pas les salons funéraires et l'incinération en dedans de vingt-quatre heures, ce qui a été le lot du grand-père d'une de ses amies.

— Mais tout a bien changé depuis quelques années. Depuis ce jour où j'ai rencontré Florence dans les toilettes de la Place des Arts.

— Elle t'a apostrophé la carapace !

— Hé, poupée-chien, est-ce que tu as faim ?

Jeanne par moments retrouve son réflexe humain.

— Oui, j'ai faim et j'ai chaud. J'enlève ce revêtement de poils. Je suis impatiente à l'extrême. Quand tu parles de poupées inuites, j'ai l'impression d'être à l'Équateur. Il y a trop de poils dans le décor. Est-ce qu'on peut faire fonctionner l'air conditionné avant que je m'évanouisse et que je plonge tête première dans l'évier de la cuisine ?

— Personne ne t'oblige à être une poupée-chien !

Jeanne élève le ton.

— Je fais ça pour toi et tu te fous de mes souffrances.

— Je ne m'en fous pas. Regarde-moi, j'ai changé de costume. Je suis passée de la poupée-chiffon à la poupée-bonheur, puis au Sérum de vérité. D'ailleurs, arrêtez de m'appeler « poupée ». Je revendique une nouvelle identité : Sérum de vérité ! Je dois aller au fond de mes racines. *Être ou ne pas être, là est toujours la question.* C'est ce que m'a dit Florence. Je l'ai rencontrée tout à l'heure dans un rêve. J'en fais beaucoup ces temps-ci. Elle éclairait toutes les poussières. Elle va visiter les suicidés. Là-bas, il n'y a que du gris. Elle a besoin de renfort.

Jeanne se dissocie de ses cotonnades, ce qui est sans doute une avancée.

Liette décide de passer à l'action.

— La poupée-ballerine m'inspire. Je vais m'emberlificoter de tulle blanc et d'organza turquoise. Ce sont des tissus qui respirent. J'en peux plus d'avoir la peau en lavette. Appelez-moi Azur !

— Bravo pour la promotion ! Dépêche-toi de manger des nuages.

— Sérum de vérité, tu as le couteau bien aiguisé. Je te rappelle que nous sommes toutes ici en mission de paix. Je suis la poupée-roche. Je suis une ancêtre-poupée et j'ai vu neiger.

Françoise veut lui donner une petite leçon.

Elles conservent toutes leur identité de poupée à la demande de Lily, ce qui permettra à Jeanne de se distancier irrémédiablement de ce monde où elle s'est réfugiée.

— Désolée… j'ai un drame qui me turlupine les racines.

— Parle-moi des poupées inuites. Que j'aurais dû découvrir il y a quelques années.

Denise soupire dans son tutu et Jeanne décide de lui relater son séjour dans la froidure.

— J'ai travaillé au Yukon pendant un an en 1973. Je préparais la bouffe pour les gens dans le besoin et je faisais le ménage de l'infirmerie. C'est le ministère des Affaires indiennes qui m'avait engagée. Là, j'ai découvert les poupées inuites et je peux t'en parler. Elles font partie d'une tradition très ancienne. Les Inuits habitent l'Arctique depuis au moins deux mille ans, mais on pense que les plus vieilles poupées qui y ont été confectionnées remontent à environ mille ans. Elles étaient minuscules et on pouvait les placer dans une mitaine ou un capuchon, ce qui était très pratique quand on devait se déplacer pour trouver de la nourriture.

— Wow ! Tu pourrais me fabriquer une poupée de fourrure recyclée que je placerais dans mes mitaines ?

Éloïse est carrément envoûtée par l'idée. Jeanne est intriguée. Elle colle son nez sur le sien, ce qu'elle arrive à faire facilement, car la petite-fille de Florence est accroupie tout près d'elle.

— Es-tu Pitchou ou la poupée-pirate ?

— Celle que tu veux. Celle que tu choisis.

— Je choisis la poupée-pirate parce qu'on t'a kidnappée pour te voler un œil et je ne veux pas m'en souvenir.

— Tu me laisses toute seule dans la réalité ! Une chance que j'ai mes poupées ! Entre autres, celle que tu as confectionnée avec ma doudou de bébé… Je lui ai confié beaucoup de tristesses, mais aussi plein de bonheurs. Je ne crois pas que tout soit si laid que ça. En tout cas, je veux aider à faire grandir la beauté du monde. Et toi, tu t'es sauvée, espèce de va-nu-pieds !

— Va-nu-pieds ? J'ai les pieds enflés et la tête dégonflée et… *va-nu-pieds* n'est pas une insulte ! Je n'ai jamais porté de pantoufles.

— J'aimerais que tu continues à me parler des poupées inuites.

La poupée-ballerine y va d'une nouvelle arabesque. Elle s'accroupit près de la poupée-pirate pour écouter ce que Jeanne va de nouveau raconter.

— Oui… les petites filles apprenaient à couper et à coudre les peaux et les fourrures, en fabriquant des poupées. Il fallait qu'elles apprennent à coudre dès l'enfance. C'était une question de survie. Les chasseurs inuits fixaient quelquefois une poupée à leur bateau comme porte-bonheur.

— Et qu'est-ce qu'on utilisait comme fourrure ?

— Hum… entre autres celle des belettes et des lemmings. Et on utilisait aussi la membrane mince des cous des oiseaux.

— Merci !

— Moi, je peux vous dire, puisqu'il y a de l'amérindien dans la famille, qu'on a toujours confectionné des poupées chez les Autochtones des Premières nations.

La poupée-pirate a l'œil vif et la bouche agile.

Liette prend la relève.

— J'ajoute qu'elles étaient faites d'épis et de membranes de maïs et que, dès le XVIII^e siècle, les Algonquins fabriquaient des poupées avec des têtes et des mains en cire d'abeille. Les peuples des plaines avaient des poupées en cuir et ils ornaient leurs vêtements à franges de piquants de porc-épic. Après 1840, ils ont remplacé les piquants par des perles européennes. C'était de toute beauté. Elles étaient des porte-bonheur, des amulettes et des fétiches... Les Amérindiens des déserts de Sonora et d'Arizona ont fait aussi des poupées magnifiques avec la peau et la carapace des tortues. En dehors du fait que je suis une poupée-chien transformée en *Azur*, il ne faut pas oublier que je suis une conservatrice de musée amérindien. Je désire vous le rappeler. Des poupées autochtones, j'en ai vues à la tonne.

— C'est l'heure de la salade et du spaghetti !

Lily a servi le repas que Denise et Busara ont apporté.

— Est-ce qu'il y a du parmesan ?

Les papilles de Jeanne ont des relents de souvenirs.

— Oh ! Sérum de vérité, bienvenue chez les humains ! Il y en a, c'est sûr !

— Tu pourras en saupoudrer tes nuages.

C'est plus fort qu'elle, Jeanne ne peut faire autrement que de relancer Liette.

— Quand tu étais Jeanne, tu étais moins frustrée. On dirait que tu as avalé un scalpel. On est toutes là pour toi et tu es tellement sur la défensive que ce n'est même plus drôle. Je pense que je vais m'en aller. Tu n'as plus besoin de rien de toute façon. Tu es devenue le Sérum de vérité !

— Je ne suis pas le Sérum de vérité... je suis un sérum de vérité et... je voudrais voir clair dans ma vie... Ne pars pas... tu es mon amie.

— Tu te souviens de notre amitié ?

— J'ai la mémoire qui fait des étincelles.

— Alors très bien, mais tourne ta langue bien des fois avant de parler. C'est la norme quand on parle à des poupées, souviens-toi. Elles ne sont ni baveuses, ni morveuses et encore moins menaçantes. Elles sont le symbole même du réconfort inconditionnel. Il y en a qui ont des textures si moelleuses ! Mais je m'interroge et je vous l'dis pendant que nous mangeons du spaghetti. Le monde des poupées, pour moi, n'a pas de mystères. En tout cas, je n'veux pas qu'il en ait et… celui des oursons, j'en fais mon affaire. Connaissez-vous les *BJD* ?

Liette tourne ses pâtes au fond de sa cuillère.

— Oui, je les connais, mais je n'en ai pas : les *ball-jointed dolls.*

Françoise sait que certaines femmes peuvent difficilement leur résister.

— Qu'est-ce que c'est ? Voilà à peu près la question que tout le monde se pose. Elles sont principalement fabriquées en Corée et en Asie. Les Japonais qui ont une grande tradition de poupées se sont inspirés du corps de poupée breveté en France en 1856. On parle de poupées aux articulations sphériques destinées non pas aux enfants, mais aux collectionneurs. Moi qui comme adulte ai une poupée, Liette, qui porte mon nom, je m'intéresse au phénomène. Car c'en est un ! Elles sont très belles, des petites aux plus grandes, et leurs yeux sont vraiment particuliers.

Elle va chercher son sac à main et en sort des photos.

— Ooooh !

Elles s'exclament en chœur.

— Regardez bien. Leurs yeux sont en acrylique ou en uréthane, mais malgré la taille de la poupée, ils occupent dans leur visage beaucoup de place, comme chez les nouveau-nés, ce qui, pour l'adulte qui les observe, éveille un grand réflexe de protection devant une vie qui s'éveille. On veut se mirer dans ces yeux qui ne semblent voir que le meilleur et le plus pur. Ces poupées sont un symbole de candeur et d'innocence, et c'est *right* bon ! Le monde est rendu si loin dans la préméditation, dans la tête qui pense par en arrière, qu'on a besoin de se réconforter, même à l'âge adulte, avec des *BJD* de la sorte. On les installe dans le salon, la chambre à coucher ou la voiture et on les admire, puis… on s'amuse à les photographier. On s'abreuve inconsciemment de cette beauté à l'état pur. J'ai compris ces derniers jours qu'il faut se questionner devant ce genre de phénomène. C'est pas seulement esthétique !

— Mais la conscience est trop endormie. On ne capte pas le sens de la recherche et du besoin ! On est ici touché par la force du rayonnement de la pureté et… malgré tout, ce n'est qu'un faible écho de ce qu'on peut vivre en présence d'un humain qui s'y dédie. On accède à l'amour véritable et à la justice, qu'en empruntant en toute son âme et conscience le chemin de la clarté. C'est triste qu'on en soit rendu à substituer à ce besoin fondamental la contemplation de ces yeux vitreux et mystérieux !

Lily est très émue. Elle ressent de nouveau que Florence est en lien avec elle.

Jeanne pleure à chaudes larmes.

— Oui, je me souviens, ma mémoire fait des bulles. Aux Jardins de Métis, en Gaspésie, Elsie Reford allait respirer, les soirs de pleine lune, le parfum de trois cents lys dans les jardins. Elle a demandé qu'on détruise son journal personnel après sa mort. Qu'est-ce qu'elle a vu les soirs de pleine lune ? On ne le saura jamais. J'ai dit à monsieur Neil, en revenant de Gaspésie : « Les lys et la lune, voilà une arme puissante… très puissante ! » « Comment, une arme ? » qu'il m'a dit. « Laissez faire, je me comprends. Il y a des armes secrètes. Alors, quand c'est secret, on n'en parle pas. On agit. On se prépare à passer à l'action. » « Oh !... ça sent Florence... J'aime ça. » Il avait capté son influence. Je me souviens, oui, les lys soignent les blessures, en collier ou regroupés. C'est un remède, un vieux remède. Les lys sont très sensibles et j'oublie qu'ils sont mes amis. La lumière se dépose dans ces fleurs qui nous demandent d'être translucides. Elles décortiquent les mensonges et les tromperies !

— Je suis une enfant indigo et mon âme est sensible à tout ce qui émane de ces fleurs. C'est encore plus fort que l'innocence des poupées !

Éloïse prend Jeanne dans ses bras.

— Je suis un sérum de vérité et je dois aller à la rencontre de la réalité. Je vais tellement souffrir et j'aurai tellement de peine.

— Le ciel sera noir.

Françoise est malgré elle catastrophée.

— Il y aura d'énormes flammes et je peux pas les affronter.

Elle tourne sur elle-même et cherche partout la poupée-ambulancière.

— Hé ! Elle est partie ! Je n'ai pas eu mon remède de fleurs et l'eau de neige.

Colette a tout laissé à Lily. Les *yeux de biche* voient plus loin qu'on le croit.

— J'ai tout ce qu'il faut. Elle a tout prévu.

Lily est fine mouche. Elle saisit deux comprimés blancs.

— Voici des dragées de pétales de lys. Tu as de quoi te réconforter.

— Des pétales de lys ? Mais je ne suis plus une poupée... Est-ce que je pourrais quand même être soignée ?

— Il y aura toujours une partie de toi qui appartiendra au monde des poupées. Tu as la douceur du chiffon et tes bras, on dirait de la soie. On ne sait comment tu fais, mais tes câlins sont on ne peut plus aimants. Ils sentent l'amour sauvage et on aime ça. Tu n'es pas trop apprivoisée et n'as pas l'art de porter des masques.

— Le côté sauvage, c'est le bas du fleuve, et la soie, c'est le savon à l'huile d'amande de madame Cécil. J'ai toujours continué de l'utiliser… depuis qu'elle est partie.

— Où est-elle partie ?

Liette la regarde, empêtrée dans le tulle et l'organza. La poupée-ballerine, quant à elle, se demande quand elles mettront fin à cet interminable pas de deux.

— Laissez faire l'interrogatoire. Je ne suis pas prête à cracher ce qui me ronge. Il y avait une épaisse couche de glace. Elle a fondu devant la mitraillette. Je veux boire de l'eau !

Lily dépose le placebo dans la bouteille.

— C'est de l'eau de Pâques.

— De l'eau de Pâques ? Je vais avaler des pétales de lys compressés avec de l'eau de clarté ? J'ai peur de ce que je vais dire. Et si j'entends quelque chose que je n'ai jamais entendu ? On sait pas toujours ce que notre enfant intérieur nous réserve et… mes poupées de pluie sont très agitées. Elles font du goutte-à-goutte. Elles sont prêtes à transfuser. Je n'aurai plus d'anémie ou d'amnésie, c'est pareil. Mon histoire n'était plus très globuleuse. Je voyais à travers les pages du livre de ma vie. Il y avait plein de trous de gruyère et… des feuilles volatilisées.

— Jeanne !

Elles ont toutes le cœur qui virevolte. Elles s'approchent d'elle. De nouvelles poupées viennent d'arriver.

— Ça sent le cochon qui brûle !

Elle saute sur place et elle se mord les doigts.

— Mais qui va là ?

Françoise est toujours affectée par la souffrance à l'état pur. Elle craint la crise d'hystérie.

— La poupée-tristesse, lui dit-elle.

C'est Sophear qui a vécu sous le joug des Khmers rouges.

— Il y avait déjà celle qui ramasse les peurs, ajoute Jeanne.

Elle a peur de ce renfort de désolation.

— La poupée-courage.

Sylvie-Touria est là, devant elle. Elle croit en cette force vive.

— Est-ce que tu es toujours à la page ? lui demande Jeanne.

Elle ne cesse de poser des questions et de lancer des affirmations.

— La poupée voilée !

Chérine s'est présentée, le visage couvert, revêtue d'une abaya.

— Est-ce qu'elle peut respirer ?

— Et la poupée-musique !

Paule la salue et murmure une envolée lyrique.

— Merci de me réconforter. Merci, mille fois merci !

Elle est malgré tout reconnaissante.

Il chantait de drôles de chants allemands et il... Gérard Lepage disait en me voyant passer : « *Heil,* poupée ! »

Attention ! le mot fatidique est prononcé avec un renfort d'intonation.

Elle lève le bras pour donner plus de force à cette salutation. Elle tombe à genoux, puis à quatre pattes.

— Je ne veux pas retourner dans les limbes. Il y a les lilliputiens qui m'attendent pour me faire le coup de la gomme à effacer !

Elle marche à quatre pattes. Elle résiste de toutes ses forces.

— Aidez-moi, je ne veux pas retourner là-bas.

Liette n'en revient pas. Elle avait sans réfléchir tenté de la réveiller à l'hôpital, en lançant un « *heil* Hitler ! » bien senti. Elle n'était pas si bête. Il y a bien un *heil* dans l'histoire. Et celui qui resserre l'étreinte... l'étau... semble toujours être ce Gérard Lepage.

— Quand ça sent le cochon grillé dans les campagnes, on se souvient pour toujours de ces journées de malheur.

Ça sent le désastre. On se dit qu'elle a été certainement très éprouvée.

Sophear, Sylvie-Touria, Chérine et Paule sont autour d'elle, attentionnées, et elles se sentent impuissantes en voyant Jeanne qui se bat avec ce mot qui l'hypnotise. Mais au moins, elle résiste. Elle oppose, de l'intérieur, une farouche volonté de ne pas se laisser aspirer par cette parole si dévastatrice n'ayant en apparence aucun relent d'agression. Le mot *poupée* a été traîné dans la boue et associé à une expression et un geste lourds de sens, comme s'il saluait en elle la dictatrice régnant sur le grenier où l'on tentait de mettre au monde, avec des restants de manteaux et de couvertures, des poupées de l'après-guerre pour les orphelins de la chair à canon. C'était une armée de tendresse et elle se dévouait corps et âme à son rassemblement !

Quand on emprunte les chemins de travers, on ne voit plus ce qui circule sur la grand-route. Cet homme était, semble-t-il, profondément frustré.

— Sauvez-moi !

Lily la regarde et se désole. Il faudra encore lui lancer une volée de bouchons au travers des oreilles. Oups ! sa haute pression… Jeanne est de la couleur d'une bolée de framboises.

— Le monde est un bouchon !

La poupée gardienne des cristaux, car Lily incarne ce personnage, lance une phrase-bouée qu'il faudrait sans doute psychanalyser.

§ Le monde est un bouchon… un bouchon qui clôt le vase dans lequel on est prisonnier. C'est le piège et la réaction d'autodestruction. Un hara-kiri sans façon pour celui ou celle qui ne sait prendre un recul, trouver des solutions et s'arracher au désespoir.

DEUXIÈME PARTIE

# *Entrer dans l'invisible*

# VII

Colette est en route pour l'hôpital psychiatrique. Le chauffeur de taxi est muet. C'est l'endroit qu'il faut éviter de fréquenter à tout prix. Elle a le texte de Florence au bord des lèvres. Lily lui en a remis une copie après que Justina eut commenté en direct le combat qu'Hélène a livré dans la fosse de destruction. Elle est mal à l'aise et fébrile. Elle sait que les murs de ce genre d'établissement sont imprégnés d'un silence obsessionnel et hystérique. Elle ressent la douleur de vivre de ceux et celles qui ont perdu le contrôle et même sombré dans la folie.

Dehors, la pluie fait rage. Ce qu'elle aime, c'est les petites journées pluvieuses d'été. Elle aurait besoin d'un renfort de grenouilles et de criquets. Il fait chaud et humide. Ce qui lui déplaît. On a déjà vu des canicules, fin mai. Comment ce sera là-bas, dans ce désenchantement si désolant ? Dans quoi s'est-elle embarquée ? Jeanne l'a surnommée Pirouette. Elle ne pensait jamais si bien dire. La voilà face à l'impensable cabriole qu'elle ne croyait pas être dans l'obligation de commettre. Hélène doit revenir avec elle. Il n'est pas question de faire des concessions. De quel tour de passe-passe devra-t-elle s'instituer magicienne ? Une idée fait son chemin : acheter un énorme ours en peluche. Elle en fera son allié pour cette opération de sauvetage hors du commun.

— S'il vous plaît, où est le Toys « R » Us le plus près ?

— Toys « R » Us ?

— Oui, j'ai l'idée d'acheter un énorme ours en peluche.

— C'est bon. Si vous êtes prête à faire un détour… Les ours, y'a rien de mieux quand on a de la peine. Vous pensez entrer avec ça là-bas ?

— Oui, j'aimerais l'offrir en cadeau.

— Pourvu qu'on ait pas idée de le radiographier. On pourrait le considérer comme un intrus. Depuis le 11 septembre, tout a changé et pas seulement aux douanes et dans les aéroports. Dans ce genre de maison, on a aussi resserré la vis.

— Resserré quelle vis ?

— Il semble qu'on ait le soupçon plus facile. On sait jamais qui peut perdre la tête et poser des actions regrettables qui auraient un impact sur la collectivité. Ce que vous allez acheter, c'est certainement un ours asiatique.

— Vraiment ?…

— Oui, depuis les années 1960-1970, tout ce qui nécessite une main-d'œuvre abondante et bon marché ne peut venir que de ces pays.

— On s'arrache de plus en plus les jouets-tendresse, mais si vous pensez qu'on aura l'idée de le radiographier…

— On voudra voir ce qu'il a dans le ventre.

— Si au moins on avait ce genre de réflexe lorsqu'on diagnostique une maladie mentale. Je ne parle pas de la radiographie comme telle, mais au moins de tenter de savoir ce qu'un malade a dans les tripes. Avant tout, on cherche à médicamenter ! Heureusement, il y a des psychiatres dissidents.

— Ah bon…

— Laissez faire l'ourson. Je vais quand même pas l'aider à retomber en enfance. L'ours est un bon thérapeute, mais c'est pas normal qu'on ait besoin de tant de substituts. Pendant treize ans, j'ai été ambulancière. J'ai vu le meilleur et le pire de l'humanité. Je ne sais pas si moi-même je m'en remettrai.

Colette en a eu sa dose des comportements bizarres, des détraquements de cerveau, des détresses à la Picasso où tout prend des allures si étranges qu'on voudrait envelopper toutes ces meurtrissures. Elle a tenté de le faire, mais il y a des instants où tout bascule. Les racines s'effondrent et le noyau de la personnalité semble broyé.

Le chauffeur de taxi a l'air compatissant.

Elle sort de la voiture et entre dans l'hôpital. Elle doit montrer patte blanche, ce qu'elle fait en certifiant qu'elle est infirmière-ambulancière.

— Je viens rendre visite à une personne hospitalisée, Jeanne Thibault. J'étais de service lorsqu'elle a été transportée à l'hôpital Fleury hier soir avant d'être transférée ici. Elle a subi des menaces de mort. J'aimerais la réconforter.

Le gardien dans le hall d'entrée ne dit mot. Elle est dans un état vibratoire particulier, imprégnée des paroles de la danse de l'immunité: *Je veux agir et non subir, loin de toute manipulation ou agression, d'arrière-pensées ou de fausses identités. Le terrorisme, de quelque nature qu'il soit, est un régime auquel je ne souscris pas.*

— C'est l'heure du souper. Jeanne Thibault est à la chambre 347. Elle vient d'être transférée.

— Merci!

Elle ne demande pas son reste et se dépêche de la retrouver. Elle entre dans la chambre. Hélène, qui s'est substituée à Jeanne, est en train de manger.

— Saucisson de Bologne de pâté chinois décoloré! Ce que je mange est tellement mauvais. Colette, il faut que je sorte d'ici! Une infirmière m'a dit qu'on a signé mon congé, mais je devrai consulter à la clinique externe. Ce sera Jeanne ou ce sera moi? Je dois aussi donner sa date de naissance et son adresse pour qu'on me remette les cartes d'identité de Jeanne. Quand tu entres ici, on te vide de tout trucage. T'as même pas droit aux foulards et encore moins aux ceintures.

— C'est normal ! Y'a du suicide dans l'air.

— Il y a un problème, je connais pas la date de naissance de Jeanne.

— Je la connais : 5 mars 1935. Mais l'adresse, je n'en ai aucune idée. J'appelle Lily !

— Elle demeure encore chez l'ex-conjoint de Florence. Je sais que c'est sur la rue Marlowe à Montréal. J'y suis déjà allée pour rencontrer Florence.

— C'est hors service !

— Ouvre la fenêtre. C'est comme dans la prison où je travaille. À l'intérieur des murs, y'a pas de réseau.

— La fenêtre ne s'ouvre pas.

— C'est comme dans la prison… c'est une prison !

— Les fenêtres ne s'ouvrent pas. C'est normal !

— Ça sent le suicide.

— Reste calme. Tout ira bien. Je vais parler en ta faveur. Souviens-toi de la date de naissance et du nom de la rue… 5 mars 1935.

— Le 5 mars 1935… 5 mars 1935…

— C'est le cinq du troisième mois. Tu as les deux chiffres dans son année de naissance. Génial !

— Ici, en tout cas, on est loin de la crise de foie. C'est plutôt la crise de foi. Ce que j'ai pu entendre en attendant dans le couloir sur la civière, tu peux pas te douter. Dans ma vie, j'ai eu des moments difficiles et j'avais pas besoin d'entendre ça. Longtemps, je me suis dit : « Pourquoi on est ici, sur terre ? Est-ce qu'on est prisonniers ? »

Colette veut être authentique.

— J'ai déjà eu une sensation d'étouffement quand je me suis posé la même question.

— Est-ce qu'on se réincarne à n'en plus finir ?

— Je me dis que tout est amour. Si j'ai pu aider, par mes pensées et mes prières, un suicidé à sortir du *bas-astral,* c'est que l'amour est la plus grande force qui soit. C'est cette force qui peut nous guider et nous libérer.

— Il y a des mystères très mélancoliques, mais peu importe. J'ai rêvé et je me suis battue contre des assassins microscopiques.

— Je sais, et tu as été formidable !

— Comment ça ? J'ai rencontré Jeanne et j'ai crié : « Au secours ! Dites à Colette l'ambulancière de venir me chercher. Ils m'ont endormie à l'Ativan. Je suis sûre que c'est ça. »

— Je suis là et je te remercie encore d'avoir protégé Jeanne.

— Dans mon rêve, elle était un peu tête de cochon… Est-elle encore tête de coton ?

Colette rit.

— C'est bon signe si tu peux en rire. Elle a changé d'identité. Elle est devenue le Sérum de vérité.

— Ouf ! ça promet, carré noir de rectangle picoté ! Et… si ça picote, il y a des bulles au fond du sablier ! Elle devrait finir par retrouver sa véritable identité. J'ai jamais vu ça, se prendre pour une poupée.

— Moi, j'ai jamais eu de poupées. Je passais mon temps à observer les adultes. J'étais pas attirée par les poupées. J'avais un besoin fou d'observer leurs gestes et d'écouter ce qu'ils avaient à dire. Je sais pas pourquoi j'étais comme ça.

Colette s'interroge.

— Tu devais être une enfant angoissée.

— Peut-être… Je voulais savoir ce qui se tramait. C'était comme des grandes poupées qui avaient le don de la parole…

— Mais peu importe, je veux sortir d'ici. Imagine, Colette, que le feu prenne dans la baraque… Tu verrais s'enfuir toutes sortes de rampants. Des humains arrivés ici sur deux pattes qui ont même plus la force de marcher. Je vais prendre une douche froide. Au diable la jaquette d'hôpital ! Vive le déguisement de poupée ! J'en ai pour dix minutes.

— D'accord... Ensuite, on retourne à l'air libre.

Colette est dans ses pensées. Il y en a tant qui sont empêtrés dans d'interminables cordelettes. Il y a la folie d'un moment et celle qui s'incruste et fait son nid dans les blessures et les non-dits. Il y a les entailles et les foulures, les morsures intérieures et les tuméfactions. Ça prendrait des ambulanciers de l'âme ! Il y en a tellement qui sont percutés sur les routes de la vie. L'amour inconditionnel, l'écoute et la présence, quelques transfusions de connaissances et de discernement, de bon sens et de vérité feraient souvent l'affaire. Pourquoi faut-il à tout prix les médicamenter ? Il y en a qui délirent comme c'est pas permis. Ils ont la souffrance hargneuse. Il faut les calmer malgré eux, c'est sûr. Mais qu'est-ce qui se passe avec le *bas-astral* ? Elle en a des frissons. Léo y était prisonnier après son suicide, englué dans une zone où le désespoir, la révolte et la haine se tranchent au couteau. Léo a regretté son geste. Après l'avoir posé, il a pris conscience de la peine immense qu'il avait causée à ses proches. Il les voyait comme au travers d'une vitre épaisse. En priant pour lui, en l'encourageant à monter vers la lumière, Colette avait réussi à l'en extirper. Léo n'était pas un mauvais garçon. Il avait immédiatement pris conscience de son erreur, mais il était trop tard. Aujourd'hui, on parle de psychose, de schizophrénie, de paranoïa, de troubles bipolaires, de crises d'anxiété, etc. Il y a des comportements hors norme où, dans certains cas, on peut être un danger pour soi et pour les autres. Si les médicaments peuvent être utiles, on les utilise par contre souvent à outrance. De plus, certains font face à des délinquants de l'astral qui se lient, visitent, prennent possession des êtres profondément décentrés. Combien de malades mentaux sont parasités !

Florence, pour sa part, était persuadée que des âmes dépravées sans la moindre conscience de leur décès, cherchent à revenir dans la chair et dans le sang. Elles font comme les squatteurs dans les maisons abandonnées : elles se les approprient et agissent à travers eux. C'est possible pour différentes raisons. Les blasés, les indifférents, les tièdes consommés sont des proies faciles pour ces vampires invisibles. Les forts de la tête à l'âme ratatinée peuvent aussi être recherchés. Le sang émet des radiations particulières plus subtiles encore. Elles rejoignent celles du corps astral et forment un pont qui est en soi une voie de liaison. Cette irradiation est comme le levain dans la pâte. Elle permet de prendre pied dans la matière. Si l'âme est faible ou orientée vers des centrales de formes pensées dépravées, si de plus la composition du sang est perturbée, il faut craindre qu'elle soit attirée comme par un aimant ! Par qui ? Les délinquants du *bas-astral*, les criminels, les violeurs et les pédophiles, les destructeurs, les *démanteleurs* d'harmonie et de beauté.

Florence, aussi, se posait beaucoup de questions au sujet du phosphore. Celui des boissons gazeuses et de la malbouffe. Quand tu es psychologue pour enfant, totalement consacrée à la cause du printemps de la vie, tu ne cesses de chercher et de te questionner. Colette est aussi de cette trempe. Florence avait ouvert les yeux bien grand lorsqu'elle avait pris conscience du syndrome des enfants intolérants à ce minéral présent dans diverses substances utilisées à titre d'agents de conservation, rehausseurs du goût ou autres, dans les boissons ou les aliments. « Ça fait peur, disait-elle. Un enfant posé peut devenir, parce qu'il est *hyperréactif* à ces substances, très agité, voire même agressif et, à la longue, antisocial. » Une pharmacienne du nom de Hofer avait commencé à soulever la question en Allemagne, en 1976. Un surplus de phosphates hyperactive les neurones du cerveau et perturbe les irradiations du sang.

Il y a combien de *phosphates children* dans nos sociétés qui flirtent avec la délinquance ? Quand on pense que l'ingestion de vinaigre de cidre ajouté à un verre d'eau, en pleine crise d'agressivité, peut enrayer les symptômes en une demi-heure, on est en droit de se poser des questions.

Impossible de porter le monde entier sur ses épaules, mais elle est attristée par toutes ces détresses. Il y a tant de violence. Mais qu'est-ce que la violence ? Une souffrance qui n'a pas de mots pour s'exprimer ? On peut retourner la violence contre soi et mettre fin à ses jours, se défouler avec brutalité et cruauté et finir sa vie en prison, pratiquer la violence verbale ou garder en soi le venin qu'on fomente. Un jour, on s'achemine vers l'hôpital ou les résidences psychiatriques.

Hélène sort de la salle de bain avec une serviette sur la tête.

— Il y en a beaucoup ici qui ont jamais ri de leur vie ! On vit dans une société qui veut tout contrôler. Si tu pratiques pas la folie douce, tu pourrais te qualifier un jour pour la folie dure. Y'a aussi la peur de souffrir ! Jeanne, elle a eu peur, c'est sûr. Qu'est-ce qu'elle a pratiqué ? Le suicide sucré ! C'est ça, Colette, tu peux me croire, le suicide sucré ! Elle s'est cachée et enfermée à triple tour dans un personnage. Elle a fait une *overdose* de sucre à glacer... Elle a mis du crémage où il fallait pas. Amivie, c'est du chocolat sur deux pattes. Elle est pas sevrée de son extravagance de crème glacée !

— Elle a commencé à quitter sa nouvelle identité. Il faut qu'elle y arrive. J'ai confiance. C'est pour ça que j'ai proposé une substitution de poupées. Je trouvais que ça valait pas le coup qu'elle soit sur les neuroleptiques.

— De toute façon, c'est pas très dangereux de se prendre pour une poupée ! Mais... mais ça me tombe sur les nerfs. Quand une tête de cochon décide d'être une tête de coton, on sait pas jusqu'où elle va bourlinguer. On va faire avec elle tout un voyage !

— Crois-moi, c'est déjà commencé. Suicide sucré... quelle expression ! Ayoye !

Colette n'en revient pas.

— Je mâche pas mes mots. J'ai la crudité bien acérée ! J'ai assez souffert. Si j'avais pas, malgré tout ce que j'ai subi dans mon enfance, vibré dans l'amour, si j'avais pas décidé de donner mon cœur à Dieu pour recevoir sa Force, je serais où aujourd'hui ? J'aime mieux pas y penser. La plupart des psychiatres n'ont jamais absorbé les médicaments qu'ils prescrivent ou injectent. C'est sûr qu'il y a des médicaments utiles, mais il y en a certainement qui rendent fou... Avec Florence, tu peux pas savoir ce que j'ai vécu.

— Dépêche-toi. On va venir te chercher.

— Oui, je réintègre l'identité de poupée. J'espère que ça me nuira pas, ici, à la sortie.

— Je te prête ma veste.

— Hum, ça va être un peu juste.

— Mets-la au moins sur tes épaules. Ça te donnera un air un peu plus conventionnel.

— Florence m'a soignée avec la beauté des sons, des couleurs, des formes, des mots et des gestes. Je lui ai dit : « En ce moment, je nais devant vous. Je viens d'ouvrir le cercueil translucide d'où j'observais le monde. » On est vraiment trop domptées, Colette. Il y a quelque chose en moi de sauvage qui a résisté à l'apprivoisement. J'ai pas l'instinct du zoo et, crois-moi, c'est ce qui nous unit, Jeanne, Liette et moi.

— Moi aussi, j'ai résisté, mais j'ai trop pris sur moi. Par moments, j'avais la tête qui riait, mais mon corps ne suivait pas. Sauf en vacances où le contact avec la mer me rendait à moi-même. Je vais te dire... j'ai un très grand rêve... nager... avec les dauphins en plein océan. Jeanne m'a surnommée Pirouette. Là, j'en ferais plein et je goûterais vraiment à la liberté.

— Spirales salées… t'en aurais plein le nez et les oreilles ! C'est plus qu'un rêve, c'est un songe éveillé… Tu voudrais pas vivre ça dans une piscine ?

— Non justement, tu parles de domptage. Je refuse celui des dauphins ! C'est l'animal sauvage le plus convoité sur la planète. Dans les delphinariums, les dauphins travaillent sept jours sur sept pour gagner leur nourriture. Ils tournent en rond dans des petits bassins en plein soleil et ils meurent prématurément. Il y en a qui se sont suicidés, poussés à bout par leur entraîneur.

— Comment ça, étoile éclatée de soleil déchiqueté ? Il y a des dauphins qui se suicident ? La planète est au bord de la crise de nerfs !

— C'est plus que la crise de nerfs…

— C'est la crise des mammifères !

— Peu importe.

— Mais comment qu'ils se sont suicidés, les dauphins ?

— Ils se laissent couler dans l'eau et arrêtent de respirer, pour finalement mourir dans les bras de leur entraîneur.

— Mais c'est un poisson…

— C'est un poisson évolué, un mammifère marin, qui a aussi besoin de respirer. Chaque respiration est pour un dauphin un effort conscient. Il y en a un autre qui s'est lancé carrément en dehors d'un bassin.

— Il faut être à bout. Celui-là, on l'a récupéré, c'est sûr.

— Exactement et il a continué de faire le beau pour qu'on lui donne à manger.

— Je te dirais qu'on se sent souvent comme des animaux de cirque !

— Au moins, quand on aime ce qu'on fait, c'est à demi mal. C'est pas évident de vivre à l'état sauvage.

— En tout cas, il faut pratiquer la folie douce des enfants. Demande à un intellectuel qui veut tout contrôler et qui refoule ses émotions de faire une grimace. Attention, il se prend au sérieux ! Crois-moi, t'auras pas grand succès. Des enfants intérieurs, il en meurt à la tonne, et c'est un génocide caché ! Le test de la grimace, y'en a pas beaucoup qui le passent. On a inventé le rire thérapeutique. Le rire du chien, du lion, du poisson, de la chèvre de monsieur « Fafouin ». Ça vaut mieux que bien des pilules. On est tellement raides, tricotés avec de la broche à poulailler.

— Aaaah ! Arrête, tu me donnes mal au ventre.

Colette la trouve vraiment rigolote.

— Tant mieux. Vaut mieux avoir mal au ventre qu'avoir le nez bouché.

— Le nez bouché ?

— Oui, le nez, le museau. Il respire l'oxygène, cercle enflammé de bougies parfumées !

— Je voudrais aussi danser, mais je n'y arrive pas toujours facilement. Je cherche des pistes. J'ai des raideurs, de l'arthrose, de l'arthrite rhumatoïde, des nodules aux cordes vocales.

— C'est parce que tu as le nombril endormi.

— Le nombril endormi ?

— Oui, dans le ventre de notre mère, il guide nos mouvements et le cordon ombilical, on peut pas se pendre avec. Si un jour tu réalises ton rêve de nager avec les dauphins, ton nombril va friser et ton bassin se changera en chaise à bercer.

— Aaaah ! (*Elle rit.*) Arrête, tu me fais pleurer !

— Des bonnes larmes salées, quand on rit ou quand on pleure, il faut les goûter. Y'a pas meilleur apéritif pour retrouver le goût de vivre. Il faut extérioriser ses émotions. Les peuples primitifs le faisaient et encore aujourd'hui ceux qui vivent à l'état naturel. Ils ont conscience du mental, de l'émotionnel et du physique. Ils ne mangent pas leurs émotions. Ils expriment comme les enfants, instantanément, la tristesse, la peur, la colère ou le désespoir. Ils sourient, ils rient, ils grimacent, ils peuvent chanter à tue-tête et danser comme c'est pas possible.

— J'ai commencé très jeune à avoir des craintes et je ne riais pas très facilement. Il y a un manque de synchronicité entre mon corps et mon intériorité. Une sorte de cocon est collé sur mon corps.

— Il faut trouver pourquoi.

— Je sais pourquoi, mais c'est personnel.

Elle change de sujet.

— Il y a beaucoup d'adultes et d'adolescents perturbés qui deviennent des personnes carrément asociales. Des fois, on n'a quand même pas le choix. Il faut les isoler. J'en ai vu qui faisaient carrément peur.

Colette en tremble encore.

— C'est sûr, quand ça fait dur, ça fait dur. Je sais ce que c'est, je travaille comme armurière dans une prison et j'ai hâte de prendre ma retraite. Crois-moi, là-bas, c'est comme ici. Les murs ont du vécu. La souffrance est congelée et les blocs de glace, on peut les recevoir en pleine face. On devrait leur faire des thérapies de grimaces. Les faire loucher, tirer la langue et lancer plein de sons bizarres.

— C'est ça, les poupées de pluie sont devenues des stalactites parce qu'elles sont pas assez excentriques. Ça y est... je verse dans la folie douce !

— Ne lâche pas ! Ça te fera du bien.

Hélène trouve que l'ambulancière est bonne élève.

— Les poupées de pluie, je sais ce que c'est. C'est la fluidité, le naturel, la nostalgie, le mouvement de la vie qui refuse de figer... C'est la vie par en dedans. C'est le cœur, la réflexion intérieure. Quand tu t'en éloignes, c'est bien triste. Il y a souvent putréfaction et pétrification. Quand tu congèles ce qui pue, c'est ni vu ni connu. Mais ça pèse lourd dans le sac à dos et un jour, ça dégouline sur le tapis. C'est pas facile de fuir sans cesse. Le spleen, c'est vraiment tenace, Colette.

— Je me sens comme un classeur rempli de dossiers. Il faudrait que je me déleste de toute la tristesse qui est en moi. C'est tellement désolant de trouver des suicidés.

Elle place sa tête entre ses mains. Ses *yeux de biche* auraient tant besoin d'être cajolés.

— Un homme s'était rendu dans un petit boisé à l'arrière d'un cimetière. Il s'est pendu à un arbre. Il faisait beau. Une petite brise me caressait la peau, des vaches broutaient tout près, mais cet homme d'une soixantaine d'années avait décidé que, pour lui, la vie s'arrêtait là. Il avait laissé une lettre dans son auto. Il venait d'apprendre qu'il était atteint d'un cancer et le désespoir a pris le dessus… Un jeune homme dans la vingtaine, sur une ferme, s'est pendu dans un des bâtiments. Je ne l'ai pas vu, mais je me suis occupée de sa mère qu'on a transportée à l'hôpital… Que d'incompréhension, que d'impuissance… Un adolescent de quatorze ans qui vivait tout près de chez mes parents – je le connaissais assez bien, surtout sa sœur – s'est pendu au poteau de la corde à linge. Ses parents l'ont découvert en se réveillant le lendemain matin.

— C'est quoi ? La drogue… l'alcool… une peine d'amour ?

Hélène est carrément épouvantée.

— Il y en a trop qui vivent dans leur tête. Les solitudes se côtoient. L'isolement fait beaucoup de ravages chez les personnes sensibles. Elles se sentent incomprises. Découvrir une personne qui s'est donné la mort est pour un ambulancier un stress énorme. Quand c'est un jeune, on pense aux parents. Dans le monde, il y a environ un million de personnes qui se suicident par année. Ça, c'est sans compter toutes les tentatives de suicide ratées. Les jeunes hommes de quinze à dix-neuf ans mettent souvent fin à leurs jours après une peine d'amour. À tout âge, la rupture amoureuse chez l'homme peut mener au suicide, à la suite d'un rejet, divorce ou décès. Ceux de soixante-cinq ans et plus passent à l'acte à cause de la solitude et de la souffrance physique. Les jeunes femmes de quinze à dix-neuf ans sont très affectées par l'isolement et il arrive qu'elles mettent fin à leurs jours. Mais chez les hommes, c'est nettement plus violent. L'utilisation des armes à feu et la pendaison sont au premier rang.

— C'est ça, le problème. Et pour éviter de souffrir, on abuse de l'alcool, on découvre les drogues, les excès alimentaires, le sexe à la planche. On se gèle la cervelle et on fait du cinéma muet. Mais Charlie Chaplin, lui, savait se faire comprendre.

— Un autre adolescent de quinze ans s'est tué d'une balle dans la tête.

— Mes amis ! tu devais finir par avoir peur de travailler.

— Celui-là, c'est une collègue ambulancière qui était de garde qui l'a trouvé, mais il était pas mort. Il était conscient à l'arrivée des policiers. Il était paniqué et extrêmement souffrant. Il criait énormément. Aux dernières nouvelles, il vit encore, mais il a perdu la vue. Que de souffrances morales et physiques ! Il y a aussi un homme qui s'est suicidé au fond de son sous-sol, de la même façon. La balle a traversé son crâne et a perforé un tuyau. C'était vraiment une découverte macabre. Il faisait noir. On l'a retrouvé étendu sur le plancher de terre.

— Avec l'eau… il baignait dans la boue ?

— Oui.

— Et les femmes ?

— C'est moins violent. C'est avec des médicaments ou des lames de rasoir dans l'eau du bain. Il y a au moins mille deux cents suicides par jour dans le monde. Je devrais dire par jour et par nuit… par vingt-quatre heures. Et durant certaines périodes de l'année, c'est beaucoup plus que ça encore ! Et… pendant que ce nombre est passé aux actes, huit mille cinq cents autres font une tentative. Sur une année, c'est assez épeurant.

Pendant les deux grandes guerres mondiales, il y a eu moins de suicides, mais on s'est bien repris pendant le krach boursier de 1929 et le premier choc pétrolier de 1970. Depuis les années 1990, avec la récession mondiale, on stagne à un niveau assez élevé.

— J'ai déjà tenté de me suicider avec des médicaments.

Hélène ne craint pas de faire cette révélation.

— C'est facile de ramasser des pilules et d'avaler de la mort en comprimés.

— J'ai une amie qui a pensé au suicide à l'âge de dix ans. Sais-tu pourquoi ? Quand ses seins ont commencé à pousser, elle a pensé se zigouiller parce que sa mère, sa grand-mère et ses tantes ont toutes eu le cancer du sein. Il y en a qui en sont mortes et d'autres ont survécu. Elles déployaient leur terreur et non leur courage devant elle et tous les mois, sa mère lui demandait de tâter ses seins à la recherche de l'ultime bosse. Je sais pas mais y m'semble que c'est pas la fonction d'une enfant d'être une démineuse de mamelles !

— Jeanne Thibault ?

— Euh... oui, c'est bien moi.

La psychiatre est devant elle. Hélène la lorgne du coin de l'œil. Elle n'aime pas cette ressemblance qu'elle a avec sa mère.

— J'ai signé votre congé.

Elle se tourne vers elle. Non... ce n'est pas la même ! Pendant qu'elle lui parle, elle pose la veste de Colette sur ses épaules, question d'atténuer l'effet poupée.

— Vous devez vous présenter en clinique externe. C'est moi qui ai signé votre congé. Vous souffrez d'un choc post-traumatique. Vous avez besoin d'aide, mais vous n'avez plus besoin d'être hospitalisée. Quelle date sommes-nous ?

— Euh... 31 mai 2003... sur la planète Terre. Je ne suis pas une poupée.

— Très bien. Vous pourrez récupérer vos papiers d'identité à la sortie. Bonne chance ! Vous l'accompagnez ?

— Oui, je suis infirmière-ambulancière.

— *Dre Lise Dandurand est demandée au cinquième étage.* (*Le haut-parleur est un véritable arrache-oreilles.*)

— Excusez-moi, ici, ça ne lâche pas.

La psychiatre sort de la chambre au pas de course.

— C'est sûr… le monde est *stone*.

— Hélène, retiens-toi un peu.

— Pourquoi ? Y'a rien de mal. C'est un extrait de la chanson *La serveuse automate* qui veut aller planter ses tomates au soleil, et je la comprends. Tant mieux pour elle, il y en a beaucoup qui savent même pas planter des choux.

— Mon chanteur préféré, c'est Kevin Parent… As-tu les cheveux secs ?

— Oui… ils sont encore un peu humides, mais il fait tellement chaud.

— Il faut se dépêcher, Hélène, y'a Jeanne qui nous attend.

— Elle le sait pas, mais son cœur nous réclame.

— Nous serons toutes autour d'elle.

— Avec Lily, nous sommes treize à la douzaine. On a vécu une semaine comme y'en a pas deux. La salle de yoga était une cathédrale de tissus et la *thérapie des voiles et des cocons*, ça fait voleter le duvet du plus récalcitrant des poussins.

— Il y avait des poussins récalcitrants ?

— Non, des poussins souffrants, et le malheur a des résistances.

— Éloïse est déjà là, la petite-fille de Florence. Et Lily m'a parlé d'une Yoshiko qui viendra nous rejoindre. Les autres poupées sont toutes arrivées.

— Y'a pas de temps à perdre. On y va !

Dans l'ascenseur, Hélène se remémore la date d'anniversaire de Jeanne : 5 mars 1935… 5 mars 1935… 5 mars 1935… rue Marlowe… Marlowe… Marlowe…

À la sortie, tout se passe bien. La poupée-bonheur transformée en poupée de chiffon est relâchée en pleine urbanité.

Dans le taxi, Colette lui parle de Kevin Parent. Elle aime sa sensibilité et les mots qu'il emploie pour décrire ce qu'il ressent. Elle est très méticuleuse, mais dans ses pensées, c'est souvent le brouillard; alors ça l'aide à mieux verbaliser. Surtout quand il dit, ou plutôt qu'il chante, qu'il n'est pas habitué d'être bien dans sa peau, qu'il s'en est empêché pour ne pas faire mal aux autres. Ou encore, quand il rêve à un nouveau départ où ses jours seront clairs, où il sentira tout son corps, l'esprit éveillé, sans remords.

Colette essaie de se définir en termes aromatiques.

— En notes de parfum, parce qu'un vrai parfum a au moins douze notes. On pourrait me définir comme un mélange de mandarine, d'hydrangée, de pamplemousse, d'alstro et de limette…

— D'accord… ça fait cinq.

— …de magnolia, de campanule, de lilas… de cassis et de violette…

— Ça fait dix.

— …de mélèze… de fève tonka, de benjoin, de chrysanthème et de fleurs de ciboulette.

— Ça fait quinze. Ça t'a pris combien de temps pour apprendre tout ça… parfumerie d'encens d'église?

— Par cœur? Trois semaines. Mais c'est des cartes que j'ai pigées il y a treize ans, quand j'ai rencontré Florence. Il fallait choisir à l'aveugle. Chacune a sa signification.

— Fève tonka… T'as vu le film *Danse avec les loups?*

— Oui.

— *Tonka… Tonka!* C'est ce que criaient les Amérindiens quand le troupeau de bisons était en vue.

— La fève tonka, c'est le fruit d'un arbre d'Afrique tropicale. Dans les notes de fond, cette carte signifie: *capable de s'affairer à trouver des solutions dans les grandes difficultés.*

— Une vraie carte d'ambulancière !

— Oui… au début de mon stage à Montréal, ça m'a vraiment impressionnée.

— Et alstro ?

— Alstro, c'est pour alstroemeria. Crois-moi, j'ai tout regardé à la loupe. Je ne suis pas minutieuse. Je suis maniaque. Cette fleur très belle est surnommée *lys des Incas* ou *lys du Pérou*. Elle est originaire d'Amérique du Sud.

— Et la signification de la carte ?

— C'est : *ouvrir son cœur à la puissance de la transformation…* Là, je peux dire que ça m'a pris plus de temps à y arriver. C'est vraiment maintenant que ça va se passer. Je voudrais voir la vie au travers d'une fenêtre en forme d'étoile et me promener dans un jardin zen, sec, fait de pierres, de gravier et de gros sable.

— Sans plantes ni eau ?

— Sans plantes… ni eau… mais avec mes poupées de pluie. Elles ont élu domicile dans le cœur de l'enfant intérieur. Je pense que madame Cécil l'avait bien compris. Au fond, elle aurait souhaité, voulu, espéré que la transparence et la candeur du monde des poupées aient une petite place dans les ombres de l'enfance qu'on contemple du haut de la maturité civilisée. Et plus que ça, c'en était certainement une qui avait refusé d'être domptée.

Hélène pose sa tête sur l'épaule droite de Colette.

— Tu en sais déjà beaucoup plus que moi sur elle.

— Jeanne est un moulin à paroles depuis que la salle de yoga a été transformée en hôpital pour jouets à deux pattes.

— J'aime l'expression.

— Quand elle est née, elle pesait 750 grammes.

— Jeanne ?

— Non, madame Cécil. Elle est née presque à terme, mais sa mère faisait de l'albumine.

— Son sang était empoisonné ?

— Peut-être… En tout cas… elle avait l'air, selon ses dires, d'un rat écorché.

— Un rat sans peau ?

— …C'était sûrement pas beau à voir. On l'a enveloppée dans de la ouate et, d'après moi, on l'a très peu touchée. Elle semblait avoir la peau si fragile. On l'observait à distance, espérant qu'elle fasse de la graisse.

Hélène a toujours la tête sur l'épaule de Colette.

— Si je te disais que je m'endors…

— Elle a pleuré pendant trois ans.

— C'était comme Peter Pan au pays des mammouths… mais elle a compris bien des choses. Elle a dû apprendre très tôt à lire dans les pensées.

Hélène en est persuadée.

— Les poupées de pluie dansaient dans ses rêveries et elles avaient très peu d'amis.

— Au fond, il y avait tellement de pluie dans son cœur qu'elle s'en est fait une sorte de nourriture. Ça lui a donné la force de se battre… Le rat a pris sa revanche !

Hélène a redressé son dos. Avec le rat, elle est prête au combat.

§ Elle avait une âme de résistante, cette chère Cécil. Plongée dès sa naissance dans le maquis de la vie, elle avait une affinité naturelle avec ceux qui se débattent et font face. De l'Occupation à la Libération de Paris, de 1941 à 1944, elle a suivi de Sainte-Blandine le quotidien des Parisiens. C'étaient les années noires de la Ville Lumière. Son père lui avait écrit que la musique y jouait un rôle important. Goebbels, homme de confiance d'Hitler, avait fait venir à Paris des orchestres et les chefs les plus prestigieux du Reich. Chaque dimanche, les musiciens s'exécutaient dans les kiosques… Ils ne croisaient pas le regard des Parisiens. Ceux-ci regardaient dans le vide.

« Tous sortent le moins possible, lui écrivait-il ; dans le métro, les hommes et les femmes sont au bord des larmes. » Dans les rues, les drapeaux nazis étaient d'un rouge éclatant, jusqu'en août 1944 où les drapeaux français et américains les ont supplantés. Là, madame Cécil s'est éclatée et Jeanne a mangé le civet de lapin le plus délicieux de toute sa vie, avec des feuilles de moutarde de son jardin, coupées en chiffonnade, ajoutées au bouillon en fin de cuisson. « Ce qu'ils en ont bavé, les Parisiens. Ils ont eu faim, ils ont eu froid. Ils buvaient toujours de la piquette et avaient le pif comme une morille... C'est une sorte de champignon troué. Les femmes s'enduisaient les jambes d'une pâte, puis elles traçaient une ligne sombre à l'arrière, donnant l'impression d'une couture. On pouvait croire qu'elles avaient des bas. Elles affrontaient les "souris grises" allemandes : les femmes soldates. Toute la France en a bavé. Toute la France en a mangé, des patates de cochon ! »

— *C'est quoi, des patates de cochon ?*

— *C'est des topinambours.*

— *C'est quoi, des topinambours ?*

— *Des patates de cochon.*

Voilà ce qu'elle relatait à Jeanne qui, quelques mois auparavant, avait eu dix ans.

## VIII

Pendant ce temps, Jeanne a continué son voyage. Devant toutes ses compagnes et Lily transformées en jouets de tissus, elle a parlé, lancé d'étonnants bavardages du type: « Pourquoi y'a pas de poupées trisomiques et de poupées handicapées ? Y'en a qui naissent sans bras. J'ai connu plusieurs victimes de la thalidomide qui auraient aimé avoir dans leur chambre ce genre d'inséparable bienveillant. »

— La thalidomide, c'était en 1960, lui a répondu Liette.

— C'était en 1960, mais il y en a encore qui naissent avec des infirmités, à cause des réacteurs nucléaires, des résidus de bombes et des insecticides. Peu importe, ça ouvrirait le cœur. On pourrait aussi faire des poupées-fœtus. On est tellement aveugle qu'on est rendu à penser qu'on est humain quand on a conscience d'exister. Je suis pas bête. Il peut pas y avoir de pommes sans pommiers. Y'a pas de générations spontanées. On passe du stade de sauterelle à celui d'avocat, puis à celui de mangue et de melon. Côté grosseur, c'est là qu'on en est à quatre mois et demi de grossesse. Je le sais. Ne me dites pas le contraire. J'avais seize ans, j'étais menstruée seulement deux fois par année. Je le savais pas… je l'avais oublié… j'avais perdu la mémoire de ce qui s'était passé. Je me suis couchée avec un mal de dos. En pleine nuit, j'avais envie. Je suis allée aux toilettes et j'ai entendu *plouc* dans l'eau du bol ! Il y avait comme un vide dans mon ventre et je ne comprenais pas pourquoi.

Son visage s'est transformé. On y palpe le drame, on est propulsé dans l'événement.

Elle crie et court dans la salle.

— Pourtant, j'avais pas eu de diarrhée. Je me lève. (*Elle pleure.*) Je regarde. C'est un petit bébé enveloppé dans un sac. On dirait un chat. Je saigne. Je le sors de l'eau. J'étais enceinte ! Comment j'ai pu faire ça ? J'ai des crampes au ventre. J'ai seize ans. On va me tuer ! Tout y est, même ce que je connais pas. *La suite*, comme on dit. C'est ce que mangent les chiennes et les chattes lorsqu'elles mettent bas.

— C'est le placenta, Amivie chérie.

Paule est vraiment chavirée. S'il avait fallu que ça lui arrive, sa mère n'aurait fait qu'une bouchée de sa portée.

— Comment as-tu fait ? Tu n'en as pas parlé à tes parents, à ta famille ?

Françoise est très émotive.

— J'avais bien trop peur. J'ai ouvert le sac. Elle ne bougeait pas. Elle… c'était une fille… elle n'avait qu'un bras et elle suçait son pouce. Mais elle était morte. Elle était figée. Je l'ai lavée. Je l'ai enveloppée dans une petite couverture. Je me suis foutu des guenilles entre les jambes et je suis allée me coucher. Je saignais comme un blessé à la guerre, mais… c'était pas une terrible hémorragie. Vous pouvez pas savoir ce que ça fait d'avoir dans les mains une poupée-fœtus. J'avais un gros blocage dans la tête. Cette nuit-là, j'ai décidé d'aller vivre chez ma tante, à Saint-Paul. Je me sentais exclue de Sainte-Blandine. J'ai caché la petite pendant trois jours. Je la lavais tous les soirs… mais elle sentait tellement le poisson. Je lui ai fait un cercueil avec une boîte à chapeau. Je l'ai enterrée dans le jardin. On venait de faire la récolte des concombres. Il y avait plein de place.

— Tu aurais pu souffrir d'une grave infection.

La poupée-roche Françoise est secouée d'un tremblement de nerfs.

— C'était la vie ou la mort !

Elle court encore et attrape au passage un tissu rose qu'elle roule en boule.

— Pourquoi y'a pas de poupées-fœtus et… des poupées-bébés non désirées ? On pourrait leur dire quelques mots d'amour.

— Qui a dit que les poupées et les oursons sont un peuple-jouets sans histoire ? Ils réchauffent tout ce qui frissonne. Je dis « qui a dit ? » et je réponds à ma question : les adultes pétrifiés !

Justina s'approche et caresse la boule de voile rose que Jeanne tient d'une main maternelle. Elle a son idée sur le peuple-jouets.

— Elle n'avait pas à venir au monde, cette petite. Il était trop tôt pour elle.

Éloïse observe la pelote mouillée de larmes.

— Je suis d'accord… mais d'où est-elle venue ?

Jeanne se frotte la tête à s'en arracher les cheveux.

— Ça, il faudra le découvrir.

Busara lui met la main sur l'épaule.

— A-t-on forcé la porte ? lui dit-elle. Dans mon pays, plusieurs femmes ont été brutalisées et violées.

— Il y a comme un blocage… une paralysie de la mémoire… Mes poupées de pluie ont fait des flocons. J'ai un cœur de neige.

Hélène et Colette qui sont arrivées ont observé une partie de la scène. Hélène ouvre les bras.

— Ma Jeanne !

— Tu as des yeux pleins d'amour. Je connais ton visage, mais ne m'en dis pas plus.

— Dans ton cœur de neige, il y a beaucoup de flocons.

Hélène se fait violence au point où son thorax est écrasé par un insolite corset.

— Chacun de ces flocons a son langage. La neige, ça me connaît. J'en ai fabriqué pendant des années. J'avais la poésie des froidures. J'étais comme Nelligan, *tous mes étangs gisaient gelés,* cristaux de glace de bonshommes pétrifiés ! Je t'ai placée dans une coquille d'amour, ma Jeanne, et je suis entrée en communication avec ton âme.

Elle reluque sa robe de poupée-chiffon. Hélène avait dû la revêtir pour lui servir de substitut.

— Tu as terminé ta mission ?

— Oui, ma mission est accomplie. Je suis revenue en taxi avec l'infirmière-ambulancière.

— Où est-elle ?

— Je suis ici, Sérum de vérité.

— C'est bien, vous connaissez et reconnaissez mon identité. J'aimerais que vous puissiez choisir des tissus pour vous en envelopper.

— Celui que j'avais déjà choisi, violet et orangé. Où est-il ?

Colette va le chercher au fond de la salle.

— Ici !

Denise se demande quelle attitude adopter. On l'a qualifiée de poupée-ballerine.

Elle tournoie autour des cordes à linge où différents tissus sont accrochés.

Hélène choisit une étoffe cramoisie.

— Je m'enveloppe à nouveau de ce qui m'a attirée, cette semaine, pendant *la thérapie des voiles*, le crêpe de Chine cent pour cent soie, souple et infroissable. On a pas réussi à me froisser dans ce rêve où je t'ai rencontrée, Sérum de vérité. J'ai été attaquée par des têtes d'épingle programmées pour la destruction. Des virus de l'âme. J'en ai fait mon affaire pendant que tu te sauvais !

— Je me suis sauvée ?

— Tu étais bouffée par la peur, et moi, poussée dans mes derniers retranchements, j'ai utilisé l'arme ultime : *la danse et la poésie de l'immunité.* Merci, Florence ! L'âme a un système immunitaire. Je l'ai activé.

Elle fait quelques pas de danse accompagnée de la poupée-ballerine et récite les premières phrases : *Je suis un être sensible. Veuillez présenter votre passeport vibratoire à la frontière de mon territoire spirituel personnel.* Puis elle s'arrête un instant.

— Est-ce que les démons existent ?

Cette question est en lien avec la peur irraisonnée de Jeanne.

— Peut-être… Je ne sais pas… Je ne sais plus…

Jeanne a l'impression de s'enfoncer dans des sables mouvants.

— Je parle des vrais démons, pas des humains diabolisés. Les vrais démons sont des formes nées dans l'utérus de nos peurs et de nos fantasmes fous. Ils s'évanouissent si on arrête de les alimenter par un cordon de nutrition. Je me disais : « Non ! ils vont pas m'avoir ! » Alors, il a ouvert son parapluie, mais… il ne m'a pas eue.

Hélène a une gestuelle de tragédienne. Les bras ouverts en croix, elle n'a pourtant aucune intention qu'on l'assassine. Elle devrait faire du théâtre, celle-là.

— Non, pas le parapluie !

Jeanne s'accroupit et lance la boulette rose sur sa tête.

— C'est beau, on se protège avec une mémoire de fœtus !

Hélène a un ton de réprimande.

— J'ai été fière et courageuse.

— J'ai honte !

— *Virus* est un mot latin qui veut dire *poison.*

Lily se tourne vers elle, l'air de dire « c'est évident, on parle d'invasion ».

— Il faut se battre. Si tu as peur dans ton corps et dans ton âme, tu menottes ton système immunitaire. Dans ce cas-ci, se battre, c'est avant tout rayonner.

Sur ces mots, Lily ouvre les bras. On pourrait croire, à voir ce qui émane d'elle, que des milliers d'étincelles spirituelles parcourent la pièce !

— Il faut lutter contre *le génocide des enfants intérieurs.*

Elle a capté l'amalgame des formes pensées que madame Cécil a cultivées.

Un vent de vérité parcourt la salle où les tissus sont momentanément figés.

§ Qu'on parle de ce génocide ou de celui des *poupées de pluie*, il s'agit d'une même réalité, d'une majorité invisible que la violence physique et psychologique, la sexualisation de l'enfance, la surexposition du corps, la sexualité dépourvue de signification, la rationalité extrême tendent à exterminer. Ce crime contre l'espèce humaine est bien réel. Il tue dans l'œuf l'enthousiasme, la spontanéité, la douce folie, l'authenticité, l'humanisme naissant, le sens de la beauté, de la réflexion, la noblesse, la dignité et l'ouverture du cœur. « Mais arrêtez de répéter le message. On le connaît par cœur », diront certains. C'est pourtant beaucoup plus sérieux qu'on ne le croit ! Jeanne est de ces êtres porteurs d'un autre regard. Elle vit une crise existentielle qui l'a percutée au tournant. Si elle craque, si elle chute, combien d'autres tomberont ? Car, qu'elle le veuille ou non, elle est un bastion dans cette luminosité qui se fragilise, qui s'étiole, sur la route de la capacité d'émerveillement. Gaston Berger disait : « Si le monde nous paraît absurde, ce n'est peut-être pas le monde qui est absurde, mais notre regard sur le monde. »

— Je suis la poupée voilée et, devant vous, je me présente en tant que Fulla !

Ho ! changement de ton. Les têtes se tournent toutes dans sa direction.

Chérine a vécu en Arabie Saoudite. Elle est gynécologue et a fait ses études à Paris. Cette semaine fut marquée par ses révélations. Elle dénonça l'abaya et le voile, qu'elle ne porte plus.

— On me fabrique depuis cette année en Chine, pour le compte d'une société syrienne enregistrée aux Émirats. On prévoit vendre quelques millions de mes exemplaires, d'autant plus que l'Arabie Saoudite vient de fermer ses portes à Barbie.

§ Je vous rappelle que nous sommes en 2003.

Elle se dit que ça changera les énergies. Jeanne semble avoir pris racine avec sa boule de tissu sur la tête. Si elle a jeté l'ancre dans la tragédie, il faut la dégourdir avec ce combat Fulla *versus* Barbie.

— Je n'aime pas Barbie !

Jeanne s'arrache à la triste réminiscence du fœtus-poupée. Il vaut mieux pour l'instant. Si ça continue, elle en perdra le souffle.

Et sa haute pression ? Colette l'observe. L'ambulancière aux *yeux de biche* n'a pas dit son dernier mot. Elle veut en discuter avec Lily. Ça pourrait effectivement lui jouer un mauvais tour.

— Tu es Fulla ?

Jeanne lance le voile rose qui s'étiole sur le plancher.

— Oui.

— Et tu t'opposes à Barbie ?

— Je ne m'oppose pas à Barbie. Ce sont ceux qui me fabriquent qui s'y opposent. On utilise les poupées pour transmettre des valeurs.

— C'est vrai, c'est le bikini ou la poche de tissu !

— Ce n'est pas une poche. C'est bien taillé. Je suis très modestement vêtue, de la tête aux pieds.

— Tu es complètement voilée !

— Mon code vestimentaire n'est pas celui de Barbie qui cherche à s'exhiber, mais toutes deux, nous aimons les tissus et souhaitons autre chose que d'être des objets de consommation utilisés pour transmettre une image de la femme aux petites filles. Autrement dit, nous ne voulons pas servir le système comme objets de convoitise ou encore pour être irrémédiablement soumises.

Mélodie la poupée-plastique se sent interpellée.

— Qui fait la mode ? Il faut dire que c'est souvent les hommes. Quand tu es à moitié nue, où sont tes frontières ? Et... quand tu es vêtue de la tête aux pieds et même voilée, je dis que tu portes non seulement ta propre pudeur, mais aussi celle des autres. Tu les rends paresseux quant à l'effort à faire pour voir en la femme un être pouvant ennoblir son milieu. La vocation première de la femme n'est pas la séduction. Après avoir joué le jeu du top-modèle pendant plusieurs années, j'en suis aujourd'hui consciente. La beauté naturelle a une grâce irremplaçable. Pourquoi la voiler ou la dénuder dans l'espace public ? Je me pose vraiment la question.

Sophear, la poupée-tristesse qui, durant son enfance, sous le joug des Khmers rouges, au Cambodge, n'a joué qu'avec les insectes et les petites baies de fruits, pose aussi une importante question.

— Mais qu'est-ce qu'on a comme poupées dans les pays arabes ?

Quand on a eu une enfance délavée par la guerre, on a de la difficulté à imaginer ce qui peuple, dans les pays éloignés, la vie des tout-petits.

— Oh... il y a de la variété. On joue avec la poupée enceinte et la poupée-bébé. Il y a aussi une grande tradition de poupées-hommes. J'ai vu des collections de poupées sahariennes et nord-africaines. Il y a de tout : des cavaliers, des muletiers, des bergers, des guerriers, des mariés... Elles sont faites en matières végétales ou en étoffes, en terre crue ou cuite et même en pierres plates. On les décore souvent avec des touffes de poils de chèvre.

— Ha ! Ha !

Sophear a le rire cristallin, mais on y ressent une grande timidité.

— Il y a aussi le chameau de bois ou d'acacia. On y ajoute des guenilles ou du tissu blanc. C'est la monture de chef. Mais les poupées-femmes sont beaucoup plus répandues. Elles sont souvent confectionnées par les filles elles-mêmes ou quelqu'un de la famille, et elles représentent de jeunes mariées. On les utilise aussi pour jouer au ménage ou à la fête.

— Là-bas, c'est pas de la poussière qu'on ramasse, c'est du sable ! C'est important d'apprendre à jouer au ménage.

Jeanne a déposé son grain de sel.

— On les fabrique avec des roseaux, de la laine, du cuir... Je dirais : tout ce qui tombe sous la main, y compris des coquillages, du métal blanc et des pièces de monnaie.

— Il y a des coquillages dans le désert ?

Jeanne fait l'enfant.

— Il y a pas que du désert. Il y a aussi des mers, comme la Méditerranée, bien sûr, que les Arabes surnomment « la mer blanche du milieu » ; la mer Rouge aussi... À part ça, il y a les poupées importées.

— Sauf Barbie !

— Tout dépend des pays.

— Il faut faire un congrès de poupées !

Liette s'est approchée. Elle voudrait, ma foi, un soulèvement populaire. Elle a lancé la phrase avec élan, souhaitant un grand rassemblement.

Hélène se tourne vers Jeanne qui vient de recevoir le *mot boulet* comme un direct au plexus solaire.

— J'ai dit...

Elle s'accroche à Hélène et Liette.

— ...que... je ne veux... plus... aller près du parapluie.

— Résiste, fais une femme de toi !

Hélène la pousse à se tenir debout.

— Je... suis... le Sérum... de vérité... Je... veux... vraiment... m'opposer!... Donnez-moi de l'eau.

Son front est moite. Encore une fois, Liette a été malgré elle l'artisane de cette lutte invisible. Elle est découragée.

— On peut plus se laisser aller. Allô la spontanéité! Je suis pas habituée d'avoir des idées en arrière de la tête. C'est *bad*! C'est vraiment *bad*! Ça sent la *doll* et je peux pas émettre mes pensées. C'est difficile quand il y a autant de baragouinage. Je vais rentrer chez moi.

— Non, ne pars pas.

— Sans le savoir, je te force à la bravoure.

Lily lève les bras.

— Nous avons parlé de tout, sauf de poupées vaudou. Je propose une pause. Les vérités... planent dans le silence. Il faut les cueillir, comme les fleurs des jardins secrets. Nous nous retrouverons dans une demi-heure.

Et Lily a les épaules contractées.

— Je dirais les cueillir et nous recueillir, ce qui nous permettra de saisir les messages de nos poupées de pluie. Je vais prendre l'air. Qui veut venir dehors avec moi?

Hélène n'en peut plus.

— Mes poupées de pluie sont très agitées. Elles vont bientôt fondre en larmes.

Jeanne arpente la salle. Elle traîne les pieds.

— Pleure ce que tu as à pleurer. Assois-toi, je vais prendre ta pression.

Colette lui parle avec beaucoup de délicatesse.

— Que j'aie été Poupée ou Sérum de vérité, tu as toujours vérifié ma pression. Bientôt, je serai la Vérité sans le sérum.

— Tu prendras ton envol. Il y a des cocons étouffants qui deviennent quasiment des camisoles de force.

— Ça, ça me fait peur et me fait penser à la folie.

— Non, je veux juste dire un vêtement trop serré. Peut-être n'as-tu plus conscience des véritables dimensions de ton âme, ce qui fait que tu étouffes malgré toi ?

— Oui.

— Moi aussi, j'étouffe à ma façon.

— Toi, Pirouette ?

— Je voudrais être plus que Pirouette. Je voudrais devenir Colette-Cabriole !

— Hein, C-C ! Il y a Cécil Chocolat, il y aura Colette-Cabriole ?… Aimes-tu le chocolat ?

— Ça fait presque un an que je n'suis plus tourmentée par le chocolat et le sucre. Quand je commençais à manger quelque chose de sucré, j'arrivais plus à m'arrêter. Je faisais la même chose avec la télé. Je voulais oublier les horreurs qui me traumatisaient dans mon travail… Je veux m'épanouir dans le respect de ma nature profonde… J'ai des mains guérisseuses et je n'ai jamais voulu l'accepter. Pourtant, je l'ai souvent constaté, particulièrement la nuit, dans les ambulances. Il faisait noir et je me permettais alors d'être moi-même… Si on allait se coucher près de la tortue… ?

— Vraiment, maintenant, en plein jour ?

— Oui, en plein jour.

— J'espère que j'aurai pas le mal de mer.

Jeanne est très anxieuse.

— Pourquoi l'aurais-tu ?

— J'ai pas le pied marin.

— Qui te parle de bateau ?

— Si je vois que du brouillard, je serai pas digne de paraître devant la tortue. J'aurai le vertige et je serai totalement déboussolée.

— La tortue est un gigantesque cristal de roche. Tout est question d'émission et de réception.

— Et si je m'endors, où est-ce que je serai catapultée ?

— Aie confiance. Tu ne vis pas en surface. Alors pourquoi craindrais-tu de te retrouver dans les profondeurs, avec cette merveilleuse bonté à laquelle tu t'es consacrée toute ta vie ?

— Il y a toutes sortes de profondeurs. La bonté… je crois qu'elle est guérisseuse. Elle est un genre de pansement.

— J'affirme que oui. Je l'ai souvent expérimenté auprès de ceux qui souffrent. Il y a des souffrances tellement vives !

— Oui… et c'est là qu'on risque de s'évanouir.

— Alors s'éteint la conscience du moment, mais il y a des balafres énergétiques, des meurtrissures qui perdurent. Il faut les soigner.

— Ça doit être des sortes de trous dans l'armure.

— Possiblement… J'aime ta candeur et quand je te regarde, j'ai des relents de sapins de Noël.

— Vraiment ?

— J'aimerais que cette odeur me titille les narines plus souvent.

— Les sapins, il y en a plein dans les forêts. Tu pourrais aller les retrouver. Ils te tendraient leurs branches pour te réconforter.

— Oui, c'est vrai…

Colette réfléchit. Elle semble faire un retour en arrière.

— J'ai été candide et… on m'a trompée.

— Fais comme l'éléphant. Il a de la mémoire, mais… il a fait la paix avec sa trompe.

— Ha ! Ha ! Ha ! Ayoye !

— J'ai réussi à te faire rire, Colette-Cabriole !

— Et si tu me fais rire, c'est que tu n'as pas l'âme à la tristesse.

— Je n'ai pas l'âme, j'ai l'âne. J'avance pas très vite, il me semble, et Liette, malgré elle, m'a botté le derrière.

— Peut-être que tu empruntes trop de chemins de travers.

— J'ai l'âme tricoteuse... à l'endroit, à l'envers... J'échappe des mailles et, malgré tout... ce que je tricote réchauffe ceux qui en ont besoin.

— Il faut faire attention et lutter pour que le moi ne se désagrège pas.

— Style fromage fondu sur une pizza ?

— On pourrait dire. Il y a aussi la problématique des personnalités multiples ou des tendances dans lesquelles on se réfugie.

— Ce qui n'est pas recommandable. J'ai entendu des histoires farfelues comme celle de Sybil qui avait seize personnalités.

Jeanne veut en savoir plus sur le sujet.

— Dont deux garçons qui l'ont quittée au bout de onze ans de thérapie. Chaque personnalité avait ses souvenirs. Il y a des doutes maintenant sur la véracité de ce récit. Il semble que la psychothérapeute ait suggéré à la patiente de mettre des noms sur ce qui n'était que des tendances ou des traits de caractère, en ajoutant l'hypnose et le Penthotal, le fameux sérum de vérité. On recherchait le sensationnalisme.

— Hum... le sérum de vérité... Je dois passer du sérum à la vérité, sans fard et sans tromperie. On dit que la bonté unit le monde et que la vérité le divise... Est-ce que ce que je découvrirai va nous diviser ?

— Quand on parle de la vérité qui divise, on parle des religions. Soyons au-delà et tout ira bien.

— Crois-tu que j'aurai le vertige ?

— Non, mais tu dois changer de perspective.

— Pourquoi j'aurais des freins ? Avec Florence, j'étais toujours en mode accélération et je n'ai pas eu peur. J'ai fait des rêves étonnants. La nuit, je me promenais souvent à dos de tortue. Elle était gigantesque et elle vivait dans les bois. J'étais ensorcelée.

— Parce que tu sais ouvrir ton cœur. Tu es encore pétillante et ça, c'est un beau cadeau que tu fais à ceux qui te côtoient. Comme ambulancière, j'ai rencontré des gens éteints et d'autres qui flamboyaient malgré leurs souffrances. Il y en a qui sont morts, ni vu ni connu. Ils ont le cimetière incrusté et la pierre tombale gravée. Ils te parlent et ça sent la pourriture.

— C'est comme une forme de suicide ?

— Il y a toutes sortes d'autodestructions. Je n'aurais jamais pensé qu'on consacre si peu d'énergie à faire jaillir le merveilleux et qu'on s'avoue vaincu au moindre désenchantement. On tombe sans combattre !

Colette souhaite qu'elle entre en réflexion. Hélène a parlé d'un *suicide sucré*. Jeanne s'est retrouvée de l'autre côté du miroir sans l'avoir traversé.

— Florence disait : « Pour tous ceux qui boudent la vie, ça va prendre un grand renfort d'étincelles. »

— Tu es toi-même une étincelle !

— Merci ! Ça me fait du bien. J'ai eu tellement de peine ces derniers temps que j'ai négligé mon côté feu follet.

— Et malgré tout, il t'en reste encore. Tu en avais sûrement beaucoup à revendre !

— La féerie de Madame Chocolat m'a donné une âme de poupée. C'était si triste chez moi. Il y avait même pas de musique. Chez elle, c'était magique, avec les 78 tours d'enregistrements de fanfares et en plus, comme elle m'a conté qu'à la naissance elle avait l'air d'un rat écorché, elle était pour moi une personne tout à fait spéciale. Elle était jamais allée à Paris, mais elle écoutait sa célèbre fanfare, la Garde républicaine de Paris. Vive les 78 tours ! On se promenait souvent dans le salon. C'était toujours quand son mari était parti travailler. Il était tellement sérieux, on aurait pas osé imiter les grosses caisses, les cymbales et les trompettes-majors devant lui. En tout cas, moi, j'aurais pas osé, c'est sûr. Il m'aurait foutue à la porte. « Les fanfares, c'est très pompeux et les tambours, ça me fait penser aux sauvages, qu'elle me disait. C'est la vie qui déborde. Durant la Première Guerre mondiale, mon père a connu les fanfares militaires américaines. » Ah ! Tu peux pas savoir ce que j'ai vécu, Colette. C'était une joyeuse tempête. Une tornade de bonnes idées. Elle avait les cheveux roux et, une fois par mois, elle avait la teinture sur la tête. Le roux, pour elle, c'était le *rouquemoute*. Je trouvais ça vraiment très drôle. C'est un mot d'argot. Elle aimait toutes les couleurs et elle se cousait des robes très voyantes. C'était la Fifi Brindacier* de Sainte-Blandine. Dans la rue, c'était impossible de la manquer. Quand tu viens au monde et que t'es si minuscule, tu as l'impression d'être entourée de géants et pourtant, tu dois te faire entendre. Alors, elle avait pleuré à s'en fendre les poumons, pour manifester ses besoins. Après, je pense qu'elle s'en est finalement foutue. Elle vivait dans sa bulle. C'était une *guérisseuse de guerre* qui voulait rendre la vie plus douce aux orphelins et… elle avait décidé, surtout, de ne plus passer inaperçue.

— C'est fabuleux et ça me touche… J'aime les enfants.

Colette devient subitement consternée.

— J'aurais pas voulu faire la triste constatation d'un suicide d'enfant. Déjà que ceux qui sont fils ou filles de suicidés ont plus de risques d'y être portés. Je recherche les messages de vie. Qui n'en a pas besoin ?

Colette a les joues blanches et le bout du nez rouge. Elle a l'air d'un étrange Pierrot aux cheveux ébouriffés.

— Il y a des enfants écœurés. Qu'est-ce que ça veut dire ? Ils ont le cœur en dehors du corps ? On a vomi devant eux

---

* Fifi Brindacier : personnage d'Astrid Lindgren. Il s'agit d'une petite fille rebelle qui a aidé à libérer les enfants partout dans le monde. Dans son univers fabuleux, elle a sauvé les enfants des lois des adultes et du carcan parfois malsain de certaines écoles.

l'existence, au lieu d'essayer de la digérer ? J'en ai vu des indigestions aiguës.

Jeanne s'affirme de plus en plus.

— Le suicide des enfants, Jeanne, est une question très délicate.

Colette voudrait se moucher. Les larmes humectent son nez. On dirait un aquarium pour poissons microscopiques. Elle pense au mal de vivre. D'ici une dizaine d'années, on prévoit que la dépression sera la première maladie des habitants du tiers-monde.

§ Hum… une façon tout à fait occidentale d'étiqueter la souffrance. Le plus ancien texte connu parlant du suicide date d'il y a quatre mille ans. Un Égyptien fatigué de vivre projetait de se lancer dans le Nil avec quelques autres compatriotes, où l'attendaient des crocodiles affamés… L'espérance de vie augmente, mais aussi les détraquements de cerveaux et les âmes en lambeaux, avec toutes leurs désespérances.

— Je dis que les jeunes ont trop le temps de penser, enfermés dans leur chambre avec leur téléphone cellulaire et la télé ou l'ordi. Quand j'étais petite, on se rinçait les peines avec le vent et on devait penser aux autres au lieu de ruminer nos tristesses et de manger du macaroni de nombrils.

— Du quoi ?

— Tu as bien compris, du macaroni de nombrils. Et, à défaut de vent, ils pourraient tournicoter dans une sécheuse à hublot. Ça leur permettrait de voir le monde sous un angle différent… Être ou ne pas être toxique, voilà la question !… C'est à cause de ça qu'on mange du sucre en tout cas, pour se relaxer le cerveau et se caraméliser l'intérieur.

— D'accord, mais ça ne change rien à la réalité. Le caramel, c'est là qu'on devrait le déposer.

— En tout cas, avec madame Cécil, je nageais dans le sucre à glacer… mais un jour, ça s'est arrêté.

Ses mains deviennent froides. Elle saisit celles de Colette.

— Qu'est-ce qui est arrivé ?

— La vérité va me donner un grand coup sur la gueule ! J'ai un bandeau. C'est un drap, c'est un linceul, un foulard aussi noir qu'un charbon. Elle est disparue, elle et toute sa maison. Il y a un trou, comme un égout.

— Tu as occulté, mais ça te reviendra. Tu dois savoir !

— J'ai la tête qui serre. C'est pas drôle de s'être gelé une partie de la cervelle.

— À l'époque, t'as pas trouvé d'autres moyens que de placer ton désespoir dans l'Antarctique… façon de parler.

— Mais la vie me ramène sur le quai d'une bien triste gare, chère, et le train va passer. J'ai pas le choix. Je devrai le prendre, même si j'ai pas acheté de billet.

— Le conducteur te connaît.

— Il me connaît ? Qui est le conducteur ?

— Le destin sans doute.

— Le destin ? Qui le fait ? Qui le tricote ?

— J'aimerais répondre à tes questions, mais je trouve que c'est pas très facile. Je te propose un petit somme à côté de la tortue.

— Mais je ne veux pas être dans ton rêve !

— Peut-être qu'il vaudrait mieux que tu rencontres, toute seule, l'homme au parapluie.

Colette lui donne son avis.

— Pas encore celui-là ! C'est madame Cécil qui me l'a présenté. C'était le 5 juillet 1948. Ce jour-là, elle était pas Madame Chocolat. Elle était à découvrir le fond des choses. En tout et partout, pour elle, le monde était un vaste roman policier en dehors du grenier des poupées. Arracher les têtes des marionnettes, en couper les fils et connaître ce qui grenouillait au Québec pendant la Deuxième Guerre mondiale et avait ses tentacules dans le bas du fleuve en lien avec le nazisme, étaient ses missions très personnelles. Ces jours-là, elle dévorait des oranges. Je ne sais pas pourquoi. Ça devait lui donner de l'énergie. Moi, en tout cas, ça me donnait des cauchemars, des vrais, des horribles. Elle disait qu'il y aurait un jour des SS à Sainte-Blandine, que le Führer avait inscrit le Québec sur sa carte géographique des territoires de conquête et que, depuis sa mort, des troupes secrètes s'y affairaient. Que dans un journal anglophone du Québec, le bruit avait couru en décembre 1937 : Hitler avait tenté d'acheter l'île d'Anticosti ! S'il avait réussi, il serait devenu le maître incontesté du fleuve. Son frère lui écrivait de longues lettres. Elle en avait fait une affaire de famille. Surtout depuis que son père avait trinqué avec un caporal allemand. Tous deux dégoûtés de la guerre, ils avaient fraternisé et l'Allemand qui avait un frère haut placé dans la Wehrmacht, avait parlé de ce projet hitlérien, sachant que sa fille s'était exilée en territoire québécois pour fuir les horreurs de la guerre. Il avait voulu en quelque sorte la protéger. C'était en 1940... C'est incroyable, Colette, j'ai l'impression d'avoir une source intarissable de réminiscences. C'est bien le mot ?

— Oui, c'est bien le mot. La vérité sort de ta bouche. C'est la très haute marée ! Tu viens d'entrer sur un chemin qui ne peut faire autrement que de te mener sur une falaise d'où tu verras la vaste étendue de l'horizon.

— Hitler et l'île d'Anticosti, c'est une hallucination confirmée. Peut-être que je verrai l'orage le plus dévastateur que j'ai jamais vu de toute ma vie.

— Peut-être, mais tu le verras.

— Les poupées, les oursons et les SS.

— C'était vraiment aux antipodes.

— Je comprendrai en tout cas pourquoi les nazis me terrifient.

— Ils terrifiaient tout le monde.

— Pour moi, c'est une histoire de chair et de sang. C'est pas du cinéma. Je reviens donc au 5 juillet 1948... J'ai treize ans, toutes mes oreilles et toutes mes dents. Elle me dit qu'en 1942, un pêcheur gaspésien a été la risée de ses compagnons de pêche parce qu'il a vu un tuyau de poêle qui dépassait de l'eau et avançait dans le fleuve. L'histoire s'est rendue jusqu'au gardien d'un phare de Cap-des-Rosiers. Je m'en souviens parce que ça me fait penser aux roses. Plus tôt dans la journée, il avait aperçu un étrange sillon dans le fleuve. Il a alors compris qu'il s'agissait d'un périscope. Des pêcheurs s'étaient aussi plaints que des filets avaient été déchiquetés. La thèse du sous-marin allemand était confirmée et, cette nuit-là, deux navires ont été torpillés. Toujours en 1942, un espion allemand a été arrêté à New Carlisle, en Gaspésie. Elle connaissait toute l'histoire, madame Cécil. Un véritable roman policier. Il était arrivé à l'hôtel du village. Il voulait prendre un bain. Il avait une drôle d'odeur de renfermé. Il dégageait un « parfum sous-marin ». Pendant le repas, le propriétaire fouille dans sa chambre. Ses deux valises sont verrouillées, mais un carton d'allumettes belge a été jeté dans les poubelles. Étrange ! Il dit être de Toronto, mais son accent commence à le trahir, *et cetera, et cetera*. Finalement, il sera arrêté. Entre 1942 et 1944, des nazis ont envahi le fleuve Saint-Laurent et moi, innocente, j'avais sept ans et je peignais les cheveux des poupées et le poil des oursons.

— C'est normal. Vive l'innocence des enfants !

— Oui, vive ! Elle me disait : « Vive les poupées de pluie et leur poésie ! »... J'ai commencé à écrire des petits poèmes sur la tristesse. Ma mère m'inspirait. « Vive les poupées de vent et les grands tourments ! Sacrebleu sur les poupées de feu et les poupées polaires ! Vive les poupées de lumière, elles ont du caractère ! »

— Comment tu peux te souvenir de tout ça ?

— C'est qu'elle me l'a répété des dizaines et des dizaines de fois, quand on traversait le salon au son des fanfares. Elle faisait même la majorette, avec la teinture humide *rouquemoute* sur la tête. Il y avait aussi les poupées de terre qui connaissaient la misère. Le bruit courait qu'elle voulait démasquer les espions, mais je ne savais pas qui était visé. Les espions, c'est mystérieux et ça te saute au visage quand tu t'y attends le moins. Les journées où elle mangeait des oranges, je rentrais chez moi avec un renfort de poupées-chiffon. Je les ai tellement regardées et serrées contre moi que ma personnalité a été modifiée. Mon cœur était comme un métronome. Il me semblait que j'entendais des chants allemands. Elle m'en avait fait écouter. « Ce sont les chants de l'orgueil. On veut conquérir le monde avec l'horreur au bout du canon. Il y a possiblement des jeunesses nazies à Rimouski. Il y a déjà Adrien Arcand, le führer canadien. C'est le délire ! » Allaient-ils rentrer par la cheminée, par la porte du côté, nous faire prisonniers en pleine nuit ? J'ai souffert d'insomnie et la pleine lune dessinait des ombres dans le jardin. Était-ce Satan ou les nazis ? Pour moi, certains soirs, les deux se confondaient. Heureusement, mes poupées étaient d'une telle beauté ! Rien ne pouvait les enlaidir. Elles connaissaient tous mes secrets qui se cachaient, aussitôt sortis de ma bouche, dans leurs flanelles et leurs froufrous. Mais crois-moi, j'en ai bu du lait au chocolat. J'en ai mangé de la tarte aux fraises et du gâteau à la vanille. Ça me sucrait l'intérieur et, je te l'ai déjà dit... le civet de lapin, y'avait rien de meilleur ! Les beaux lapins dodus dans la grange, je jouais avec eux, sans leur donner de nom. J'aurais pas voulu manger Lolo ou Artémise.

— Prise trois. Invitation à venir te coucher près de la tortue !

— Je retourne dans le hamac. J'aime la tortue, mais franchement, il y a trop de houle en ce moment. Si tu penses qu'en quinze minutes de sommeil, tu feras une expérience mémorable... Je suis sur le qui-vive et j'ai le cœur qui palpite... Je préfère ne pas être dans le voisinage. Je sais par contre qu'il faut jamais sous-estimer les tortues.

— Je suis extrêmement fatiguée. Je vais m'endormir, lâcher prise et espérer une accélération vibratoire. Je suis prête !

— Laisse-toi aller, Colette-Cabriole. Je t'encourage ! Elles sont toutes dehors. Qu'est-ce qu'elles font ?

Jeanne s'inquiète.

— Elles prennent un bain de vent. Ça vaut mieux que de tournicoter dans une sécheuse. Ha ! Ha ! Ha !

— Tu deviens coquine et moi, j'ai peur de l'abîme.

— Si tu t'abîmes dans l'abîme, tu n'auras plus d'ailes à l'aurore. Tu souffriras et les nazis seront morts de rire.

— Jamais !

Elle l'a piquée au vif. C'est ce qu'elle voulait.

— Et tu me donnes plus de comprimés ?

Elle lui répond du tac au tac.

— Oui, c'est l'heure des comprimés d'orchidées. Cette fois-ci, c'est une mégadose qui agira en profondeur sur ta lucidité qui doit se manifester. Trois comprimés et de l'eau de feuille d'olivier, l'arbre devenu messager de la paix.

— J'ai peur. À la maison, dans un album, j'ai la photo d'un homme qui a pleuré à chaudes larmes lorsque les troupes allemandes ont défilé à Paris pour la première fois, le 16 août 1940. C'était dans le *Paris Match*. Je le regarde et je sanglote.

— À la maison ?... Aie confiance, tu as la capacité de regarder la vérité en face.

Colette dépose les dragées dans sa main, sachant que toute la force du placebo est dans la confiance et l'effet relationnel soignant-soigné. Jeanne les avale sans tarder avec une grande gorgée d'eau d'olivier.

— J'ai beaucoup d'espoir, ajoute-t-elle.

— Le 18 juin 1940, de Gaulle a lancé un appel à la France et aux Alliés.

— Oui.

Colette, de ses *yeux de biche*, la réconforte.

§ Elle est si belle à regarder, l'ambulancière retraitée. Elle ne fait qu'un avec l'univers des objets transitionnels dont le psychanalyste d'enfants Donald Winnicott a tant parlé. Au fait, était-il parent avec Winnie l'Ourson ? Sans aucun doute. Il a si bien cerné la valeur affective des peluches, toutous ou doudous qui aident les petits à prendre pied dans le monde et, par la suite, à ne pas y perdre pied. Il y a tant d'entorses planétaires ! On a les ligaments aussi fragiles que les artères. Mais imaginons que les oursons et les poupées descendent sur la place publique et catapultent au grand jour les blessures invisibles. La planète deviendrait un immense hôpital où l'amour, dans tout ce qu'il a de plus pur, de plus enveloppant et de plus juste, serait considéré comme l'ultime pansement. Alors, toutes les *poupées de pluie* confondues en un gigantesque tsunami laveraient le patrimoine immatériel de toutes ses scories ! Mais disons-nous que les conditions sont loin d'être propices. Que la nostalgie et la saine mélancolie qui habitent le silence des non-dits ne sont pas toujours invitées à l'intériorité. Certains même ont égorgé, par moments, les pensées qui humanisent et fragilisent. Madame Cécil, dans sa bulle de rat écorché, avait sans doute, dans sa survie extrême, acquis ce magnifique don de la prémonition. Voilà à quoi ressemblaient les réflexions qu'elle jetait sur le papier : *« La terre a des poumons qui ne sont pas ceux que l'on croit. Ce sont : les poupées, les oursons, les doudous, les bouffons, les poupées de pluie, les poupées de vent, les poupées de lumière, le silence, les arbres et la mer. Le jour où on n'aura plus conscience de leur existence, nous serons irrémédiablement asphyxiés… Il y aura de plus en plus d'êtres défigurés. Il y a les nazis et les extrémistes de quelque nature qu'ils soient. Les vampires sont parmi nous et bientôt, il y aura les morts-vivants qui feront « les beaux » et paraderont au grand jour. Les bas-fonds arriveront sur terre et on prendra ça à la légère… Il y a beaucoup de fractures. Avez-vous vu toutes les béquilles?... Quand on fait la guerre en soi-même, on n'a pas de civière pour se ramasser... Les fous du diable, les adorateurs de Satan et les déterreurs de cadavres sont des âmes qui s'emmerdent au sens propre du terme... et l'immense secte des orgueilleux est la pire des couleuvres. Elle rampe dans tous les secteurs de la société. Elle compte autant de membres que de gourous!... J'aimerais qu'il y ait des poupées guerrières pour venir au secours de toutes celles qui ont été kidnappées dans les cachettes secrètes des cœurs blessés. Mais les cachettes sont éventées... C'est la famine et beaucoup de poupées de pluie sont sans abri. Je m'inquiète, parce qu'un jour, on ne pourra pas les pleurer sans être par la suite médicamenté... Je connais plusieurs poupées-chiffon, peluches et oursons. Tous thérapeutes, ils sont en mission et réconfortent jusqu'aux fœtus à naître. Est-il normal de compter sur une aide extérieure pour apaiser le fruit de ses entrailles? Je me pose la question... Jeanne est une petite fille incroyablement dévouée. Elle est très jeune, mais toute vouée à l'amour. C'est une bénédiction qu'elle soit de la famille voisine...* »

Qu'avait fait Jeanne lorsqu'elle s'était rendue quelques mois auparavant à Sainte-Blandine de Rimouski pour revoir la maison de son enfance ? Elle l'avait regardée, certes, mais elle avait été magnétisée par la vieille grange de madame C-C, un kilomètre plus loin, demeure des lapins coquins de cette époque où l'hôpital dans le grenier était une manufacture de bonheur. Puis, elle s'était souvenue, l'espace d'un moment, que Madame Chocolat écrivait des mots sucrés et vinaigrés dans un petit cahier ligné, lorsqu'elle allait visiter ses protégés dans la grange. Elle s'y rendit, allongea son bras sous quelques planches. Ici et là, il n'y avait rien. Puis, en levant le bras, elle trouva dans un coffre de métal, sur une large poutre au plafond, le cahier jauni de cette personne exceptionnelle qui avait jadis ensoleillé sa vie. Mais il y avait un grand vide dans sa tête, car cette personne exceptionnelle était disparue. Puis, lui revint en mémoire un rire fantasmagorique de madame Cécil, un matin d'hiver où celle-ci sortait de chez elle avec Jeanne, les bras pleins de cadeaux, des jolies boîtes enrubannées et d'autres à poster, remplies de poupées-chiffon et d'oursons. C'était le 15 décembre 1946.

— *Vous êtes chargée comme un mulot!*

— *Un quoi?*

— *Un mulot!*

— *Ha! Ha! Ha! Ha! Ha! Ha!*

— *Çà alors, Jeanne! Tu es plus comique que tous les drôles et les drôlières du Poitou! Ha! Ha! Ha! Ha! Ha!*

— *C'est quoi, les drôles et les drôlières?*

— *Ce sont les garçons et les filles. Je te l'ai déjà dit. Là-bas, ce ne sont pas les flos et les flounes comme ici en Gaspésie. Ce sont les drôles et les drôlières. Et puis, je ne suis pas chargée comme un mulot. Ha! Ha! Ha! Ha! Je suis chargée comme un mulet! Elle est bien bonne, celle-là!*

À quoi Jeanne avait répondu:

— *Non, c'est pas ça. Ce que j'ai dit, c'est la vérité. C'est le mulot, pas le mulet! Vous étiez minuscule quand vous êtes née, un pauvre rat écorché. Le mulot, c'est une souris aux grandes oreilles... un petit rat des champs.*

— *Mais... je ne suis plus minuscule.*

— *Non... mais vous me faites penser à un rongeur. Vous poussez des petits cris quand vous vous piquez les doigts avec les aiguilles... vous marchez très vite et vous grignotez tout le temps!*

— *Je n'ai jamais rencontré une petite fille aussi mignonne que toi, et d'une intelligence hors du commun.*

Cette réminiscence avait émergé, mais elle n'en parla à personne. Elle était ressortie de la grange, le cahier de tristesse sous le bras, les souvenirs de cette époque noyés entre deux eaux.

TROISIÈME PARTIE

# *Vingt mille lieues sous les pleurs*

# IX

L'ambulancière se couche en boule, après avoir posé ses mains sur le ventre de la tortue. Elle ouvre son cœur au cristal, toute dévouée à l'instant présent. Elle veut être emportée dans un univers parallèle et découvrir toutes ses cordes sensibles. Elle est dans un cocon qui l'étouffe depuis si longtemps. En surface, rien n'est apparent, mais son corps est un musée de douleurs. Étrange expression qui fait appel au passé. Comme ambulancière, elle a vécu l'école de la vie de façon si précipitée, de multiples tragédies ont laissé leur trace dans ses fibres musculaires. Mais il y a aussi d'étonnantes raideurs, une sempiternelle impression d'être figée, qui l'a envahie durant l'enfance pour ne plus jamais la quitter. Elle est mince, mais un peu trop depuis que l'inflammation s'est emparée de sa chair et de ses os. Lors des appels d'urgence, elle a souvent constaté la malpropreté et la pauvreté, ce qui l'a fortement ébranlée. Il y a du laisser-aller et beaucoup d'incapacité à voir la lumière au bout du tunnel.

§ Le cristal vient du règne minéral et, à l'image du vivant, il déploie son individualité avec les années. Il cumule l'énergie pour s'en délester, tel un don pour celui ou celle qui l'appelle. Ce cristal de roche devenu tortue est gigantesque. Il fait trois mètres de longueur par deux mètres de largeur. De mémoire d'homme, il semble qu'on n'ait jamais vu un émetteur aussi puissant. Dans la salle de yoga, il en impose. Dans la Grèce antique, on regardait la tortue de l'intérieur. La carapace, la dossière, évoquait la voûte céleste, et ses quatre pattes étaient les piliers du monde. Voilà ce qui interpelle Colette : la voûte céleste et, plus encore, l'espace au-delà du visible. Elle aura sans doute l'impression de s'éloigner des codes d'appel qui l'ont remuée jusque dans les profondeurs de son être... *10-44... 10-35... 10-14... 10-43...* Ces chiffres ont troué sa propre carapace. Mais elle avait déjà tendance à être bouleversée. Cela fut perceptible dès l'enfance. Au moindre symptôme physique, elle avait peur d'avoir une maladie grave, un cancer du cerveau par exemple. Et chaque fois que ses parents sortaient, elle craignait qu'ils aient un accident et qu'ils meurent. Quand les gardiennes venaient à la maison, elles trouvaient ça vraiment pénible. Elle était très anxieuse et son frère, très agité. Elle est devenue infirmière entre autres parce qu'elle se disait qu'avec l'aide de ses connaissances, elle comprendrait mieux les symptômes, ce qui la rassurerait. Et puis, sa tante Lise de Québec était infirmière et elle l'admirait beaucoup. Elle voulait par-dessus tout savoir quoi faire en cas d'urgence, pour aider les gens... Elle aurait aussi aimé devenir vétérinaire, mais les études étaient trop longues et elle souhaitait avoir ses enfants dans la vingtaine.

Écrire, mettre sur papier ses pensées lui a permis d'avoir plus de place en dedans, car elle avait souvent de la difficulté à respirer. Le soir, au coucher, sa mère ou sa grand-mère devait souvent parler avec elle. En fait, elle avait besoin d'être écoutée, mais elle n'était jamais totalement rassurée, même si ces doux moments lui faisaient beaucoup de bien. Elle aimait partir dans un *nowhere* avec son père et manger les beignes à la gelée, les choux à la crème et les éclairs au chocolat de la pâtisserie de madame Monette. C'était près d'une petite chute d'une rivière où il y avait des brochets. Il y avait aussi grand-maman Laurette et grand-papa Eugène. Elle aimait jaser avec eux et fouiller dans les boîtes et les coffres de leur grenier. Les greniers, c'est toujours magique... Et puis, l'aïeule faisait de la bonne tarte à la citrouille et un incomparable tapioca. Tous ses grands-parents étaient en quelque sorte ses poupées d'intimité. Elle observait leurs moindres faits et gestes et... elle les câlinait à sa façon. Les poupées de petites filles n'ont pas été présentes dans sa vie, comme elle l'a déjà dit. Elle voulait palper directement le vivant.

Plus tard, comme ambulancière, elle a été bien servie. Elle a évalué tant de signes vitaux et de réactions de pupilles à la lumière. L'échelle de Glasgow, indicatrice de l'état de conscience, elle en a fait son affaire. Les collets cervicaux, elle les a installés avec grande attention. Peut-on être plus minutieuse ? J'en doute. Une femme avec un œdème pulmonaire aigu avait tellement d'eau dans les poumons qu'elle était en train de se noyer par en dedans. Des chasseurs de canards, leur chaloupe avait chaviré à cause de vents violents. Il faisait extrêmement froid et elle dut parcourir, avec ses collègues, un kilomètre presque au pas de course avec une bonbonne d'oxygène, une planche dorsale et une trousse de premiers soins. Sur place, un des deux chasseurs était en arrêt cardiorespiratoire et l'autre en hypothermie, tellement que les quelques paroles qu'il prononça ne furent pas cohérentes. À un autre moment, un ouvrier de la construction s'est blessé à un bras avec une scie à chaîne. C'était très grave. Il avait perdu beaucoup de sang. Lors du transport à l'hôpital, il a vécu une *décorporation*. Il est sorti de son corps et a vu, d'en haut, l'ambulance traverser un pont. On lui a administré la réanimation cardiorespiratoire, mais il ne voulait pas revenir dans son corps. Il était si bien. Colette espère connaître ce bien-être aujourd'hui, même si sa vie n'est pas en danger. Elle aimerait aller à vingt mille lieues sous les pleurs et les heures pour comprendre la nature de ce corps qui grince plus souvent qu'à son tour.

Elle a bien regardé les facettes du cristal de la tortue en y posant les mains. L'espace d'un instant, elle y vit tant de visages éplorés. Chacun associe à un souvenir de toutes ces urgences, et ce qui arrive subitement l'interpelle au plus haut point. Elle voudrait prévenir les tragédies à large échelle, entre autres sur les fermes où les accidents ne pardonnent pas. Les machines à foin qui tournoient avec leurs grands pics sont des monstres de métal qui dépècent souvent les fils des cultivateurs. Quand ils sont happés, ils décèdent instantanément. Les parents sont en état de choc et les ambulanciers ne peuvent alors qu'attendre le coroner et les policiers. Cela, c'est sans compter les jeunes dans la vingtaine dont la combinaison de travail se coince dans le *power take off* d'un tracteur. Colette se souvient d'un de ces jeunes hommes dont la peau d'une cuisse a été arrachée, découvrant ainsi totalement la musculature. On aurait dit un morceau de viande chez le boucher, tellement que pendant plusieurs semaines, elle ne put se mettre aucun morceau de bœuf de quelque nature que ce soit sous la dent.

§ Imaginons un peu la vision d'horreur qui hante pendant des années les soldats qui devaient nettoyer des morceaux de cadavres et identifier, dans des sacs à ordures remplis de restes humains, certains de leurs amis. Des muscles ensanglantés et des têtes arrachées, ils en ont vus plus souvent qu'à leur tour. Et on se préoccupe si peu de leur stress post-traumatique. Tellement peu que plusieurs finissent par se suicider. Mais revenons à Colette, à son propre stress et à son courage.

Elle a été une des premières ambulancières au Québec. La première en tout cas à être en congé de maternité. Ce qui lui permit à deux reprises de prendre une pause, car les ambulanciers voient, en une année, beaucoup plus que ce que la plupart des gens voient en une vie. Ce qui franchement est essoufflant. Elle a même dû dénoncer des bénéficiaires de l'aide sociale qui simulent des symptômes et utilisent les ambulances comme des taxis. À l'hôpital, les médecins leur donnent rapidement leur congé et ils en profitent pour faire leurs courses en ville… Mais pendant ce temps, une partie du territoire reste à découvert. Il y a aussi d'autres genres d'habitués qui ont des surnoms à l'hôpital ou au CLSC. C'était le cas d'un homme grand et poilu surnommé King Kong. Le monde des ambulances a aussi sa propre faune ! Colette n'a jamais oublié un autre homme qu'ils emmenaient à l'urgence quelques fois par année. Un homme paisible au nom qu'on n'oublie pas : Aimé Labonté.

Par moments, elle a demandé de l'aide à des guides ou à toute autre âme disponible, afin d'être accompagnée dans diverses situations éprouvantes lorsqu'elle était de garde. La réanimation cardiorespiratoire est une telle épreuve et quand, en plus, au même moment, on doit traverser une maison qui s'apparente à un véritable labyrinthe, on apprécie d'être accompagnée de l'au-delà. De tout cœur, elle demandait de l'aide pour prendre les bonnes décisions et les réponses ne tardaient pas à se manifester. Mais quelquefois, il était trop tard, surtout pour des noyés qui sentent l'alcool. Elle a toujours vu à transporter avec beaucoup de respect les gens décédés, ce qui n'est pas le cas de tous les ambulanciers. Il faut les manipuler avec douceur et ne pas parler de n'importe quoi. On doit, pense-t-elle, se comporter avec les morts comme avec les vivants, car… ils vivent encore, mais dans une autre dimension.

L'ambulance est un habitacle particulier. Tout est là pour faire face à diverses situations. Il faut savoir manipuler avec précision tout ce qui est mis à la disposition de ces secouristes de haut niveau : civière, appareil à succion, Moniteur Défibrillateur Semi-Automatique (MDSA), trousse de premiers soins, bonbonne à oxygène, tensiomètre, collets cervicaux, attelle cervico-thoracique (ACT), planches longues, boîte de gants, équipement spécial à revêtir sur les lieux d'un accident : le *bunker suit* (casque, pantalon, bottes, manteaux, gants spéciaux). Puis, il y a les armoires avec la literie et tout le nécessaire pour les plaies, canules, tubulures, sacs pour vomissements, etc., et le grand banc sur lequel l'ambulancier s'assoit, ce qui était le cas de Colette, pour être à côté du patient. On y retrouve un pied-de-biche, ce que l'ambulancière aux *yeux de biche* a dû utiliser une fois pour se protéger (lors du transport du fameux King Kong qui n'avait pas toute sa tête), des courroies, du lave-glace, de l'huile…

Ces derniers temps, lorsqu'on l'appelait en pleine nuit pour des urgences, elle était si fatiguée qu'elle avait l'impression d'être entre deux mondes. Son âme voyageait et réintégrait lentement son corps que commençait à rebuter ce travail si exigeant. Son mari dut même intervenir en lui disant que c'était bien elle qui était de service. Puis, une fièvre élevée, des douleurs du bout des cheveux jusqu'aux orteils la mirent aux abois. On parla d'un syndrome post-viral. Son corps s'enflamma de long en large. Elle rêva alors à l'eau fraîche et son souhait de nager en pleine mer avec des dauphins en liberté refit surface. Après un congé de maladie de dix mois, elle voulait retourner au travail à temps complet, mais elle dut se résoudre à démissionner. La vie l'appelle à aider ceux qui souffrent d'une autre façon. Son corps la force à prendre cette décision. C'est aujourd'hui, donc, qu'elle est arrivée en fin de course, devenant une bien jeune retraitée.

§ Je te regarde, Colette, avec tes cheveux courts brun racine légèrement ébouriffés et tes longs doigts effilés. On dirait une pianiste en cavale. Les salles de concert, ce n'est plus pour toi ; tu recherches la campagne et les modulations de la nature. Elles inspirent des compositions plus sobres et introverties.

Tu espères te relever avec facilité de cette position fœtale dans laquelle tu t'es placée, au pied de la tortue. Tu tentes le tout pour le tout, aspirée par le magnétisme de ce reptile translucide. Tu connais les cristaux, mais les as peu fréquentés. Aujourd'hui, tu te lances dans la transparence et la luminosité. Tu as une telle volonté d'être propulsée, ce qui m'impressionne, car pour toi, les voyages ont toujours comporté leur dose d'anxiété. Ici, tu te fous des bactéries sur les téléphones ou les claviers d'ordinateurs. Encore plus des virus projetés à quinze mètres lors d'un éternuement. Tu as accordé tant d'attention à ces bêtes minuscules, que ton système immunitaire était en état d'alerte et d'avance épuisé. Tu baignes maintenant en pensée dans une eau claire et si fraîche. Tu es au pays du sommeil.

Écoute le vent. Il a tant à te dire. Le vent parle lorsqu'on sait se détacher du plan terrestre. La voilà déjà dans un autre monde.

— Tu as beaucoup de cuirasses. Sois transportée par des mains invisibles... Ici, les soins sont d'une autre nature et les civières ont la beauté des opales.

— J'ai besoin d'aide... je suis à bout.

— Ce sont des cuirasses très anciennes. Il faut puiser dans les Annales akashiques, plus précisément dans la mémoire des vies, pour trouver la cause de cette rigidité.

— J'ai déjà eu très peur. C'est ce que je ressens.

— Plus encore, tu as été paralysée.

— Paralysée... de la tête aux pieds ?

— Oui, entièrement et totalement. Une angoissante solitude s'est emparée de toi.

— J'ai très peur ! (*Elle pleure.*)

— Va à la rencontre de cette mémoire pour t'en libérer.

— Là, maintenant ?

— Maintenant.

Elle fait confiance à cette voix qui la guide.

— ... Il y a du mouvement... oui, du mouvement... Je suis ailleurs... à cheval... Je ris... J'ai pris une course avec les oiseaux ! Mon cheval me connaît. Nous sommes des amis de longue date…

— C'était il y a trois siècles, en Bulgarie.

— …Il y a trois siècles… en Bulgarie ?… Ça sent le nectar de trèfle… Allez, plus vite… plus vite ! Il y a un aigle qui veut gagner la course ! J'ai les cheveux très longs et de belles bottes de cuir.

— Tu as dix-sept ans et tu regardes les nuages.

— Il commence à pleuvoir, mais l'aigle s'en fout. Je n'ai pas l'intention de m'arrêter !

— L'orage éclate !

— J'ai les cheveux mouillés. Mon cheval n'est pas content. Je le pousse à courir dans l'orage. Aïe !… Aïe !… Il court de plus en plus vite ! Non ! Non ! Non ! Il lève ses pattes de devant. Il a peur d'un éclair ! Il glisse dans la boue. Je tombe !… C'est l'horreur ! Je me fracasse le cou sur une roche !

Colette est très agitée.

— Tu t'éveilleras deux jours plus tard, paralysée. Un courrier qui passait par là t'a sauvée.

— Vraiment ? Mais c'est très grave ! Extrêmement grave !

— C'est écrit dans le livre de la vie. Pendant vingt ans, tu restas couchée, paralysée, des plaies sur la peau à cause de cette position allongée, de fortes fièvres te ravageant le corps à cause d'infections. Ce qui fait que tu quittas le monde dans la fleur de l'âge, à trente-sept ans. Une fois par semaine, on te plongeait dans un bain. Tu étais morte d'inquiétude, incapable de bouger dans l'eau. Ton fiancé, dévasté par une peine immense, t'a quittée. Tu as vu tes amies se marier et devenir mères. Un seul est resté fidèlement à tes côtés, ton chien bien-aimé… Il t'a rejointe dans cette vie-ci, car il t'a beaucoup aimée.

— Qui êtes-vous ?

— Peu importe qui je suis, l'important est ce que je dis. Je te transmets des notions que tu es à même d'interpréter. Je te parle d'esprit à esprit.

— J'ai été marquée à tout jamais ! Mon chien Baltique était-il auprès de moi, puisque vous dites que mon chien bien-aimé m'a retrouvée dans cette vie-ci ?

— Son nom est rattaché au pays où il vint au monde à cette époque, l'Estonie, au nord de l'Europe.

— Oui, c'est là que se trouve la mer Baltique. C'est pas croyable. Ce chien est un croisement de labrador et de bouvier bernois. Nous étions sa famille d'accueil lorsqu'il était bébé. Il a été par la suite un chien-guide pour les non-voyants. Après une paralytique, il y a trois siècles, il s'est occupé des aveugles. Maintenant, il est à la retraite. Il est de retour parmi nous...

— Depuis, dans chacune de tes incarnations, tu as craint les accidents et tout ce qui arrive subitement. Le temps est venu de te libérer de ce carcan invisible et de redonner à tes mémoires énergétiques la légèreté d'autrefois.

— J'étais aussi innocente que les adolescents d'aujourd'hui au volant de leur voiture. On se croit invincible. On pense à tort que la prudence, c'est toujours pour les autres !... Conséquence : par la suite, je suis devenue hyperprévoyante, précautionneuse à l'extrême ! Je comprends maintenant, j'ai une marque indélébile !

— Tu portes depuis l'instinct des urgences, la fibre du secours infini. Ce traumatisme ne peut être effacé, mais peut être grandement atténué.

— Par moments, j'ai le bassin bloqué. Il bouge, mais j'ai souvent eu la frayeur au ventre.

— Pour diverses raisons, d'abord celle dont tu as pris conscience, cet accident, et aussi à cause d'agressions sexuelles... La mer t'appelle maintenant... Des dauphins seront à tes côtés pour t'aider à te délester des traumatismes du passé. Nous sommes dans une dimension où l'eau n'est pas mouillée, mais elle a toute sa mouvance.

— Des dauphins ?... De vrais dauphins ?

— Ils sont en partie translucides et leurs sonars sont détecteurs et guérisseurs.

— J'ai demandé d'avoir « l'œil de fée », ce qui permet de voir malgré les transparences. J'ai tenté d'avoir un bassin mobile, mais j'ai des blocages, un ventre prisonnier. J'ai voulu, lors d'ateliers spécialisés, faire danser mon utérus, mais j'ai repris contact avec mes deux césariennes et la crainte de l'accouchement.

— Mémoire akashique… Il faut faire la paix avec certains champs vibratoires. Tu as besoin de soins énergétiques. Reçois cette robe de fluidité. Tu es positive et intuitive. Laisse-la revêtir ta dimension énergétique. Un rien peut te toucher, un regard, un silence, une impatience… Sois à l'écoute de ton vécu antérieur… Cette connaissance t'est transmise avec amour. Ce n'est que le retour des choses, car tu as beaucoup donné autour de toi. Tu vis dans la compassion. Ta sensibilité est très pure et tu n'arrives pas toujours facilement à mettre en mots ce que tu ressens.

— J'y travaille… J'attends depuis longtemps qu'un autre de mes rêves secrets se réalise.

— Quel est-il ?

— Je ne me suis pas toujours traitée avec douceur et acceptation et je craignais ce qui se manifestait à moi… J'ai des mains guérisseuses.

— Le fantastique et le merveilleux t'interpellent, mais comme tu tentes de comprendre souvent par la logique, il est arrivé plusieurs fois que ces deux univers ne puissent se rencontrer.

— Je veux embellir tout ce que je touche et avant tout les êtres humains. Je veux devenir fluide et unir ces deux mondes. J'ai tellement souffert d'insécurité. J'avais besoin d'un encadrement très étroit pour me sentir rassurée. Je comprends aujourd'hui que le souvenir inconscient de cette tragédie m'a poursuivie. C'est incroyable ! J'ai été souvent sur la défensive et je m'isolais. Les symboles, les contes, les chansons me sont heureusement venus en aide. D'une vie à l'autre, un corps nous est prêté pour un temps déterminé, mais certains souvenirs demeurent incrustés... C'est à un autre niveau.

— Tu dois maintenant te libérer des mémoires de cette ancienne paralysie.

— Tout s'éclaire... ma robe de fluidité m'entraîne... Je vais plonger comme une sirène. Je voulais nager avec Joan Ocean et les dauphins d'Hawaï. Mais ici, c'est mille fois plus subtil. Je peux nager sous l'eau, sans masque, sans palmes et sans tuba ?

— Oui, tu seras comme un oiseau dans cet océan sans pareil. Tu es dans une autre dimension.

— Aaaaaah ! Je nage sans être mouillée. J'avance à toute vitesse... vraiment à toute vitesse ! Mon corps se déploie comme une anguille ! J'ai en moi le mouvement des vagues, le roulis de la mer ! Je ne fais qu'un avec elle !

— Tu fais de nouveau un avec la pulsation de la vie, naturellement, tout simplement. Tu es dans la joie de ce monde de grâce et tu vis pleinement l'instant présent.

— Beaucoup de dauphins m'accompagnent. J'aimerais les tenir dans mes bras.

— Saisis-en un à la fois !

Colette se retourne. Cette voix ne lui est pas inconnue. Elle ressent une présence.

— On se retrouve dans un vertige enfantin !

— Comment ?

— C'est un bonheur intensément palpable !

— Florence ?

— Oui, Colette, c'est bien moi.

Elle lui sourit tendrement.

— Je suis venue t'accompagner dans cette béatitude. Je sais qu'au fond de toi, tu en avais le désir.

— …Florence… je peux pas croire que tu sois là, si près de moi. Je n'ai jamais pu t'oublier depuis cette rencontre avec les parents du bébé décédé… le médicament de lumière… et tout cet amour dont tu les as enveloppés.

Florence lui fait une invitation des plus inattendues.

— Dis-toi qu'il n'y a pas meilleur remède et il doit toujours être personnalisé. Nageons ensemble puisque c'est ton souhait.

— L'eau a une énergie très brillante, mais, contrairement aux néons de la Terre, il n'y a rien ici qui m'agresse.

Colette aime cette luminosité.

Elles tourbillonnent avec les dauphins qui tracent des sillons si ténus qu'elles ont peine à les voir.

— Il ne faut plus parler, et rire dans le silence.

— Comment peut-on rire dans le silence ?

— C'est ce que font les dauphins.

— Ils me taquinent avec leurs nageoires !… Je n'ai jamais eu une aussi grande sensation de liberté ! J'ai l'impression de voler dans un océan diaphane qui est en soi un message de limpidité du cœur.

— C'est le défi de tout un chacun, la longue marche qui demande de n'avoir aucune idée préconçue, aucune préméditation.

— Certains diraient que nous vivons en ce moment le *temps-dauphin* qui s'étire dans tous les sens.

— Le bien-être est si éthéré et extatique !

§ Je suis aux premières loges et j'en suis très heureuse. Je les vois, gracieuses et fluides, enjouées et comblées. Une force vive désarçonne une anxiété maladive qui avait assailli Colette en 1714, en Bulgarie, à Plovdiv, un mardi pluvieux de juin où s'étaient arrêtées ses ingénues cabrioles. Colette l'a exprimé franchement à Jeanne. Elle aspirait à plus que des pirouettes… à des galipettes, des entrechats, des gambades hors du commun où son être entier serait mis à contribution. Depuis trop longtemps déjà, son âme et son corps étaient dysfonctionnels. Il y avait un facteur inconnu dans l'engrenage.

Colette regarde le ciel du ciel. Comment décrire un tel état de grâce ? En elle se dépose une paix inconnue, une sérénité, une confiance retrouvée. Les dauphins nagent sur le dos. Ils se regroupent et les transportent toutes deux. Ce qui était brisé en elle aura de nouveau des ailes, et c'est peu dire lorsqu'on en a été si âprement privé.

Elle ferme les yeux. Ils filent tous à vive allure et elle le ressent. Le vent est doux malgré tout. Ils s'arrêtent maintenant.

— Je t'invite à voyager à dos de licorne.

— À dos de quoi ?

— Tu as bien entendu. Je te parle d'un animal légendaire dont on dit qu'il peut vivre jusqu'à mille ans, dans une forêt enchantée. (*Elle rit.*)

Colette relève la tête et ouvre les yeux. Elles sont au bord d'une grève et Florence est déjà à cheval sur la bête chimérique.

— Les dauphins et une licorne… Pourrai-je retourner sur terre ? Ce sera sans doute au-delà de mes forces…

— Non seulement tu pourras, mais tu devras y retourner !

Elle lui tend la main. Colette s'agrippe et se retrouve derrière Florence, sur le dos de l'animal. Des souvenirs refont surface. Elle en tressaille même, car elle avait à l'époque vécu un double deuil, celui de son corps et celui de son cheval Hristo qui, pour cause de fracture à une patte, avait dû être abattu. Elles sont toutes deux revêtues d'une robe de fluidité, ce qui leur donne une légèreté sans pareil : cet état auquel on aspire et qui caractérise le bonheur ultime du devoir accompli.

La licorne est d'une blancheur argentée et sa corne torsadée, étincelante et dorée. Nous sommes au-delà de la légende !

— Je ne pensais jamais faire un tel voyage.

Elle tient Florence par la taille. La licorne avance au trot.

— Je revois les paysages d'autrefois, les plaines et les montagnes, et je ressens tout l'amour des Bulgares pour les chevaux. On faisait même des fêtes pour ces beaux animaux. Il fallait monter en amazone, mais quand personne ne me voyait, je galopais comme un garçon. On disait que mon accident était un signe que j'avais été punie. Mais je n'ai rien fait de mal. Est-ce que la licorne a vraiment existé sur terre ?

— Certains l'ont vue, mais elle a toujours été d'un autre monde. Il semble qu'on l'ait confondue avec l'antilope de l'Himalaya ou l'âne sauvage... Des cornes de licornes se seraient retrouvées chez les apothicaires, mais elles provenaient du narval cornu des mers. Sa défense a longtemps été considérée comme une corne.

— Parle-moi de la vraie licorne.

— On dit qu'elle a la propriété de neutraliser les poisons subtils. Elle sépare le pur de l'impur et évite de fréquenter les humains tant et aussi longtemps qu'elle n'est pas sûre d'être bien accueillie. L'indifférence la blesse profondément.

— Je la comprends.

— Elle est un symbole de noblesse et de beauté, mais souviens-toi avant tout qu'elle est douée du pouvoir mystérieux de déceler l'impur.

— Imagine des troupeaux de licornes...

— Elles lisent dans les pensées... Celle qui nous transporte est déjà allée sur terre. Une nuit, elle est venue chercher l'âme d'une enfant malade de la peste qui était sur terre pour faire connaître le pouvoir des fleurs. Ça se passait au Moyen Âge. Une guerre avait sévi et la pourriture de centaines de corps de soldats morts au champ de bataille avait finalement souillé l'eau. Sa famille devait quitter le pays mais, au dernier moment, son père s'était ravisé, ce qui leur fut à tous horriblement funeste.

Florence se remémore ce fatidique passé.

— Moi, j'aurais aimé mourir tout de suite après cet accident !

— Ton âme devait mûrir. Tu ne serais pas devenue celle que tu es. Après ton décès en 1734, tu t'es réincarnée en Angleterre et tu fus la muse de John Dawson qui, touché par les handicapés, fut considéré en 1783 comme le premier fabricant de fauteuils roulants.

— Après cette longue souffrance, je connaissais pleinement l'importance de cette invention… Sommes-nous dans une forêt enchantée ?

Colette a une telle curiosité.

— Ce qui est pur, totalement pur, semble posséder une force surnaturelle ; voilà pourquoi tu penses à un lieu d'enchantement ; mais les germes de cette forêt sont en toi. C'est ce qui fait que tu as pu y accéder… Nous devons nous séparer, Colette, mais si tu as besoin d'aide, je serai à tes côtés.

— Déjà ?… Je serai un canal pour te permettre de continuer à acheminer ton amour sur terre. Je te le promets.

— Merci. Je reconnais là tout l'amour qui t'habite, mais tu as aussi le tien à canaliser… Il y a ici une autre licorne. À toi de la monter maintenant et de retrouver le bonheur de cette liberté.

— Ouf ! Oui, c'est un véritable bonheur !… Monter une licorne, c'est faire un avec la pensée pure et le geste pur. Je suis très touchée qu'elle s'approche de moi et accepte de me transporter… Elle a les yeux d'un bleu si profond… Mais avant de partir, j'aimerais savoir… Comment as-tu fait pour aller au bout de tes convictions ?

— Pour moi, il n'y a jamais eu d'autres chemins. J'étais enfant et je rêvais, comme je le disais à ma mère, de quelque chose de beau, de grand et qui durerait longtemps, à l'âge adulte. J'ai toujours eu une volonté et une énergie décuplées…

des anticorps spirituels sans doute développés au fil de plusieurs vies.

— Tu n'as jamais eu de moments de découragement, de doute, l'impression d'être seule ou devant une tâche trop lourde ?

— Je me suis souvent sentie seule et... vraiment d'ailleurs, je t'assure : pas d'une autre planète, mais d'un autre plan. J'ai demandé de l'aide, qui par moments s'est concrétisée. Il m'est arrivé d'avoir de grandes peines. J'ai entre autres le souvenir d'une grande amitié brisée... J'ai appris à marcher dans le désert sans ressentir la soif.

— Pourquoi es-tu devenue psychologue pour enfants ?

— Parce que les enfants, ce sont les adultes de demain, et une sensibilité blessée ou détruite, pour moi, c'est inacceptable. Il y a encore beaucoup trop d'enfants qui croient que le suicide est une solution. Prisonniers d'une intensité émotionnelle d'une rare puissance qu'ils n'ont pas appris à maîtriser, ils passent à l'acte pour régler un problème. J'en ai sauvé plusieurs, mais quelques-uns m'ont glissé entre les doigts. Quelle désolation ! J'ai vu tellement de petits yeux apeurés. Je n'ai jamais pu accepter ça !

— Pourquoi y a-t-il autant de gens qui consomment des drogues ? Des riches, des pauvres, des jeunes, des vieux, des présidents de compagnie, des professeurs... Ça m'attriste beaucoup. Ça me donne le vertige ! Explique-moi.

— C'est la souffrance de l'âme, les tourments du noyau spirituel. Au lieu de l'utiliser comme tremplin, d'en rechercher la cause, de trouver les véritables façons de l'apprivoiser, on s'adonne aux paradis artificiels. Ça ne date pas d'aujourd'hui, mais ça se généralise. C'est déplorable !

Colette pense à madame Cécil, aux *poupées de pluie* et aux génocides des enfants intérieurs. Une partie de ce génocide a-t-elle un lien avec d'invisibles suicides ?

— La Terre est à une époque de grande fragilité, ajoute Florence.

Colette doit se résoudre à la quitter, mais elles resteront en contact. La licorne l'emmène au cœur d'une forêt. On dirait un subtil frimas. Elle s'endort au pied d'un arbre enchanté. On pourrait dire, en matière de notions célestes, qu'il est habité par des chants... Sur terre, ces arbres ont pour hôtes des faunes.

Elle a un sens extraordinaire de la symbolique. Rêveuse et artistique sous des dehors rationnels et pragmatiques, elle sera éblouie pour le restant de sa vie. Quelle rencontre et quel fabuleux périple ! Elle a rapidement saisi la nature des *poupées de pluie* dont a parlé Madame Chocolat à Jeanne, par un jour de grisaille où Gérard Lepage lui avait tâté les seins comme on saisit des grenades quand on s'apprête au combat. La tristesse et la nostalgie font partie de la vie. Il faut s'y cramponner et les apprivoiser. Elles constituent la nature même des personnages-pensées du pays intérieur que l'on souhaite retrouver ou ne jamais quitter. C'est palpable, reconnaissable et identifiable !

Combien vaut une goutte d'eau ? L'or bleu de la Terre ne cesse de gagner en valeur avec l'altération de l'environnement. Il en est de même pour une goutte d'eau de ces poupées, qu'elle se transpose en larmes ou en moments d'introspection. Elle gagne en valeur avec l'altération de la sensibilité.

« [...] *autour de moi, tout est lumière et eau. Je porte ma plume à l'encrier et, jouissant de la sécurité de mon emprisonnement intérieur, aquatique, tel un insecte dans le milieu d'une bulle d'air, j'écris* [...] »

Paul CLAUDEL

« Mille ans sont comme un jour » lorsqu'on accède à des plans d'une autre densité... L'expérience fut profonde et la métamorphose inaltérable.

Colette est rassasiée, comblée au plus profond d'elle-même. L'ankylose n'est plus qu'un lointain souvenir. Elle s'est délestée de ses sombres mémoires. Ses champs vibratoires sont modifiés. Son corps en sera lui-même transformé et ses mains guérisseuses auront de plus larges frontières.

Elle entend la voix de Florence, mais elle ne la voit pas.

— Il faut retrouver cette vie qui t'appelle et ce don qui n'est rien d'autre qu'un cadeau. Tu as encore beaucoup à faire. Tu ressentiras, car tes mains seront de véritables antennes, que des âmes appellent au secours. Le taux vibratoire de la planète appelé « résonances de Schumann », depuis 1980, s'est accéléré au point où maintenant, vingt-quatre heures correspondent à seize heures en temps terrestre. Les événements se précipitent, l'histoire n'a plus la même cadence.

— C'était… vraiment magique. Heureusement, j'ai demandé d'avoir *l'œil de fée…*

— Le demander, c'est croire qu'on est en mesure de l'utiliser.

— Je les ai vus. Je les ai palpés. Quelle expérience ! J'ai nagé avec des dauphins et j'ai pu voyager à dos de licorne !… Qui me croira ?

— Maintenant, retourne auprès de Jeanne. Elle s'est endormie. Heureusement, cette fois-ci, son sommeil a été paisible. Elle a enfin pu se reposer.

— Elle passe d'un plan à l'autre en une fraction de seconde.

Colette bouge les pieds. Elle frotte ses globes oculaires et ouvre les yeux. Un regard asiatique la contemple depuis un certain moment déjà.

— Je suis Yoshiko, la poupée japonaise. Je suis très honorée de vous accueillir de nouveau dans la réalité.

— Merci… Là où j'étais, c'était une sorte d'apesanteur.

— Vous êtes allée au cœur du lotus trop souvent imperceptible.

— Ayoye… Est-ce que j'ai dormi longtemps ?

Elle se relève sans aucune courbature, avec une énergie décuplée.

— Une heure.

Lily lui sourit.

— Je vous ai sans doute retardées ?

— Non… c'était parfait. Il fallait mettre Yoshiko au parfum et Jeanne s'était endormie.

— J'ai nagé avec des dauphins translucides… J'ai rencontré Florence ! Nous sommes montées à dos de licorne. Pouvez-vous imaginer ?

— Non… ressentir… Il faut remercier pour ces cadeaux incomparables…

Yoshiko semble toujours tout comprendre.

— Ma sœur sait que les événements arrivent toujours au bon moment.

Lily n'en a aucun doute.

— L'existence de la licorne a été beaucoup discutée. C'est le qilin chinois. Avec le dragon azur, l'oiseau vermillon, le tigre blanc et la tortue noire, elle fait partie des cinq animaux sacrés associés aux éléments.

La poupée japonaise est une asiatique encyclopédie.

— On m'a fait un tel cadeau… Je veux tellement m'en montrer digne.

— Vouloir, c'est pouvoir. Je le pense vraiment et je le crois.

Lily la regarde droit dans les yeux.

— Je sais maintenant ce que mon être a choisi de vivre dans cette vie-ci. Mon corps sera souple et fluide et je déploierai en toute conscience l'énergie guérisseuse. J'avais un traumatisme si ancien. Je ne pouvais comprendre la source de ces douleurs que par une révélation. À bien y penser, c'est depuis que mon chien Baltique est revenu à la maison. C'est depuis qu'il est à la retraite, qu'il ne travaille plus comme chien-guide, que mes douleurs se sont accentuées. L'énergie du trauma a ressurgi en sa présence. Ce qui m'a portée à chercher avec acharnement des pistes de solution, de compréhension de ce mal-être physique. Il avait des racines vieilles de presque trois siècles.

— Vous faites bien sûr référence aux vies antérieures… Elles permettent aussi une meilleure compréhension de la psychiatrie.

Yoshiko est stoïque en apparence. Elle a une sensibilité introvertie. Ses joues sont d'argile, mais son âme est de feu.

# X

L'arrivée de Yoshiko a causé un véritable émoi dans ce cercle choisi de poupées humaines. Elle est toute désignée pour guider Jeanne sur le chemin du retour. Elle a son idée. Rien de mieux que la symbolique du pont pour réunir les deux rives, celle du passé et celle du présent. Elle a travaillé pendant de nombreuses années dans les départements de psychiatrie au Japon et aux États-Unis. Puis elle a épousé un sculpteur de Kamouraska et découvert ce merveilleux coin de pays.

— Tu as vu une licorne ?

Hélène est questionneuse.

— J'en ai vu deux.

— Spirale ensoleillée de corne torsadée !

— C'était de toute beauté. Impossible d'en faire une description.

Colette a le regard ébloui.

— Ma foi, c'est aussi rare qu'une coccinelle dans l'oreille d'un chimpanzé !

Yoshiko n'a rien entendu.

— Je vais maintenant établir un espace-frontière imaginaire. *Hoshi* est le mot qui désigne le pont, en japonais. Ici, nous aurons un pont flottant. Vous m'avez bien expliqué où vous en êtes avec Jeanne. Je vous demande humblement de continuer avec moi ce voyage.

Yoshiko est encore très imprégnée de la légendaire politesse japonaise. Elle se dirige vers Jeanne qui dort encore. Elle semble paisible, enveloppée d'une grande étoffe noire et d'une longue dentelle blanche.

— Je voudrais lui chanter une autre berceuse.

Liette est attendrie.

— Le temps n'est pas aux berceuses. Le temps est à la prise en charge de ce passage de vie qui a laissé en elle de terribles séquelles. Nous devons toutes nous diriger vers son passé.

— Il faut s'attendre à quelque puanteur… Je suis Busara, la poupée qui récolte et transporte les peurs.

— Et d'horribles tristesses… Je suis Sophear, la poupée-tristesse.

— Laissez-vous guider, vous saurez à quel moment il sera bon d'intervenir. Je vous fais confiance.

Yoshiko est une rassembleuse.

— Il y aura des pleurs et des grincements de dents… Je suis Sylvie-Touria, la poupée-courage. Toute ma vie, je n'ai fait qu'un avec le violon. Je vous propose d'accompagner ce beau cœur de poupée avec de la musique.

— Allez-y avec ce qu'il y a de plus nostalgique et… jouez jusqu'à ce que le film de cette tranche de vie se soit déroulé… entièrement et totalement. Nous serons sur un pont et, par la suite, nous accéderons à la forêt du bois brûlé.

— Qui a dit « brûlé » et pourquoi ?

Jeanne vient de se réveiller.

— Le bois brûlé sent la souffrance. À Hiroshima, le bois qu'on a recueilli et placé des années plus tard dans les demeures en guise de souvenir de ce drame atomique recelait, lorsqu'on tendait l'oreille, d'horribles gémissements.

— Une poupée japonaise ?

— Oui… Je suis toute disposée à t'accompagner, Jeanne.

Yoshiko connaît Jeanne. Elles se sont déjà rencontrées dans un moment très particulier, lorsque celle-ci interprétait le langage des lys, ou plutôt des fées leur étant intimement reliées.

§ Jeanne, tu es irremplaçable !

— Nous allons quelque part ? Et… je ne suis pas Jeanne, je suis Vérité sans le sérum. L'heure est venue. Il faut arracher les tentures. Ce sera laid, je l'ai dit. Ce sera abominable. Il y a eu un très grand bruit.

— Nous allons traverser un pont pour accéder à la forêt du bois brûlé. La vérité sent souvent la fumée… parce que le bonheur est calciné. Nous traversons le pont pour aller vers des cendres.

— Alors, enlevez-moi cette dentelle. J'ai le cœur en bouillie et je veux savoir pourquoi.

Yoshiko sait que cette simple symbolique fait appel à des mémoires vibratoires extrêmes. À partir de là, lorsqu'on s'y plonge, des portes s'entrouvrent. On se lie de nouveau à la tragédie.

Elle enlève la longue dentelle et la remet à Paule, la poupée-musique.

Colette voit le trou énergétique entre les seins de Jeanne, qu'elle avait observé plus tôt dans la journée. Elle voudrait le colmater, mais il faut attendre. Il y a d'étranges gémissements entre les deux mondes. Elle regarde la tortue. On dirait un gigantesque agrume d'un oranger flamboyant.

— Tout à l'heure, j'ai lu sur le nord spirituel de la tortue. Le nord mène droit aux cendres.

— Alors, plus question de perdre la boussole.

Jeanne se convainc elle-même qu'elle n'a plus le choix. Elle doit se mettre le nez dans le purin.

— Est-ce qu'il est long, le pont ?

— Pas si long…

Jeanne regarde par terre, s'étire le cou à droite et à gauche. On croirait vraiment qu'elle se balade sur un pont flottant.

— Est-ce que vous aimez les oies ?

— Tout Japonais les respecte. L'oie est un oiseau migrateur de bon augure qui aime se déplacer en groupe et qui symbolise les liens étroits entre les personnes.

— Ah oui, en groupe ?... Donc, c'est pour ça qu'on appelle le pas détestable des armées allemandes « le pas de l'oie » ?

— Exactement, parce qu'ils se déplacent groupés en rangs très serrés. Certains ont appelé ça « la chorégraphie de l'autoritarisme ». Le Japonais aime élever les oies.

— Les liens étroits, c'est merveilleux et ça peut aussi faire beaucoup souffrir. J'étais très près de madame Cécil et de Florence et elles sont mortes toutes les deux.

— Toutes les deux ?

Françoise n'en croit pas ses oreilles. Elle déteste que, lors des tragédies, il y ait des morts.

— Non... non, non... ce n'est pas ce que je veux dire. Florence est morte, mais madame Cécil est disparue.

— Disparue dans la brume ?

Justina ressent que c'est pire encore.

— Non, elle est disparue dans la fumée.

— Qui a eu des pensées déshonorables ? Qui n'a pas su honorer l'hôpital des oursons et des poupées ?

— S'il y avait eu là des poupées de papier, elles auraient toutes brûlé ! Aucune poupée ne peut résister au feu... Elles ont fondu sous mes yeux et les poils des oursons ont été roussis à l'extrême. (*Elle tremble.*)

— Jeanne, il y a en toi quelque chose d'haïtien.

— Comment ?

— Tu es intense, enfantine, turbulente et croyante, comme les Haïtiens.

— Vous en êtes sûre ?

— J'en suis sûre. Je les connais bien. Mon mari qui est sculpteur a perfectionné son art avec des sculpteurs de l'art primitif de ce pays, qui travaillent le bois d'ébène et l'acajou.

— Nous ne sommes pas encore arrivées à la forêt du bois brûlé ?

— Non… Tu trembles encore. Si nous étions en Haïti, je m'adresserais pour toi à un docteur-feuilles.

— Un docteur-feuilles ?

— Oui, là-bas, il y en a plein qui préparent des tisanes guérisseuses pour les nerfs esquintés.

— Les miens, c'est plus que ça. Je dirais même qu'ils sont démodés ! Parlez-moi des poupées de papier… Parlez-moi… parlez-moi ! (*Elle pleure.*)

Yoshiko ressent le désespoir qui lui étreint la gorge. Jeanne veut gagner du temps. Elle lui prend la main. Elles avancent doucement. Sylvie-Touria les suit pas à pas. Paule et Liette modulent leurs voix sur les accords plaintifs du violon.

— Par le biais de la Chine ou de la Corée, la fabrication du papier a été introduite au Japon au V^e^ siècle et a été associée au sacré.

— Il y a des flammes !

Jeanne met une main devant ses yeux. La poupée japonaise continue son récit, mine de rien.

— L'utilisation la plus ancienne des poupées de papier s'est faite avec le Katashiro, qui était considéré comme une sorte de divinité. Certains modèles pouvaient avoir jusqu'à deux mètres de haut. On a connu ensuite des poupées *hina* avec une tête en bois. Il y a eu même le festival des poupées *hina*.

— C'est bien. Il faut faire la fête !

— Il y a aussi les poupées *kokeshi*, produites par les menuisiers. Elles sont petites et mignonnes. Elles n'ont ni jambes ni bras et une tête arrondie. Elles ont été sculptées à partir surtout du XVIII^e^ siècle. La plupart sont faites avec du bois de cerisier. Quand j'étais enfant, j'ai eu plusieurs petites poupées de bois. Elles étaient toutes très belles, peintes et décorées.

— Avez-vous souvent regardé les cerisiers en fleur ?

— Oui, observer les arbres en fleurs est un art typiquement japonais. Il y a aussi beaucoup de poupées-chiffon asiatiques. J'en ai vu en coton bio, ce qui m'a vraiment intéressée, et d'autres en vinyle... Il y a Japan Barbie et son compagnon Ken le samouraï.

— C'est toujours pareil. Qu'est-ce qu'on a contre les petits seins ?

— Peu importe, pensons à autre chose. Nous sommes sur le pont flottant et nous avons bien d'autres sujets de réflexion... Le 3 mars, au Japon, chaque année, c'est la fête des poupées.

— La fête des poupées ? Le Japon fête les poupées ?

— Il s'agit de *Hina matsuri*. C'est un peu particulier. Les jours précédant cette date, les petites filles japonaises exposent de précieuses poupées sur de petites estrades à plusieurs niveaux. Ces poupées spéciales se transmettent de génération en génération. Elles représentent des personnages de la cour impériale de l'ère Heian. Toute l'année, elles sont dans une boîte. Au sommet des estrades, on retrouve l'empereur, à sa gauche l'impératrice et à sa droite, un paravent doré. Viennent au second niveau les dames de la cour, puis les musiciens et divers personnages.

— Bof... c'est pas une vraie fête de poupées. C'est les pantins de la cour... C'était trop beau pour être vrai. (*Elle a un air penaud.*)

— Aux environs de l'an mille en tout cas, je peux te dire que les petites Japonaises jouaient avec des poupées et des maisons de poupées. Il y eut aussi les *musha* représentant les guerriers et les guerrières.

— J'ai connu une guerrière. C'était Madame Chocolat ! Elle mangeait des oranges. Elle n'avait pas peur des nazis. Mais un jour, ils l'ont fait flamber !

— Voyons, Pivoine, c'est une histoire d'horreur !

Éloïse, la poupée-pirate, voudrait fermer le seul œil qui lui reste.

— Non, elle n'a pas flambé, mais ça sentait le cochon grillé à des milles à la ronde… des kilomètres, que je devrais dire.

— Elle flambe ou elle flambe pas ? Elle est morte ou elle est pas morte ? Arrête de tourner autour du brasier ! C'est Jeanne d'Arc ou c'est Fifi Brindacier ?

Liette, qui a troqué son costume de chien pour un long drapé d'organza azur, trouve que le stratagème a assez duré. Il y a une limite au temps élastique !

— C'est les deux à la fois, leur répond Jeanne… Les incendies, je peux pas dire que je connais pas.

— Les flammes, tu les as déjà vues de près. Tu dois maintenant faire en sorte qu'elles cessent de te consumer. Il est temps de te confier.

Yoshiko lui met la main sur les épaules.

— Je veux bien me confier. Ça remonte. J'ai des gargouillis dans les boyaux. Je sais pas toujours quel goût ça aura… Le lendemain du jour de l'An, le 2 janvier 1950, la ferme de mon oncle a brûlé de fond en comble. Les pompiers étaient trop loin et… je pense qu'ils avaient trop bu. Et, le 6 mai 1950, un énorme incendie a ravagé une partie de la ville de Rimouski. Il y avait des vents violents et une pluie d'étincelles. Le feu a sauté par-dessus la rivière et une partie de l'hôpital Saint-Joseph a été détruite. On est allé jusqu'à vider l'hospice où il y avait même des orphelins qui ont été mis à l'abri dans la cathédrale. On a appelé ça « la nuit rouge de Rimouski ». Le feu peut prendre partout et ça arrive très vite. Tout le monde a peur du feu ! Il faut alors compter sur les pompiers. Mais… il faut qu'ils arrivent à temps, qu'ils donnent les premiers soins et, surtout, qu'ils ne fassent pas partie des nazis. Elle a crié : « Apportez-moi de la graisse d'oie ! Aaaaah ! De la graisse d'oie ! » Je suis entrée dans la cuisine. J'ai risqué ma vie. Il y avait plein de fumée. J'ai ouvert la porte du réfrigérateur. J'ai pris le pot. Je suis partie en courant pour rejoindre les pompiers qui la transportaient sur une civière. Elle était dans sa bulle. J'en ai pris un par la manche. Aaaaah ! « Il faut mettre de la graisse d'oie sur les brûlures ! » que j'lui dis. « Fiche-moi la paix, elle a pas besoin d'ça », qu'il me répond. Il me repousse violemment. Mais comme je suis accrochée à sa manche de chemise, elle se déchire et je vois… je vois ! Je vois ! Je vois l'horreur !

— Qu'est-ce que tu vois ? Qu'est-ce que tu vois ?

Paule la poupée-musique l'incite à cracher la « mort-aux-rats » qui l'empoisonne. Jeanne se pince les joues et se frotte vigoureusement les tempes.

— Je vois une croix gammée tatouée sur son bras. Un nazi parmi les pompiers volontaires, et il n'était peut-être pas le seul ! Hitler avait bien des fils !

Elle se lance par terre. Elle pleure.

— Tout ça a commencé avec le cocktail Molotov lancé dans la fenêtre du grenier. Je voulais laver les poupées au deuxième étage. Je cherchais le bouchon. « Où est le bouchon, madame Cécil ? Où est le bouchon ? » J'entends le bruit d'une fenêtre fracassée dans l'hôpital des oursons et des poupées. Je monte en courant. Le feu est pris dans les journaux de *L'Intrépide*. « Le feu est pris ! Le feu est pris ! » Madame C-C était dans la cuisine. Son mari était pas revenu du travail. Elle est montée à la course. Imaginez la scène : les Bleuette, Bella, Rosette et ses petits meubles, Bambino, les jumeaux avec leurs vêtements de velours, la poupée japonaise ancienne, la poupée noire et les oursons qui fondent et se consument sous ses yeux exorbités ! « Sauve-toi, sauve-toi ! Merde, c'est l'horreur ! » Elle a carrément mis ses mains dans les flammes pour les sauver. Elle aurait pas dû ! Elle aurait pas dû ! Elle est devenue grande brûlée des mains jusqu'aux coudes. Elle est finalement sortie à la course, les mains en lambeaux. J'ai vu des ampoules immenses, puis du *ratatinage* de peau. Elle s'est effondrée. (*Elle se roule en boule.*) Ça sentait le cochon brûlé. J'aurais voulu lui parler quand ils l'ont emmenée, mais j'ai pas pu. On m'a repoussée avec la graisse d'oie. Ils sont partis pour l'hôpital. Je savais plus quoi penser. À l'époque, il y avait pas beaucoup de voisins. C'était des curieux et des malappris. Le vent était pas dans le sens de la grange et mes sœurs étaient parties travailler en ville. J'étais en état de choc. Les mains de madame Cécil avaient fondu comme les poupées dans le grenier. Les nazis venaient de l'attaquer. Comment elle pourrait survivre sans ses mains pour coudre et faire à manger ? C'était trop immense pour être vrai. Je me suis enfuie dans la grange. Je pouvais plus crier. J'avais plus de voix. Mes cordes vocales étaient paralysées. Je pleurais en me cachant la tête dans les poils des lapins. Je regardais à travers un petit trou dans le mur, le squelette de la maison : du bois noir brûlé. Quand le grenier s'est retrouvé sur le plancher, j'ai compris que c'était fini. J'ai trouvé un œil calciné d'ourson et un petit soulier de poupée. J'ai failli perdre connaissance et j'ai vomi de la tarte aux fraises. C'était du sang parfumé que j'aurais voulu utiliser pour transfuser les poupées. Mais rien à faire. Quand c'est fini, c'est fini. Je suis retournée dans la grange. Il me restait plus que les lapins. J'ai jamais autant aimé la fourrure !

Elles sont toutes assises autour de Jeanne qui maintient sa position de fœtus. Seule Sylvie-Touria est debout, avec son violon aux cordes vibrantes qui rappelle qu'à tout moment la musique est un baume et un refuge, une nourriture de survivance qu'il faut avaler goulûment.

— Les tragédies me révoltent. Un cocktail Molotov dans la fenêtre du grenier ! La cible était connue !

La poupée-roche Françoise en a le souffle coupé.

— L'instinct du destructeur… Non, ce n'est pas un instinct, qu'est-ce que je raconte ? C'est de la rage !

La poupée voilée montre son visage.

— Est-ce qu'au moins on les a démasqués ?

— J'étais avec les lapins et je pleurais toutes les larmes de mon corps, alors… alors…aaalooors ! (*Elle crie.*) Gérard Lepage est arrivé avec un brassard noir à la manche et une croix gammée épinglée sur sa chemise. Il avait le visage ciré. « *Heil,* poupée ! » qu'il me dit en faisant le terrible salut. Mon cœur s'est recroquevillé. Il s'est changé en dé à coudre. Je pensais à madame Cécil, à tous ses merveilleux fils et à sa machine à coudre. Toutes mes pensées étaient en lien avec sa souffrance. Je sentais qu'il allait se rendre coupable de haute trahison, d'une bassesse extrême envers celle qui l'avait sauvé d'une mort certaine. C'est-à-dire moi-même. Là, j'ai compris qu'il s'était pas caché dans notre grenier, quand j'avais quatre ans, par refus de la guerre qui n'a aucun respect pour la chair à canon, mais par lâcheté ! J'avais sauvé un lâche et un dictateur de campagne qui, devant moi, allait révéler sa vraie nature. « *Heil,* poupée ! Tu vas pas me résister aujourd'hui ? » « Aujourd'hui ?… » Et là, je vous dis qu'en ce moment, je résiste parce que ce mot prononcé avec autorité, je ne veux plus qu'il m'envoie aux oubliettes. « Le petit bunker est détruit, qu'il me dit. Ne fais pas ton occupée, ta débordée. » « C'était pour les orphelins de guerre », que je lui ai répondu pour la énième fois… Il a arraché ma blouse et… j'ai perdu connaissance. Je devinais la suite. J'avais entendu parler des viols en temps de guerre par une de mes sœurs qui lisait un roman.

— Heureusement pour toi, tu as perdu connaissance !

Justina a été très affectée durant sa jeunesse par les doigts longs de son père.

— Mais elle aurait pu se défendre, se sauver ! Je peux pas croire ce que j'entends !

Éloïse est en état de choc.

— Ma Pivoine, on t'a violée !

— Oui, et c'est pour ça que quelques mois plus tard, j'ai retrouvé un fœtus dans les toilettes ! Et j'avais aucun souvenir de ce qui s'était passé. Je m'suis réveillée, j'avais la tête vide. Je suis rentrée chez moi. Mes sœurs avaient les nerfs en boule. Moi, j'avais le cerveau dans l'eau.

Elle se lève.

— « Y'a le feu chez madame Cécil ! Y'a le feu chez madame Cécil ! » Elles répétaient toujours la même phrase. Je pouvais plus parler. Je savais plus parler. J'avais la tête vide devant la forêt de bois brûlé et, aujourd'hui, je l'ai finalement traversée. J'avais tellement peur… de sombrer dans la folie. Quand t'es de l'autre côté du miroir fracassé, y'a que les fous qui te rendent visite.

— Tout ce merveilleux grenier vit encore dans ton cœur, Vérité.

Denise, la poupée-ballerine qui a tant souffert d'être en apesanteur dans un vide intérieur, a beaucoup d'admiration pour elle.

— Tu as occulté cette immense tragédie et tu as continué de faire le bien autour de toi. Si tous avaient ta résilience…

— Si c'en était : je le savais pas.

— A-t-elle survécu, Madame Chocolat ?

— On a dû se rendre compte que j'avais eu un choc énorme. On évitait d'en parler devant moi. De temps en temps, j'entendais murmurer : « La couturière aux mains brûlées, il paraît qu'elle… » On disait qu'on l'avait transférée à l'hôpital Queen Mary Veterans, à Montréal. Y'en a qui disaient que c'était inacceptable parce que c'était pour les soldats. Mais c'était là-bas qu'on réparait les visages des soldats défigurés, qu'on s'occupait des brûlures et de toutes les chirurgies des mains… Il y avait un mur d'ouate autour de moi. J'étais plus tellement dans la réalité, mais je savais qu'elle était une vraie blessée de guerre.

— On doit beaucoup aux plasticiens qui ont rebâti des visages, des nez et des mains. Ils ont redonné de l'espoir à des êtres bouleversés… On a dû lui faire de multiples greffes.

Yoshiko a le cœur comme une éponge remplie de larmes et de poils de lapin.

— Après la fausse couche, je suis partie chez ma tante et ensuite, à Montréal pour travailler. Je suis plus jamais revenue à Sainte-Blandine, sauf pour des funérailles… J'avais tout oublié.

Elle se tourne vers les poupées humaines.

— Appelez-moi Jeanne maintenant… J'ai traversé le mur d'ouate… la cloison de coton. J'suis plus une poupée de chiffon. Je suis de retour dans la réalité… Amivie est entrée dans mon cœur et n'en ressortira jamais. Elle a fait la paix avec l'incendie du passé… Mais j'ai de la peine… je l'ai jamais revue. Elle a dû me trouver terriblement sans-cœur !

— J'ai appelé Diane Dumesnil de la Gendarmerie royale qui s'était occupée de l'enquête lors de mon kidnapping. Je lui ai parlé de ta famille à Sainte-Blandine. Elle fait des miracles. On sait jamais. Elle réussira peut-être à avoir des nouvelles. C'est moi, Pitchou !

Éloïse s'élance et prend Jeanne dans ses bras.

— Ça a pas d'sens, chère. J'ai dû t'faire bien peur, mais quand on vient du bas du fleuve, on a heureusement toute la force de la mer dans les veines.

— Et l'agilité des poissons !

Colette la prend aussi dans ses bras.

— Ah, les jeunes et leurs téléphones portables. Rien ne leur résiste !

§ On pourrait penser qu'Éloïse, à onze ans, est un peu jeune pour avoir le sien. Mais depuis son enlèvement, sa mère s'assure toujours qu'elle ne sorte jamais sans ce lien avec le 9-1-1 et le service de police.

— J'ai d'la peine et d'la joie. J'ai chaud et j'ai froid. J'dois encore faire de la haute pression. Je suis épuisée… Il faudra que je dorme ou que je mange du spaghetti.

Jeanne est irremplaçable.

— Ça, c'est sûr. T'as les oreilles toutes rouges. Je voudrais t'imposer les mains. Tu as des trous énergétiques un peu partout.

— C'est ça, dis donc que j'ai l'air d'une passoire.

— Blague à part, ta pression ne me fait pas sourire.

— J'suis allée au cinéma. Le film était interminable. C'était un drame qui fout les artères en bouillie. Au fond de moi, sans que je le sache, il repassait toujours en boucle.

Elles s'affairent toutes autour d'elle. Hélène lui explique qu'à l'hôpital psychiatrique, elle a été sa doublure. Elle aurait peut-être dû attendre un peu pour lui expliquer le subterfuge. Jeanne est aussi rouge désormais que les coquelicots de grand chemin. Sur ces entrefaites, arrivent Édouard, le fils aîné de Florence, Étienne, le photographe devenu cinéaste qui a filmé durant la semaine qui vient de se terminer la *thérapie des voiles et des cocons* et toute l'improvisation, et Neil, l'ex-conjoint de Florence. Jeanne demeure encore chez lui. Elle y est la femme à tout faire et à tout penser.

— Monsieur Neil !

— Jeanne ! Tu es de retour de voyage ?

— Des fils se sont touchés… Je sais tout à fait pourquoi maintenant, Monsieur Neil ! Quand je m'suis approchée de Mike Darlington, l'ombre de Gérard Delage est brusquement revenue me hanter. Elle m'a même transpercée. Ils avaient tous les deux un grand fusil et… la façon dont il a prononcé « poupée », ça m'a ramenée dans la grange où j'étais en état de choc, il y a un demi-siècle.

— On retourne en arrière pour mieux avancer !

Pour Colette, rien n'est aussi clair que ça maintenant.

— Jeanne, dis-toi bien ceci et ne l'oublie pas. Il y a sur cette planète des hommes qui aiment les femmes et qui les respectent.

Édouard veut la rassurer.

— Tu en as trois devant toi !

Étienne l'affirme avec fierté.

— S'il y a des destructeurs, il y a aussi des protecteurs !

Elle regarde la tortue de cristal.

— On dirait que sous sa carapace, il y a un tourbillon... C'est moi qui projette encore de l'agitation ?

— Tu pourrais t'en approcher avec le cristal de malachite sur ton cœur.

Lily en fait pour une seconde fois la suggestion.

— C'est ton cristal de l'urgence ?

— Oui.

— Des fois, je déteste les urgences... Je viens de parler d'un horrible drame et j'ai perturbé les énergies de la tortue. Je dois m'en approcher ou m'éloigner ? Pourquoi y'a jamais de fin ?

— Il y a des conclusions, des aboutissements, des dénouements, mais y a-t-il vraiment, dans ce grand mouvement de la vie qui nous transporte, une fin avec un F majuscule ?

Yoshiko lui a posé une question à la Shakespeare.

— *The end.*

Liette fait voleter le tissu azur dont elle s'est enveloppée.

— *Fine.*

Justina y va d'une traduction italienne.

— Regardez dans la tortue ! Qui parle de fin ? Nous allons être emportées par un tourbillon violet. Une tornade colorée va balayer nos cœurs et les murs de la salle !

Elles s'approchent toutes de la tortue.

— Emportées ?

Françoise s'inquiète.

— Non, secouées.

— La septième couleur de l'arc-en-ciel se manifeste à nous. Elle est associée à un haut niveau de pensée.

Justina semble en état de transe.

— Elle est liée à l'intuition, à la sensibilité et à la compassion, mais aussi, pour certains, aux malaises et à la provocation.

— Ce n'est pas du violet. C'est de l'ultraviolet ! Si c'est un signe d'enterrement, je dis qu'enterrer son enfant intérieur est la pire des douleurs, pourpre de mauve de magenta éclaté ! La tortue reflète une immense tristesse.

Hélène n'a pas de demi-mesure.

— Tout dépend de quel violet on se chauffe !

— Jeanne, qu'est-ce que tu racontes ?

— La vérité, Monsieur Neil ! Le violet est fait d'un mélange de rouge et de bleu. On peut pas dire que ce soit vraiment une couleur froide.

— Tu as raison, Jeanne…

Yoshiko l'approuve sans tarder.

— …En Extrême-Orient, on attribue au violet une signification dynamique. Avec cette couleur, c'est le passage du yang au yin, de l'actif au passif. On passe en mode introversion.

— C'est le message de la tortue : calme et apaisement. J'aimerais avoir les oreilles mauves. Ça ferait changement.

— Vaudrait mieux roses que mauves, crois-moi, Jeanne !

Colette a des images de pendus devant les yeux. Des oreilles mauve bleuté, elle en a trop vues.

— Les peintres se sont souvent mariés aux pigments violets. Il y a de magnifiques pigments organiques et des pigments minéraux. Ils ont traduit la douceur et le rêve, la solitude et la mélancolie, la dignité et la loyauté, Jeanne.

— Monsieur Neil, vous êtes un amant des galeries d'art et des musées. Êtes-vous impressionné par la tortue ultraviolette ?

— Dis-toi bien qu'avec Florence, j'en ai vu de toutes les couleurs. Alors, me tenir au garde-à-vous dans une tempête de violet est une mince affaire. J'ai vu à Pretoria, en Afrique du Sud, au moment de la floraison du jacaranda, la ville se teinter de bleu violet. C'était une tempête parfumée !

— Sans blague !

Si ce n'était que d'elle, Jeanne serait de tous les voyages et de tous les safaris.

— ...La tortue... elle nous amène sur une longueur d'onde particulière.

Justina est toujours en transe.

— Il ne faut pas prendre à la légère cet instant initiatique.

— Merci à l'améthyste, aux mûres, aux violettes, au collet violet du navet blanc, au cortinaire, un champignon violet, au chou rouge qui en réalité est violet, à la pomme de terre violette, la merveilleuse vitelotte, à la tanzanite, une pierre, et à de nombreux cristaux, de nous entourer de cette couleur qui nous élève.

Lily est en célébration.

— Est-ce que la tempête est dans la tortue ou dans tes pensées ?

Jeanne trouve qu'elle est fortement pigmentée.

— La vitelotte, on pourrait s'en faire une énorme purée ! ajoute-t-elle.

— En psychiatrie, on utilise souvent cette coloration dans le traitement des peurs et des obsessions. Elle fait appel à l'authenticité et à la conscience spirituelle.

Yoshiko, la poupée japonaise, est paisible devant cette teinte qui lui rappelle la carte de la tempérance dans le tarot, où, entre un vase bleu et un vase rouge, circule un fluide, une eau vitale, représentation de l'éternel recommencement. Elle partage cette pensée.

Jeanne est revenue à elle. Elle a retrouvé sa véritable identité, mais a-t-elle saisi la nature profonde de cette expérience ?

— L'histoire des teintures a été marquée par ce pigment… Jeanne, il est temps que tu quittes le noir. Tu as trouvé la vérité entourée de cette couleur des profondeurs. Maintenant, passe au violet !

Lily insiste.

— C'est une de mes couleurs préférées.

Colette l'encourage.

— Ça fait drôle de te voir en picoté violet et orangé… Pirouette !

Elle n'oublie pas le surnom qu'elle a donné à l'ambulancière.

— Il paraît que c'était à la mode dans les années soixante.

— Ah bon !

— Tu veux pas changer de tissu ? Tu pourrais venir en piger un autre avec moi, dans le grand coffre.

§ Mais… Colette est encore en voyage.

— J'ai rencontré Florence lorsque je m'suis endormie à côté de la tortue. Avec elle, j'ai voyagé à dos de licorne.

— À dos de licorne ?

— Oui… et c'est vrai, je me sens plus tellement l'âme à porter cette grande flanelle style pyjama.

— Alors, Mesdames, exécutez-vous !

Édouard ouvre le couvercle du grand coffre.

— Est-ce qu'on ferme les yeux ou on choisit carrément parmi ceux qu'on voit ? Je veux bien porter du violet, mais je voudrais pas être emportée dans un rêve.

— Commence pas à jouer avec le destin. Fais ce qu'on te dit. Écoute ta marraine des Outremangeurs Anonymes.

Liette est flamboyante d'impatience.

— Quel rapport ça a avec les tissus ?

— C'est un rapport d'attitude. Entre dans la tempérance. T'as pas entendu la poupée japonaise parler de la carte du tarot ? Du vase bleu et du vase rouge qui apaisent, de l'eau vitale interpénétrant leurs énergies ?

— J'ai dit que je ne veux plus être rouge, je veux être bleue et même mauve. C'est clair que je change de carnation, chère, il me semble.

— C'est clair, mais tu n'es pas le sujet d'une toile de peintre.

— Je ferais une bien drôle de Joconde. Je pourrais pas rester des heures à poser, sans ramasser la poussière.

— Ça, c'est sûr que tu pourrais pas. T'as le plumeau tellement frétillant !

Hélène en est convaincue.

Colette s'approche de Jeanne la Pivoine et de ses joues écarlates.

— Il faudrait choisir un tissu.

— Je sais, mais j'étire le temps. Je sais pas trop ce qui m'attend… un mélange de retrouvailles et de deuil. Une tempête de violet qui balaye les murs et les âmes, on a déjà vu ça ?

— Peu importe, tu es invitée à suivre le cortège. Au Japon, les fonctionnaires de premier rang portaient le violet foncé. Ils étaient des êtres de devoir.

— Donc, je dois le faire. J'ai pas le choix.

— Tu as le choix, mais si tu résistes par manque de courage, je te reconnaîtrai plus !

Édouard, le fils de Florence, est toujours près du coffre. Il attend qu'elle se dégourdisse enfin.

— T'es quand même pas somnambule ?

— Non, je sais ce que je fais. Mais avec toute cette espèce de jus de myrtille qui me colore de la tête aux pieds, j'ai l'impression d'être une violette africaine. Où est Busara ?

— Je suis là. J'ai été la poupée qui récolte les peurs, mais je suis redevenue humaine. Si tu cherches mon panier pour déposer ton trac et ta frousse, je n'en ai plus.

— D'accord… d'accord, j'ai compris. Je vais pas être trouillarde. Madame Cécil serait pas fière de moi et Florence non plus… Je veux juste choisir les yeux fermés. Je veux, à travers le bout des doigts et la mémoire de ma peau, trouver le tissu qui fera le pont entre le passé et l'avenir.

— Je suis d'accord. Je me faisais la même réflexion.

Colette lui fait un câlin.

— Tu le choisis et tu t'en enveloppes. Je vais le toucher et je recevrai pour toi des images.

— Tu crois ? Je pourrais en recevoir, moi aussi.

— Vas-y, ma belle Pivoine. On est tous avec toi. Laisse-toi guider.

Éloïse la supplie presque.

— J'ai cru que j'étais une poupée de chiffon, mais je vois maintenant que j'ai un cœur de porcelaine.

— Une porcelaine qui, si on sait bien la protéger, n'a aucune raison de se briser.

Étienne, le photographe devenu réalisateur de films, se veut rassurant. Il les a toutes accompagnées durant la semaine qui vient de se terminer. Il les a vues vivre à vif les improvisations et *la thérapie des voiles et des cocons.*

— D'accord, j'y vais.

Elle s'approche du coffre.

— Je plonge ma main… Il faut pas trop me regarder. C'est pas toujours instantané… Je tâtonne… Je cherche… Oups ! Un tissu est sous ma main. Un peu plus et il me sauterait dessus. Il est recouvert de petits fils. C'est très doux. J'ai d'immenses frissons, comme quand mon intuition pressent ce qui va se produire.

— Ouvre les yeux, Pivoine. Regarde ton choix.

Éloïse la suit de près.

— Oh ! Un fond violet recouvert de petits fils blancs. C'est le genre de tissu qui donne des soubresauts quand tu le regardes. Ça pourrait faire un peu mexicain… J'y pense… Madame Cécil avait recouvert une lampe avec un tissu de ce genre-là et… son mari détestait ça. « T'as des goûts qu'on rencontre nulle part », qu'il lui disait. « J'ai des goûts joyeux, qu'elle lui répondait. C'est une façon de lutter contre la cruauté du monde. J'ai des images d'horreur dans la tête en pensant à tous ceux qui sont morts dans les chambres à gaz des camps de concentration. Alors, des tissus qui font penser à toutes sortes de jongleries, je vais en mettre un peu partout dans la maison ! Je me suis unie en pensée à Etty Hillesum et je célèbre la beauté ! En 1942, quand le processus de déportation s'est mis en marche, elle savait que les nazis voulaient la tuer. Elle voyait autour d'elle des massacres, mais elle continuait de s'émerveiller devant le jasmin et un morceau de ciel. Elle avait une relation particulière avec la magnificence des couchers de soleil. Elle allait mourir, mais son âme célébrait la vie ! » Il comprenait pas très bien. Il était du genre plombier, vingt-quatre heures sur vingt-quatre. Il donnait l'impression, par moments, d'avoir la tête dans un tuyau. « Il faut le dire si tu veux faire du cirque ! » « T'as pas compris, je lutte intérieurement contre la cruauté du monde... C'est très sérieux et très important. On dirait que tu as le cœur en vacances, sacrebleu ! Pourquoi es-tu devenu si blasé ? » « Le malheur des autres, j'en ai rien à foutre ! Je veux juste avoir la paix », qu'il lui répondait. Mais elle lâchait pas prise. « Ta paix dépend aussi de celle des autres ! » C'est ça, elle a lutté, mais on a été cruel avec elle. J'ai pas pu le digérer. C'est déjà beaucoup que j'arrive à regarder la vérité en face et que je puisse en parler... Ça me donne froid dans le dos. Je sympathise avec tous ceux dont la vie change brusquement... Il y a les tremblements de terre et les tremblements de l'âme, mais quelquefois les deux se produisent en même temps. Y'a des gens qui ne se revoient plus jamais, quand la vie titube, vacille et claque horriblement des dents !... La bombe atomique sur Hiroshima... le mur de Berlin... les génocides et j'en passe. Madame Cécil... elle m'a aimée. Elle m'a, à sa façon, donné la vie ; mais moi, je suis restée seule avec les lapins lorsqu'elle est partie, et ma mémoire, elle est passée par la chambre à gaz. C'est vraiment pas normal, je sais, mais c'est ce qui s'est passé.

— Il faudra pardonner pour arriver à te libérer. Pardonner tout ce mal qu'on lui a fait.

— Mais je ne sais pas s'ils regrettent.

Colette place ses mains sur sa tête.

— Reçois des énergies d'amour.

— Je les reçois et les transmets... (*elle tente d'arracher les petites peaux autour de ses ongles, tant elle est nerveuse*)... à Gérard Lepage et aux nazis qui étaient près de lui. Si vous saviez les immenses sanglots que j'ai au fond du gosier. J'ai... les poupées de pluie très, très chagrinées.

Elles se placent toutes en cercle autour d'elles. Étienne, Édouard et Neil montent la garde près du coffre aux étoffes d'où émanent des souvenances de couturières de campagne, magiciennes auprès de tant de communautés, de l'Acadie à Sainte-Anne-de-Beaupré. Mais celle qui en ce moment est au centre de leurs pensées, c'est la couturière de Sainte-Blandine de Rimouski, qui fut la fondatrice de cet hôpital pour poupées et oursons qui eut *pignon au grenier* entre 1935 et 1951, dans le bas du fleuve. Cette guérisseuse de guerre vint en aide, secondée par Jeanne, à beaucoup d'orphelins. Que l'amour enveloppe ses mains qui furent si souffrantes et greffées de multiples fois avec de la couenne, comme diraient les habitants du village, de ses cuisses et de ses jambes !

Colette déplace ses mains et Jeanne ferme les yeux. L'infirmière-ambulancière accède à un autre niveau de perception. Elle ressent autour de Jeanne des fréquences. Elle se sent portée à les manipuler. On dirait de l'énergie concentrée à l'intérieur d'une sorte de miel, qu'elle tente d'étirer. Les yeux de Jeanne bougent rapidement de droite à gauche. Colette se demande si elle va retomber dans le sommeil paradoxal et changer de nouveau d'identité. Jeanne se met à trembler. Le cercle des poupées humaines se resserre autour d'elle.

— Elle m'a écrit des lettres ! Elle m'a écrit des lettres ! Elle parle et quelqu'un écrit pour elle. Elle dicte beaucoup de lettres à une religieuse-infirmière ! Je la vois !

Jeanne est étonnamment réceptive. Ses doigts s'agitent. Les muscles de son visage bougent de manière inhabituelle, sans qu'elle leur touche directement.

— Ma mère reçoit les lettres. Elle les place dans une boîte... Il y en a une cinquantaine. Elle n'en parle jamais... Ma mère meurt à soixante-dix ans... Après les funérailles, ma sœur Louise découvre le pot aux roses... C'est sûr, c'était des boutons roses sur papier, mais elle se tait parce que j'ai la mémoire dans la chambre à gaz. (*Elle crie.*) Elle m'a écrit. J'ai pas pu lui répondre. J'ai jamais pu lui répondre. C'est pire que le mur de Berlin, c'est le mur des grands brûlés. Il vient de s'écrouler ! Elle m'a pas oubliée, mais moi, j'étais en état de choc, et personne a pu lui expliquer que j'avais une famille d'autruches. Les autruches du Bas-du-Fleuve avaient la tête dans le sable, au bord de l'eau, et elles ne disaient jamais les vrais mots.

Colette a le ventre qui frémit. Elle palpe les bandes énergétiques qui recouvrent le corps de Jeanne. Elle souffle doucement sur son être avec cette intime impression qu'une poudre de particules étincelantes issue d'un autre monde la traverse pour colmater les trous énergétiques qu'elle a perçus à différents niveaux. Ce qu'elle fait est plus encore que de la *nounoursologie* ou de la plangonophilie*. C'est un don de la Force Lumière à un être vibrant dans l'amour. Elle nage dans l'océan de ses blessures et cautérise dans l'invisible les séquelles de ses mutilations énergétiques. Colette a reçu deux cadeaux

---

* Un plangonophile est un collectionneur des poupées et leur ami. La plangonophilie a trait aux collections de poupées.

provenant des dauphins et de la licorne. Elle le ressent à l'instant. D'abord un sonar qui lui permet d'avoir un véritable système de repérage, ensuite une intuition de pureté qui l'aide à distinguer ce qui vibre dans la noirceur ou la clarté. Présente depuis le début des temps, la lumière apporte le réconfort et la vie. Tout humain recherche la luminosité ; il en a l'ultime nostalgie, aspirant même inconsciemment à la splendeur d'un autre monde. Elle le comprend profondément aujourd'hui. Des larmes coulent sur ses joues. On dirait une rosée déposée sur la fleur de sa conscience.

Colette continue de travailler les bandes énergétiques dans le dos de Jeanne. La Pivoine respire rapidement. Elle lève les bras.

— Je les vois ! Je les vois ! Elles sont là, devant moi, Florence et… madame Cécil ? Elles me tendent les bras… Elles avancent à dos de licorne. Elles en ont chacune une… une licorne translucide avec une corne argentée. C'est pas un conte de fées !

Colette sait qu'elle dit vrai. Elle ne sombre pas dans la folie. Elle n'avait pas eu le temps de lui décrire ce qu'elle a vu lors de son voyage dans cet autre plan et voilà que la Pivoine lui en fait la description.

— Madame Chocolat !… Elle est décédée… il y a quelques années. Florence l'a retrouvée. Elles iront ensemble au bord de l'abîme, aider les suicidés… les enfants intérieurs asphyxiés. Il y en a, c'est sûr, qui pourront être réanimés. Florence y est déjà arrivée.

Jeanne respire de plus en plus fort. Colette ressent que son cœur palpite à un rythme fou. Elle est déchirée entre ses réflexes d'infirmière-ambulancière et ce qu'elle détecte avec son sonar. Jeanne va mourir ! Son âme se détache ! Elle a à peine le temps de réagir. Tout se passe à la vitesse de la Lumière de l'autre monde. Le corps de Jeanne tombe à la renverse dans les bras de Colette qui sait tout et comprend tout ! Dans sa tête, les vaisseaux ont éclaté sous l'énorme pression de cette vision diaphane. C'est l'hémorragie cérébrale et, au même moment, son cœur s'est arrêté. Ses oreilles passent du rouge au bleu, puis au violet.

— Elle a retrouvé ses deux mentors. Elle a quitté son corps… Non, non, son corps l'a quittée, pour lui permettre de venir en aide aux suicidés.

Colette est bouleversée, mais est au même moment dans un incroyable état de grâce.

— Jeanne ! Ma Jeanne !

Hélène est en état de choc.

— Pivoine ! Ma Pivoine !

Éloïse est atterrée.

Elles saisissent ensemble le corps de Jeanne, aidées des trois hommes. La tortue balaie la salle de ses rayons violets. Leurs yeux se dessillent. Ils voient tous Jeanne, souriante, qui les salue. Elle est prête pour le grand voyage. Une licorne l'attend. Elle grimpe sur son dos sans tarder. Madame Chocolat, à côté d'elle, lui prend les bras.

— J'ai des mains de lumière, lui dit-elle.

— Vous m'avez écrit, mais je n'le savais pas.

— Tu avais perdu la mémoire de ces années de grand bonheur.

Madame Cécil ne peut faire autrement que de l'apaiser.

— Le malheur était immense. Je peux pas croire que vous êtes devant moi, Florence !

— Jeanne ! Tu as réuni le passé et le présent. L'avenir est maintenant devant toi.

— J'ai jamais pensé qu'un jour je pourrais, toi aussi, Florence, te retrouver véritablement. Je veux aider à protéger la beauté du monde. Il y a trop de cruauté !…

— Voilà pourquoi nous sommes de nouveau réunies, lui dit-elle.

Jeanne se tourne vers Éloïse.

— Tu étais le bébé de ma fausse couche. Je le sais maintenant. J'ai la *conscience infuse.* Je comprends ce qui fait que nous sommes tellement attachées, chère.

— Tu as été ma mère ?

— Oui, mais tu n'as pas eu le temps d'être mon enfant... Dites à mon fils que je l'aime. Je vous aime ! Merci, Colette, d'avoir mis tes dons au service de ma guérison. Protège les poupées de pluie. Ça aidera à prévenir beaucoup de suicides. Vive les poupées et les oursons ! Merci, Yoshiko, pour le pont flottant et la forêt de bois brûlé. C'est un grand jour !

Elles partent toutes trois au grand galop. Il n'y a pas de temps à perdre. Éloïse a le regard translucide. Cette image de femmes authentiques volant au secours des suicidés sur des animaux mythiques sera gravée dans son âme pour toujours.

Colette les regarde s'éloigner. Elle pense aux trois mousquetaires d'Alexandre Dumas, cet écrivain qui aimait tant les pommes de terre violettes. Les trois mousquetaires, en fait, étaient quatre. Elle est la quatrième, mais elle restera sur terre. Un jour, elle ira les rejoindre à dos de licorne. D'ici là, elle a beaucoup à faire et elle le sait. Elle demande à Neil de prendre la tête de Jeanne dans ses mains. Le groupe s'éloigne lentement afin de déposer son corps sur un matelas soufflé. L'ambulancière aux *yeux de biche* saisit son téléphone cellulaire et compose le 9-1-1.

— Une ambulance, code 10-44.

Ce qui fait référence à un décès.

* * *

Diane Dumesnil, de la Gendarmerie royale, arrive quelques jours plus tard avec toutes les lettres de madame C-C retrouvées chez Louise, une des sœurs de Jeanne. Elle apprend la triste nouvelle. Éloïse décide, après les avoir lues, de les brûler au bord d'un lac, entourée du cercle de ses poupées, libérant ainsi à tout jamais ces vibrations d'amour trop longtemps emprisonnées et cette phrase lourde de sens de Madame Chocolat : « Les mains sont le prolongement de l'amour et de la tendresse, mais aussi de la haine et de la soif du pouvoir. »

FIN

Malgré la fin de ce premier pentacle littéraire de Lydia Renoir, « Les yeux de Florence », d'autres romans sont à venir. Éloïse Valin, la petite-fille de Florence, au seuil de l'adolescence, marchera-t-elle sur les pas de sa grand-mère dans la seconde collection ? Colette, avec son sonar d'un autre monde et son intuition de pureté, alliés à ses mains guérisseuses, continuera-t-elle de vivre des expériences hors du commun ? Hélène sera-t-elle chamboulée par ce deuil d'amitié, ainsi que Liette la Violette, originaire de l'Acadie légendaire ? Jeanne viendra-t-elle les visiter ?...

Voilà autant de questions et d'ouvertures aux prochains récits de Lydia Renoir.

Vous êtes invités à visiter le site **www.lydiarenoir.com** pour en savoir plus sur une auteure à mi-chemin entre la féerie et les lourdeurs terrestres. Ses mots et ses réflexions se métamorphosent en un tapis de ronces et de roses, pour aider à débusquer ce qui doit être vu et su. Le bonheur est à ce prix ! Vous découvrirez d'étonnantes histoires vécues dans cette collection, « Les yeux de Florence », et voyagerez entre le plan terrestre et l'Au-delà.

Vous êtes également invités à vous abonner à l'infolettre de Lydia, envoyée quelques fois par année (www.lydiarenoir.com), et à devenir amis sur Facebook.

Pour plus d'information sur *Les soirées de Lydia* au cours desquelles vous apprendrez à connaître l'univers littéraire de cette auteure qui peint avec des mots et vous invite sur le chemin d'une sensibilité particulière, appelez au 514 603-2401. Vous pourrez, avec elle, décortiquer les pages de cette collection de cinq romans, « Les yeux de Florence », et rencontrer des personnages.

« Les mots sont des réceptacles.
Il faut savoir les ouvrir pour en libérer le sens profond. »

Lydia Renoir

## *Remerciements*

À **Ginette Lemay**, ma *fée de l'ordi*. Je n'ai pas encore trouvé d'autres appellations. Une fée sur les touches d'un clavier, c'est tout dire ! Cela demande beaucoup de perspicacité et une magie au bout des doigts puisque, à partir de mon écriture-papier, que je m'entête avec grand plaisir et bonheur à conserver, Ginette constitue un précieux pont vers le traitement de texte.

À **Gilles Pelletier**, mon époux, ami de mes personnages et de ma plume. Écrire est un acte sensible, un don de soi. On ne peut y accéder qu'en toute tranquillité d'esprit, sachant que, dans le silence de l'intimité, on nous appuie et nous encourage de façon subtile, mais aussi avec des gestes concrets. Merci, Gilles, de si bien réussir à faire tout cela.

À **Sylvie Lamarre** qui s'est ouverte à moi en toute simplicité et confiance. Sylvie a été une des premières ambulancières au Québec. Comme on peut le constater dans ce roman, le personnage dont elle est la racine, Colette Leclerc, a vécu en quelques années des expériences de vie que la plupart des gens ne vivent pas en une vie entière. Je salue son courage. J'ai voulu, dans *Suicide sucré d'une poupée*, aider à panser plusieurs de ses blessures et répondre à ses multiples interrogations. Elle est la gagnante du concours *Devenez un personnage*, 2011-2012.

À **Cécil Pichereau** que je connais depuis plusieurs années, qui lit et relit mes romans au point où, cette fois-ci, elle a été aspirée par le fil de l'histoire. Elle est devenue la racine d'un personnage que l'on ne pourra pas oublier, qui d'ailleurs porte son nom : une couturière fondatrice d'un hôpital pour oursons et poupées qui eut *pignon au grenier* à Sainte-Blandine de Rimouski, au Québec, de 1939 à 1951. J'ai été témoin d'une incroyable synchronicité entre Cécil et son double de papier.

À **Jeannine Thibault,** racine de Jeanne la Pivoine, merci de continuer à m'inspirer de la sorte. Je n'avais jamais pensé que nous ferions un si grand bout de chemin ensemble sur un radeau de papier. Je vais vraiment m'ennuyer de ton personnage. Jeanne viendra peut-être à l'occasion visiter Colette… Qui sait ?

À **Hélène Myre**, un autre beau cœur blessé qui cicatrise à la vitesse-lumière grâce à l'approche symbolique et artistique. Hélène a donné la main à tous les personnages de mes romans. Sauvée d'un geste regrettable qu'elle allait poser, par la lecture du deuxième roman de la collection,

*La muraille de glace*, elle est depuis entrée dans l'univers romanesque de Lydia et j'en suis très heureuse. Elle est la racine du personnage d'Hélène Magnan, l'armurière, qui s'inquiète pour « sa Jeanne ». Hélène Myre est la gagnante du concours *Devenez un personnage*, 2010-2011.

À **Liette Comeau**, grande sœur de toutes les poupées de la Terre et digne protectrice des peluches et des oursons, merci pour cette candeur acadienne et cet amour des berceuses et des chansons. Vous formez, avec Hélène l'armurière et Jeanne la Pivoine, le plus étonnant et redoutable trio de Bécassine que je n'aie jamais rencontré.

À **Claudette Nadeau** qui m'a encouragée souvent à avoir confiance en mes dons d'écriture. Nos multiples échanges écrits en font foi. Gagnante du concours *Devenez un personnage*, 2009-2010, elle est la racine du merveilleux personnage de Yoshiko Ashikaga-Pellerin, qui a vu le jour dans *La petite fille aux perroquets* (troisième roman de la collection « Les yeux de Florence »). Nous la retrouvons dans ce roman-ci, avec sa belle sensibilité japonaise et sa perspicacité d'infirmière ayant travaillé durant plusieurs années en psychiatrie. Merci d'être si près de moi !

Merci à **tous les personnages** (et leurs racines) de *La tortue de cristal*, qui ont continué d'accompagner Jeanne dans le présent ouvrage :

**Jeanne Cerume** (Busara Akida)
**Françoise Charbonneau** (anonyme, pour éviter les représailles)
**Hélène Myre** (Hélène Magnan)
**Liette Comeau** (Liette Comeau)
**Rachel Verdon** (Lily de Blois)
**Paule Valentine** (Paule de Blois)
**Sophear Chiv** (Sophear Nath)
**Virginie Labelle** (Éloïse Valin)
**Les personnages-courtepointes** (Denise Marien, Mélodie Schmidt, Chérine Yamani, Justina Ambrosi, Sylvie-Touria Yamani et Neil Jasmin)
**Grégoire V. Labelle** (Édouard Valin)
**Étienne de Santis** (Étienne Ora)

À **Béatrix Marik**, marraine fée de cette collection « Les yeux de Florence », merci d'avoir si bien saisi le sens de mon écriture, de comprendre qu'il y a une améthyste au fond de mon encrier.

À **Pierre Fournier**, mon éditeur, merci d'encourager l'émergence d'une écriture différente. Cela me demande un courage de tous les instants, car regarder sous les apparences n'est pas encore l'apanage de la multitude. Mais... la multitude a besoin de ce regard.